HISTOIRE DU CHEVALIER DES GRIEUX

ET DE MANON LESCAUT

Collection dirigée par Michel Zink et Michel Jarrety

PRÉVOST

Histoire du chevalier des Grieux et de Manon Lescaut

ÉDITION ÉTABLIE, PRÉSENTÉE ET ANNOTÉE PAR JEAN M. GOULEMOT

LE LIVRE DE POCHE
Classiques

Professeur émérite à l'Université de Tours et ancien membre de l'Institut universitaire de France, Jean Marie Goulemot est spécialiste de la littérature du XVIIIᵉ siècle. Il a procuré plusieurs éditions au Livre de Poche classique (*Le Paradoxe du comédien, La Nouvelle Héloïse, La Vie de Marianne*) et fait paraître récemment un essai : *L'Amour des bibliothèques* (Seuil, 2006).

ISBN : 978-2-253-08103-6 – 1ʳᵉ publication LGF

PRÉFACE

1. *Les* Mémoires d'un Homme de qualité *et* Manon Lescaut

En 1728, paraissent deux tomes, sous le titre, *Mémoires et Aventures d'un Homme de qualité, qui s'est retiré du monde*, chez la veuve Delaulne, rue Saint-Jacques, à l'Empereur, avec approbation et privilège du Roi. Cette édition, très rare (deux exemplaires connus et conservés à la Bibliothèque nationale de France), comporte au début du livre cinquième (tome II) un épisode florentin qui fit scandale en octobre 1728 et entraîna une lettre de cachet contre l'auteur, en date du 30 octobre. L'édition fut retirée du commerce et remplacée par une autre édition publiée avec des suppressions, mais pas corrigée pour autant, par les soins de la veuve Delaulne, associée à G. Martin et T. Le Gras, qui donneront en 1729, sous le titre de *Suite des Mémoires et Aventures d'un Homme de qualité, qui s'est retiré du monde*, les tomes III et IV. Les tomes V, VI, puis VII seront publiés aux dépens de la Compagnie, à Amsterdam, en 1731. À la suite d'un accord, tenant peut-être autant aux besoins d'argent de

l'abbé qu'à une logique de l'œuvre, Prévost a consenti
à publier, dans le tome VII, *Manon Lescaut*. La lettre
de l'Éditeur « à Messieurs de la Compagnie des
Libraires d'Amsterdam », en tête du tome V, confirme
accord et collaboration.

Les *Mémoires et Aventures d'un Homme de qualité*
s'achèvent avec le livre 15 qui porte le mot fin. Il conte
le mariage de Mlle Rosette avec M. de Node. « Ils se
marièrent deux mois après. Je reçois quelquefois de
leurs nouvelles ; et leurs lettres me trompent, s'ils ne
vivent pas heureusement », indique la dernière phrase
du texte de Prévost. Ce qui semble prouver que l'*Histoire du chevalier des Grieux et de Manon Lescaut*
constitue un ajout sans lien réel avec la somme des
quinze premiers livres des *Mémoires*. L'affaire n'est
pas si simple. Les *Mémoires* eux-mêmes ne constituent
pas un exemple d'unité et de cohérence. On peut même
considérer, comme le fait Jean Sgard[1], qu'il y a dans
les sept volumes des *Mémoires* quatre romans différents : la jeunesse de l'Homme de qualité (tomes I-II),
les premiers voyages de Renoncour et de son disciple
(III-IV), la découverte de l'Angleterre et le retour en
France (V-VI) et enfin l'*Histoire du chevalier des
Grieux* (VII). On peut aussi admettre, toujours avec
Jean Sgard, que, seuls de ces récits successifs, le premier, et bien sûr *Manon Lescaut* possèdent une unité
organique.

En 1751, Prévost corrige pour une édition nouvelle

---

1. Voir l'introduction de Jean Sgard, *Mémoires et Aventures d'un
Homme de qualité*, (tomes I et II), texte présenté et annoté par Jean
Sgard, Paris, Desjonquères, 1995.

les *Mémoires* et l'*Histoire du chevalier des Grieux*. Ce simple fait d'une correction continue (alors que les *Mémoires* et l'*Histoire* connaissent des éditions séparées) prouve que, pour Prévost lui-même, l'absence d'une unité globale n'est pas si évidente. Il faut essayer de comprendre, au-delà de ses difficultés d'argent, ce qui a pu pousser Prévost à unir ces textes au point de pratiquer un ajout apparemment peu logique. On peut avancer des raisons de similitude thématique : amours contrariées, femmes mensongères, aveuglement lié à la passion amoureuse... Les similitudes ne manquent pas. Mais une telle thématique appartient à toute l'œuvre de l'abbé Prévost, et cette juxtaposition est cependant unique. Ce qui nous empêche d'utiliser cette raison autrement que comme un moyen de vérifier qu'il n'existait pas, des *Mémoires* à l'*Histoire du chevalier des Grieux*, de trop apparentes discordances, de thématique ou de ton. Il apparaît que l'unité des seize livres (encore que l'*Histoire du chevalier des Grieux et de Manon Lescaut* ne soit jamais désignée par cette dénomination puisque ce type de numérotation s'arrête avec le livre 15) tient moins à la thématique qu'à une certaine fonction que Prévost prête à ses romans.

Les expériences que traverse, ou dont est témoin, le marquis de Renoncour, les leçons morales que l'on est en droit d'en tirer, ne sont pas étrangères à la passion malheureuse de des Grieux, pour qui accepte de les lire comme une anthropologie romanesque, une exploration des limites que la philosophie morale ou la morale chrétienne sont incapables de rendre sensibles. Et ce pour des raisons morales – pour maintenir dans le chemin de la vertu, doit-on pour autant peindre avec réalisme les désordres du vice ? – ou esthétiques. Les déclarations de Prévost, au hasard des ouvertures des divers livres des *Mémoires et Aventures*, sont à rapprocher de l'*Avis de l'auteur des Mémoires d'un Homme de qualité*, qui précède l'*Histoire du chevalier des Grieux et de Manon Lescaut*. L'argument par lequel Prévost légitime l'adjonction – il aurait ajouté les aventures du chevalier des Grieux au lieu de les intégrer dans les *Mémoires* parce que leur longueur « aurait interrompu trop longtemps le fil de [sa] propre histoire » – ne met pas en doute la similitude des points de vue du moraliste et de l'anthropologue à l'œuvre dans les deux récits. Sans entrer trop avant dans les détails de leur trame narrative, les aventures du chevalier des Grieux et de Manon Lescaut ne sont pas étrangères aux définitions successives que « l'éditeur » propose des *Mémoires d'un Homme de qualité*. « On verra, dans les divers événements de sa vie, de nouveaux exemples de l'inconstance ordinaire de la fortune... » ou encore : « Mais lorsqu'on a passé successivement par tous les degrés du bonheur et de l'adversité, lorsqu'on a senti les extrémités du bien et du mal, de la douleur et de la joie, on a fait ses preuves, pour ainsi dire, et ce mélange distingue véritablement les caractères héroïques ; parce qu'il faut autant de force pour soutenir le plaisir avec modération, que pour résister invinciblement à la peine. » Et un peu plus loin : « Si l'on trouve dans cette histoire quelques aventures surprenantes, on doit se souvenir que c'est ce qui les rend dignes d'être communiquées au public. Des événements communs intéressent trop peu, pour mériter d'être écrits. » À ces descriptions d'une histoire digne d'intérêt, capable de plaire et d'instruire, l'*Histoire du chevalier des Grieux* correspond parfaitement. La démonstration n'est pas à faire à son lecteur qui en est évidemment convaincu.

Aucune contradiction non plus avec les propositions de l'Avant-Propos du troisième tome. « Non, les hommes ne forment point de desseins qui ne soient sujets à changer, ni de résolutions qui ne puissent être ébranlées. Je ne suis point naturellement inconstant ; cependant je vis tous les arrangements de conduite que j'avais pris s'évanouir presque tout d'un coup. » Quant à la fonction et à la nature du récit, définies par le narrateur en ouverture du livre sixième : « J'entreprends de rapporter tout ce que j'ai fait, et non tout ce que j'ai vu », leur définition à travers cette formule peut aussi convenir à *Manon Lescaut*. Et « La lettre de l'éditeur » du cinquième tome, dans laquelle Prévost justifie la continuation des *Mémoires d'un Homme de qualité*, confirme pour l'abbé la parenté symbolique, thématique et morale de *Manon Lescaut* avec l'ensemble des *Mémoires et Aventures*[1].

L'unité n'est donc pas strictement structurelle. Elle

---

1. « Je m'imagine donc qu'en imprimant cette suite des *Mémoires*, on fera un présent, agréable et avantageux au public. On y trouvera plus de variété que dans les deux parties précédentes. Le style n'en est pas moins vif, ni moins soutenu. La morale y est aussi pure et plus fréquente, les sentiments aussi tendres, et le fond de la narration aussi intéressant. » – Toutes les citations des *Mémoires et Aventures d'un Homme de qualité, qui s'est retiré du monde* sont extraites des *Œuvres de Prévost*, Presses universitaires de Grenoble, 1978, tome 1, édition établie par Pierre Berthiaume et Jean Sgard.

tient au projet et aux enjeux qui unissent *Mémoires* et *Histoire*. On peut parfaitement imaginer que Prévost en jouant de l'écoulement temporel de l'histoire des amours de des Grieux aurait pu intercaler dans leur récit des éléments de la propre histoire de Renoncour : la solitude (« Étant retourné à ma solitude, je ne fus point informé de la suite de cette aventure. Il se passa deux ans... »), le séjour à Londres avec l'élève (« J'arrivais de Londres à Calais avec le marquis de..., mon élève »). Ces éléments sont présents dans les six premiers livres et le récit de des Grieux obéit à un découpage qu'il aurait fallu par eux et avec eux aménager.

L'impératif de rigueur, la nécessité d'un principe organisateur des *Mémoires* ne semblent pas s'imposer avec une grande autorité à Prévost. Comme le rappelle Jean Sgard, n'a-t-il pas défini les *Mémoires* : « un recueil de faits et de circonstances dans lequel on s'attache moins à l'ordre et à l'ornement qu'à la vérité » *(Manuel lexique)* ? Sans tenir compte ici des qualités exceptionnelles de la mise en forme de *Manon Lescaut*, de la passion qui anime le récit de des Grieux, bien éloignée de la froideur distante qu'affecte parfois le marquis de Renoncour face à son passé, il faut reconnaître que, dans la lecture en continu des *Mémoires d'un Homme de qualité, Manon Lescaut* ne dépare pas. Le texte joue sur l'étrangeté des caractères et des situations, et la sensibilité de l'*Histoire du chevalier des Grieux et de Manon Lescaut.*

Et pourtant, assez vite l'*Histoire du chevalier des Grieux et de Manon Lescaut* est devenue un texte autonome, publié et republié tandis que les *Mémoires et*

Aventures d'un Homme de qualité sombrent dans un relatif oubli – si l'on excepte quelques reprises dans les œuvres choisies de Prévost ou la publication séparée des tomes I et II, jugés aujourd'hui par leur éditeur comme formant le seul vrai roman contenu dans les *Mémoires*. Parallèlement, il existe un succès jamais démenti de *Manon Lescaut*, qui connaît d'immenses ventes de librairie, attire de très nombreux écrivains à succès comme préfaciers jusqu'à nos jours, inspire auteurs de théâtre et réalisateurs de cinéma. Le cas n'est pas unique. *Paul et Virginie* est d'abord un texte qui appartient à un ensemble – les *Études de la nature* – dont il constitue le tome IV, publié par Bernardin de Saint-Pierre en 1788. Le tome V contiendra d'autres textes supplémentaires comme *Les Vœux d'un solitaire, La Chaumière indienne* et *Le Café de Surate*. Dès 1789, il existe une édition séparée de *Paul et Virginie*, que suivront de nombreuses éditions avec ce seul texte tandis que parallèlement se publient des recueils contenant le plus souvent *Paul et Virginie, Le Café de Surate* et *La Chaumière indienne*. Ce qui fait apparaître trois formes de publication de *Paul et Virginie*, soit ce roman seul dans un volume, soit réuni avec d'autres textes de fiction, soit appartenant à l'ensemble des *Études de la nature* qui auront du succès (et donc de nombreuses publications) jusque vers les années 1880.

Une même explication ne peut être donnée pour ces deux cas, même si l'on est conduit à s'interroger sur un phénomène qui semble naître au XVIIIe siècle. Dans un cas (les *Études de la nature*) un texte de réflexion philosophique est illustré par un texte romanesque, puis par trois, qui constituent sous une forme singulière son illustration. Pour Prévost, l'impression est que les *Mémoires* (*Manon Lescaut* incluse) constituent un tout continu. S'il y a illustration, c'est d'une thèse implicite dans les *Mémoires et Aventures*, par l'ensemble des textes romanesques. On peut penser qu'ont décidé de la publication autonome de ces textes romanesques relativement courts les impératifs de la Librairie, la demande du marché, l'attente des lecteurs, partageant le goût de l'époque pour le sensible. Mais dans le cas de Prévost, *Manon Lescaut* avait sa place, et toute sa place, dans les *Mémoires d'un Homme de qualité*. À tel point que certaines éditions de *Manon Lescaut* croient devoir procéder au XVIIIᵉ siècle à des corrections de détail pour que disparaissent les traces de son appartenance à l'ensemble des *Mémoires*.

2. *La structure du récit*

Qui parle dans l'*Histoire du chevalier des Grieux et de Manon Lescaut* ? Bien sûr l'Homme de qualité. Et l'histoire qu'il raconte ou rapporte ici n'est pas la sienne, ou si peu. Certes sa rencontre avec le convoi des déportées constitue l'entrée en scène de Manon et du chevalier des Grieux, notre premier contact, à nous lecteurs, avec ces héros et leur histoire, saisie en son milieu, au presque sommet de son drame, sans que l'on connaisse son origine et son passé. Comment en sont-ils arrivés là, elle, une jeune femme belle, lui, un homme distingué ? L'Homme de qualité est alors un témoin actif qui voit, interroge, s'enquiert et dialogue même avec des Grieux. Son histoire, dont il ignore l'essentiel, la beauté de Manon, son arrestation, sa déportation vers l'Amérique, la bonne mine de son jeune amant qui annonce l'aristocrate, le fascinent, mais il demeure extérieur à leur histoire. La pitié généreuse qu'il éprouve pour les jeunes gens en fait un court instant un des acteurs secondaires du drame. Il intervient auprès des geôliers, qu'il rappelle à leurs devoirs, et soulage un peu la misère de des Grieux et de Manon en leur donnant quelque argent. Il commence à s'effacer pour devenir brièvement cette fois le greffier de la parole du chevalier des Grieux. Le récit de des Grieux constitue d'abord une brève et peu précise explication de sa présence dans ce convoi de déportées en route pour l'Amérique. De Manon, il ne veut rien dire. Mais cette discrétion lui est dictée par la prudence. « Il me répondit honnêtement qu'il ne pouvait m'apprendre qui elle était sans se faire connaître lui-même, et qu'il avait de fortes raisons pour souhaiter demeurer inconnu. » Il confesse néanmoins son violent amour pour la captive, ses vains efforts pour obtenir sa liberté, son malheur présent, soumis qu'il est au caprice et à l'avarice des archers, et sa volonté d'aller jusqu'en Amérique.

Voilà le premier épisode achevé. L'Homme de qualité retourne, selon sa formule, à sa solitude. Il passe deux ans en Angleterre avec son élève et revient par Calais. Rien ne nous indique que le mystère entourant Manon et des Grieux le tracassait encore quand il rencontre le jeune homme de Pacy, « en fort mauvais équipage, [...] pâle », et toujours aussi désargenté. Il l'aborde et l'invite au *Lion d'Or*, désormais « plein d'impatience d'apprendre le détail de son infortune et les circonstances de son voyage d'Amérique ». Sa curiosité paraît bien soudaine. Un peu comme si la deuxième rencontre, interprétée comme un appel – son interlocuteur ne revient-il pas d'Amérique ? – faisait naître en lui un vif désir de savoir. Des Grieux ne tient plus lui-même à l'anonymat comme à Pacy. Bien au contraire. Des Grieux est alors totalement saisi par le désir de raconter, de se remémorer, de comprendre, de commenter et d'expliquer. Il éprouve un violent besoin de témoigner de sa lamentable histoire. C'est donc facilement qu'il se livre et se raconte. L'homme de qualité n'a plus à intervenir ni à relancer la confession du chevalier, même si des Grieux ne manque pas d'interpeller l'Homme de qualité comme pour maintenir éveillée son attention. Le lecteur ne saura rien dès lors de ses impressions ou de ses sentiments, soumis qu'il est à l'écoute des amours de Manon et de des Grieux. Il s'est transformé en scribe muet et, espérons-le, fidèle à la parole de des Grieux. Il n'éprouve pas de sentiment, il ne juge pas. La place est libre pour le lecteur. À lui de s'étonner, de s'émouvoir, de s'indigner, de condamner ou de compatir. Si des Grieux plaide sa cause devant l'Homme de qualité, c'est peine perdue. Ses juges appartiennent à un autre espace et à un autre temps : ceux de la lecture.

Ce roman, à bien l'examiner, comme il est fréquent avec les récits à la première personne, est un patient échafaudage de paroles rapportées. L'Homme de qualité rapporte les paroles de des Grieux, qui rapporte, lui, les siennes, celles de Manon, et de l'ensemble des acteurs de l'aventure : des valets aux magistrats, en passant par Lescaut, le père et le frère du chevalier, les soupirants de Manon... De certains, comme le prince italien, le lecteur ne connaîtra qu'une phrase. Peu ont droit d'ailleurs à une vraie prise de parole. On « n'entend » jamais leur voix : le style indirect y pourvoit très largement. Des Grieux se fait de tous, à des degrés divers et sous des formes multiples, l'interprète.

Arrêtons-nous un moment. Le roman, selon le point de vue adopté par tel ou tel des personnages, possède des divisions, des temporalités, des présences et des manques qui ne coïncident pas. Ainsi, pour l'Homme de qualité, une première rencontre avec Manon et des Grieux, où tout est mystère, et la seconde où tout s'éclaire puisqu'on y évoque ce qui avait précédé cette première rencontre et ce qui l'a suivie lors du séjour américain. Il y a donc une histoire de l'Homme de qualité dans laquelle viennent s'intercaler une rencontre qui est histoire (le convoi des déportées, la présence d'un jeune homme amoureux à la merci de la rapacité des archers) et une deuxième rencontre qui est simple prétexte à un récit rétrospectif, dont l'Homme de qualité n'est que le scripteur. Un peu comme si toutes les questions que se posaient, sur le comment et le pourquoi, l'Homme de qualité et le lecteur avec lui, avaient trouvé dès lors leurs réponses. On remarquera d'ailleurs que le texte de la première rencontre, à la différence de ce qui se produit pour l'Homme de qualité, vite oublieux de cette aventure, excite la curiosité du lecteur, qui attend une suite d'explications que l'Homme de qualité mettra deux ans à recueillir.

Ce découpage, propre à l'Homme de qualité, n'est

pas celui qu'exprime au demeurant des Grieux. Son histoire forme un tout continu, d'Amiens au retour en Europe. Car le renfermement dans la maison paternelle, les études au séminaire de Saint-Sulpice, dont Manon est absente, n'ont pourtant de sens que par elle. S'il est un manque en cette histoire, c'est l'incapacité répétée à comprendre la manière d'aimer et de trahir de Manon. Des amours de des Grieux et de leur récit, il n'existe donc de continu que pour des Grieux lui-même. Pour les autres personnages, fussent-ils des protagonistes actifs, ils relèvent du discontinu narratif. Qu'en a-t-il été de Manon après l'enlèvement de des Grieux par son frère et les valets de sa maison ? Maîtresse du vieux G... M... sans aucun doute ; mais encore, puisque l'affaire du fils G... M... ne laisse nullement entendre qu'elle a été durant un temps assez long la maîtresse du « vieux libertin » ? Peut-on se fier aux versions que Manon donne de sa rencontre avec le prince italien ou même de l'après-midi passé avec le jeune G... M... ? N'est-elle pas habile à arranger les choses par amour pour des Grieux, par besoin d'argent ou par goût de la duperie quand elle est accablée de reproches par son amant ? Ne change-t-elle pas de projet au gré des circonstances, au point de modifier sa version des faits ? Que voit-elle de la fenêtre où elle passe bien du temps dans la maison de Chaillot ?

Le père du chevalier des Grieux, partiellement informé des frasques du fils par la justice, est décédé avant de connaître l'épisode final. Tout porte même à croire qu'il n'a plus rien su de son fils après l'entrevue du Luxembourg et que, malgré ce qu'il apprend du Lieutenant général de Police, il est loin d'imaginer toutes les infamies auxquelles il s'est livré. On s'aperçoit en outre que l'*Histoire du chevalier des Grieux et de Manon Lescaut* obéit à deux logiques. Le récit en est interrompu puis repris, assumé d'abord par l'Homme de qualité, puis par des Grieux. Quant au fidèle Tiberge, à qui l'on ment, à qui l'on fait appel dans les situations d'urgence, à qui l'on emprunte de l'argent sans discontinuer, et qui est le seul témoin des lendemains tragiques du drame américain, il ne connaît des amours de des Grieux que ce que ce dernier veut bien lui en dire. Lescaut qui en sait plus que des Grieux lui-même, lié qu'il est par une sordide communauté d'intérêts avec sa sœur, disparaît tragiquement et ne connaîtra pas la fin de la romance. Les victimes de Manon et de des Grieux n'osent avouer, parce qu'elle n'a rien de très honorable, la nature exacte de leurs amours avec Manon. Le vieux G... M... ne fait appel à la police que lorsqu'il croit la vie de son fils en danger. Autant de personnages et autant de points de vue singuliers, de discontinus narratifs et d'informations partielles. Manon, que la conversion américaine a rendue honteuse de son passé et que la mort exclut à tout jamais du monde des mots, garde tous les secrets de ses amours, jusqu'à cette intimité avec ses amants, que des Grieux soupçonne sans vraiment la connaître.

On en déduira d'abord la valeur très relative de la division du texte en deux parties, au point de se demander si elle ne relève pas plus d'une logique d'éditeur que d'une cohérence dramatique, psychologique, ou simplement narrative. On peut lui préférer une partition selon les lieux, Pacy, Amiens, Paris, l'Amérique en reconstruisant ainsi du coup un continu chronologique que ne respecte pas aussi strictement le récit, interrompu puis repris, de l'Homme de qualité. À y regarder d'un peu plus près, on s'aperçoit que l'*Histoire du chevalier des Grieux* obéit à deux logiques impliquant des effets et des enjeux différents. L'une s'applique au destin des héros, à leur histoire, qui va de la rencontre de des Grieux et de Manon à la mort de Manon, et l'autre au rapport, d'abord parcellaire et lié au contemporain, de l'Homme de qualité lors de l'épisode de Pacy, puis à l'exposé rétrospectif de des Grieux qui va de la rencontre à l'auberge d'Amiens à la mort de Manon dans les déserts du Nouveau Monde avec, comme un doublon interne, un rappel décalé des événements de Pacy.

Le récit à la première personne de des Grieux, dont l'Homme de qualité est le scripteur impassible, oblige à accepter un double contrat de lecture, selon lequel le scribe rapporte avec une fidélité absolue les paroles de des Grieux. Mais en posant, second contrat, que le chevalier rapporte tout aussi fidèlement les paroles et les actes des acteurs de ses amours : les siens, ceux de Manon, des amants de Manon, des représentants de l'autorité, de Lescaut. C'est dire l'importance du fait de narration, du récit, et la nécessité de l'examiner avec soin, autant par ce qu'il dissimule, biaise ou laisse imprécis que par ce qu'il transforme ou omet. Surprendrions-nous le chevalier des Grieux en délicatesse avec la vérité, qu'il resterait à s'interroger sur la nature de ses manquements, volontaires ou non.

3. Manon Lescaut, *une histoire vraie ?*

La critique au XXᵉ siècle a parfois adopté devant l'*Histoire du chevalier des Grieux et de Manon Lescaut* la position de certains des premiers lecteurs de *La Nouvelle Héloïse*, qui, fait neuf dans l'histoire de la réception d'une œuvre, écrivirent à Jean-Jacques Rousseau pour lui dire leur émotion et, suivant en cela la préface de l'auteur lui-même, pour affirmer qu'un récit si émouvant ne pouvait l'être que parce que les aventures de Julie et de Saint-Preux étaient vraies. Certains d'entre eux avancèrent que Jean-Jacques lui-même était Saint-Preux, qu'il avait aimé une Julie d'un amour malheureux [1]. Pour l'auteur et ses lecteurs, *La Nouvelle Héloïse* n'était qu'une fiction autobiographique.

Frédéric Deloffre et Raymond Picard, dans leur introduction à *Manon Lescaut*, rappellent que Goethe, jeune amoureux, prétendit égaler la tendresse passionnée de des Grieux, qu'il croyait vécue et non inventée. Plus tard la critique voulut vainement prouver que des Grieux et Manon avaient existé, que leurs aventures avaient eu lieu, et que Prévost en avait été le témoin. On chercha donc à quels fermiers généraux correspondaient les initiales M. de B..., ou G... M... On trouva ensuite un Louis Tiberge, abbé d'Andrès, directeur du Séminaire des Missions étrangères, et même un chevalier Charles Alexandre de Grieux (1690-1769), originaire des environs de Lisieux,

---

1. Claude Labrosse, *Lire au XVIIIᵉ siècle*, La Nouvelle Héloïse *et ses lecteurs*, Presses universitaires de Lyon, CNRS, 1985.

musicien et amateur de peinture, mais à qui on ne peut attribuer aucune aventure amoureuse qui fût source de scandales. On examina scrupuleusement les listes des déportées vers la Louisiane sans jamais obtenir plus que des approximations vagues et incertaines, et le plus souvent chronologiquement irrecevables.

Il restait l'autobiographie. Prévost raconterait une histoire d'amour qui aurait été la sienne. Il aurait été confesseur à la Salpêtrière d'une jeune fille, Manon Aydou, internée pour débauche, en serait devenu très amoureux, aurait voulu l'enlever. L'affaire se serait soldée par un échec. Manon Aydou a bien existé et la piste serait digne d'intérêt si Prévost avait réellement été confesseur à la Salpêtrière. Que Prévost ait connu une passion amoureuse en Hollande pour Lenki Eckhardt, le fait est attesté. Mais elle n'eut pas de part dans sa rupture avec les Bénédictins. Plus généralement l'amour ne fut en aucun cas la cause de son refus de la vie conventuelle soumise à la stricte règle de saint Benoît.

La relation de Prévost et de Lenki Eckhardt fut tumultueuse à souhait. Selon des témoins dignes de foi, Lenki était « experte à ruiner ses amants ». Prévost, follement amoureux, dépensa beaucoup plus d'argent qu'il n'en gagnait pour satisfaire ses caprices. Il accumula les dettes et accepta pour faire face aux demandes de Lenki des travaux de librairie qui, sans aucun doute, le détournèrent de la rédaction de son œuvre. Il alla même jusqu'à falsifier une lettre de change : un tel délit était alors puni de la peine de mort. Prévost dut son salut à sa victime, le chevalier Eyles, qui retira sa plainte. Nombre de biographes de Prévost ont été naturellement tentés de voir dans cette relation passionnée et coûteuse une des sources de *Manon Lescaut*. Prévost, pour peindre le fatal engrenage auquel des Grieux succombe, se serait souvenu de cette mésaventure. Hypothèse séduisante, mais qui se heurte à une difficulté : l'affaire de la lettre de change falsifiée est postérieure à la rédaction de *Manon Lescaut*. Sans douter, par ailleurs, que Prévost eût une expérience directe de la passion amoureuse et de ses excès, il faut refuser le postulat selon lequel on ne pourrait écrire que de ce qu'on a soi-même éprouvé. Il existe tout un discours d'origine religieuse, morale (plus largement même philosophique) et littéraire consacré à la passion. Peut-on oublier que la passion dévorante est le moteur du théâtre classique ? Que la passion (sa nature, ses méfaits et son bon usage) est un objet du discours religieux et philosophique ? Que les prédicateurs, en chaire, ne cessent de la dénoncer, et que Descartes lui consacre un important traité de philosophie morale (*Traité des passions* de 1649) ? Que le dernier roman à la mode (*Les Lettres persanes*, 1721) la met en scène dans son portrait de la société parisienne, et mieux encore dans la tragédie sanglante du sérail à travers la passion du pouvoir et de la domination qui possède Usbek et la passion amoureuse qui dévore Roxane. Le théâtre de Voltaire, couronné de succès, ne fait-il pas des passions son ressort dramatique essentiel ? Enfin toute une tradition des « histoires véritables » ne fait-elle pas de la passion amoureuse la cause essentielle des révolutions [1] ? Rendons aux sources littéraires leur rôle dans

---

1. Jean M. Goulemot, *Le Règne de l'histoire, discours historiques et révolutions XVII*ᵉ*-XVIII*ᵉ *siècle*, Paris, Albin Michel, 1996.

la formation d'une sensibilité et d'un imaginaire romanesques. Non qu'il s'agisse de réduire l'expérience de la passion amoureuse de Prévost au livresque, mais sa confrontation avec l'amour, celui qu'il a éprouvé, celles dont il a été le témoin, se fit à travers un savoir venu aussi de ses lectures et de sa formation religieuse. Peut-on oublier que la plus violente condamnation de l'amour, parce qu'il détournerait de la vertu et de l'étude, vient de la tradition religieuse, de saint Jérôme et de saint Augustin, en même temps que le Cantique des cantiques offre la plus extraordinaire exaltation sensuelle de l'être aimé, et que les moralistes jansénistes n'ont pas été les derniers à rappeler les faiblesses de la chair et les dangers dont les désirs du corps menacent l'âme ?

Ne réduisons pas la vérité romanesque à une recherche d'archives, fussent-elles notariales. Mais il n'empêche pourtant que le roman est ancré dans une réalité sociale parfaitement située, et dont l'abbé Prévost a habilement utilisé la présence. On sait que les familles, pour prévenir les désordres d'une mésalliance ou d'une trop grande légèreté des mœurs (passion du jeu ou goût trop prononcé pour le plaisir), vouaient les filles volages au couvent et les jeunes gens libertins à la prison ou à l'exil. Le cas de Manon n'est donc pas marginal. Pas plus que les enlèvements comme celui auquel procède des Grieux dans l'hôtellerie. Les commentateurs ont souligné l'exactitude de la description de Saint-Lazare ou de la Salpêtrière, le réalisme des procédures judiciaires auxquelles sont soumis des Grieux et sa maîtresse après leur arrestation. Et c'est sans doute dans l'évocation des mœurs contemporaines que Prévost est le plus exact. Le goût du jeu et de la boisson chez les gardes du corps, leur participation à la délinquance urbaine sont des faits attestés. Le personnage de Lescaut ne doit rien à l'imagination de Prévost. La corruption des financiers et de la haute noblesse, qui dépensent des fortunes pour des filles entretenues, est dénoncée par l'opinion. L'Hôtel de T... renvoie à l'Hôtel de Transylvanie où opéraient des joueurs professionnels, peu scrupuleux sur les moyens de gagner. Que des Grieux devienne membre des Confédérés et gagne grassement sa vie en trichant n'a rien qui doive surprendre le lecteur de l'époque, qui par son niveau culturel n'ignore rien de tels faits que dénoncent les moralistes et que rapportent les gazettes manuscrites, si nombreuses alors à Paris. Les Parisiens ont été témoins du départ des filles de mauvaise vie pour la Louisiane. Il y eut même des tentatives pour les arracher des mains des archers qui les traitaient avec la dernière rigueur.

Il existe toute une connotation sociale de l'*Histoire du chevalier des Grieux et de Manon Lescaut* qui l'actualisait pour le lecteur contemporain. Mais il semble pourtant difficile d'en déduire une ambition de réalisme social chez Prévost. Tout se passe comme si l'abbé utilisait la reconnaissance comme vrais, par son lecteur, des pratiques, des mœurs, des institutions et des lieux, pour rendre plus vraisemblable sa peinture d'une passion amoureuse exceptionnellement complexe. La dégradation morale et sociale de des Grieux devient plus crédible dans la mesure où elle trouve à s'inscrire dans des lieux et des pratiques connus et dénoncés. Ainsi Saint-Lazare, où des Grieux est interné, sert, par la précision de sa description, à rendre plus sensible l'avilissement du chevalier.

Dans ce type d'analyse – le réalisme d'une œuvre –, il est fréquent de confondre références historiques et effets de réalité. Entendons pour ces derniers des éléments parfois inutiles, donnés comme une précision complémentaire, mais n'apportant rien au déroulement de la narration ou à l'intrigue, destinés seulement par leur présence à prouver que ce qu'on lit est vrai et a réellement eu lieu. Dans *Manon Lescaut*, l'onomastique des personnes et des lieux participe très largement de cette organisation. Si T... désigne l'Hôtel de Transylvanie, tripot bien connu à l'époque, comme l'ont montré les commentateurs, comment expliquer la présence de la seule initiale, sinon comme un moyen de conduire le lecteur à croire à une prudence et une discrétion de l'auteur rendues nécessaires dans le cas d'une vérité dangereuse à dire ? Un tel procédé appliqué à une localisation bien réelle, par un effet de contamination, agit sur les désignations des personnages de fiction, les de B..., G... M..., ou de T..., ou sur d'autres lieux, comme P..., d'où serait issue la famille des Grieux. Sans oublier les nombreuses localisations (théâtre, cafés, faubourgs et rues de Paris, Saint-Louis du Mississippi) qui, plus directement encore, se donnent comme autant de preuves de la véracité du récit de des Grieux.

Il serait tentant de repérer dans *Manon Lescaut* l'ensemble des éléments qui concourent à l'effet de réalité. Nombre d'entre eux relèvent d'un usage habile de mots à forte connotation sociale. Faire de Lescaut un « garde du corps », c'est du même coup rendre vraisemblables sa fréquentation des milieux louches de la capitale, son acceptation avide de la prostitution de sa sœur, sa vie peu réglée, sa fin tragique. Ce n'est point par hasard si les riches amants de Manon appartiennent au milieu de la finance, si le prince qui la courtise est italien. Réalités ou idées reçues, au fond peu importe ici. Les connotations dont se nourrissent ces emplois les ancrent fortement sur un discours social partagé et parfaitement accessible. Les indications chiffrées avec précision des gains, des dettes ou des emprunts de des Grieux participent, elles aussi, d'une mise en place d'effets de réalité. Rien ne changerait si Tiberge prêtait un peu plus ou un peu moins à des Grieux, si Manon escroquait un peu plus ou un peu moins d'argent à ses amants. Là aussi le chiffre précis ne prétend pas être exact, mais sert à rendre crédible l'histoire des deux amants.

Le repérage systématique de tels indices serait vite fastidieux. Il faut se contenter de les classer selon la catégorie dont ils relèvent. Retenons-en deux : d'abord l'introduction du trivial dans des scènes de forte tension dramatique. L'une est exemplaire du procédé : l'oubli de la culotte lors de l'évasion de la Salpêtrière qui oblige des Grieux à prêter la sienne à Manon et à dissimuler sa nudité sous son surtout. Citons aussi la scène de l'arrestation de des Grieux surpris au lit, qui ne peut se saisir de son épée « embarrassée » par ses vêtements et dont la tenue de nuit – il est en chemise – rend peu noble ce sursaut d'honneur. Ou encore, avec quelques différences, la scène avec G... M..., où des Grieux joue les naïfs écoliers et trouve « l'occasion, en soupant, de lui raconter sa propre histoire, et le

mauvais sort qui le menaçait ». L'excès d'habileté de
des Grieux, qui fait trembler les Lescaut eux-mêmes,
introduit à la fois une rupture de tension et son accroisse-
ment. En même temps elle rend des Grieux cores-
ponsable de l'escroquerie. L'auto-accusation, l'introduction d'une scène de comédie dans un moment de
tension tragique constituent une double preuve indi-
recte que des Grieux dit vrai. Le ridicule qui le couvre
alors témoigne de sa sincérité. Pour en finir, ajoutons
l'excès de détails dans les plans que dressent Lescaut
et des Grieux pour duper les amants de Manon ou
assurer l'évasion de Saint-Lazare ou de la Salpêtrière.
L'abondance de détails, la minutie du plan, le nombre
de précautions prises (souvent inutiles ou pas respec-
tées comme dans le cas du pistolet que Lescaut fournit
à des Grieux) jouent un rôle semblable à celui des
localisations à forte connotation sociale apparente.

4. *L'importance du récit*

Les *Mémoires et Aventures d'un Homme de qualité*
sont un roman-mémoires, genre fort à la mode, de la
fin du XVIIᵉ siècle aux dernières décennies du
XVIIIᵉ siècle [1]. L'*Histoire du chevalier des Grieux et de
Manon Lescaut* constitue un autre roman-mémoires,
inclus dans le premier, et raconté par un de ses principaux personnages à l'auteur du roman-mémoires

---

1. Voir René Démoris, *Le Roman à la première personne du
Classicisme aux Lumières*, Armand Colin, 1975.

général qui le rapporte à son tour. Cette structure en emboîtage n'est pas nouvelle. Elle relève d'une tradition qui va du *Décaméron* de Boccace à l'*Heptaméron* de Marguerite de Navarre pour le XVIᵉ siècle, et que l'on retrouve dans nombre de romans de l'époque classique comme le *Don Quichotte* de Cervantes, l'*Astrée* d'Honoré d'Urfé et, plus proche de Prévost, chez Marivaux dans *La Voiture embourbée*. Ce qui est un peu plus original chez Prévost, c'est peut-être d'avoir mêlé à plusieurs reprises roman-mémoires et récit rapporté. Non parce que le récit entendu par celui qui livre ses mémoires au public est jugé digne d'y figurer, mais parce que l'un et l'autre obéissent à des logiques de cohérence formelle assez souvent dissemblables. Comme cela a été déjà souligné, le roman-mémoires est un roman à la première personne, rétrospectif, écrit le plus souvent au terme d'une vie dont il reconstitue la trace sociale et humaine, pour s'achever quand correspondent énoncé et énonciation, quand le temps de la vie et le temps de l'écriture coïncident. Qu'en est-il dans les *Mémoires d'un Homme de qualité* ? Le roman s'achève avec la fin de l'*Histoire du chevalier des Grieux et de Manon Lescaut*, sans que nous sachions vraiment s'il reste à conter une vie de l'Homme de qualité ni même ce qu'il adviendra du narrateur, le chevalier des Grieux. Faut-il admettre qu'avec le succès de *Manon Lescaut* l'abbé Prévost n'a plus voulu ou pu continuer les *Mémoires* ? Rien ne permet de le confirmer ou de l'infirmer. Ou a-t-il considéré que l'*Histoire du chevalier des Grieux et de Manon Lescaut* répondait si parfaitement au projet anthropologique et moral des *Mémoires d'un Homme de qualité* qu'il en constituait la fin la plus logique, sans qu'il y eût besoin d'y ajouter le moindre complément concernant la vie de l'Homme de qualité ou le plus petit commentaire ?

Alexandre Dumas fils, en 1851, dans *Les Revenants* (repris sous le titre du *Régent Mustel*), a redonné vie à Manon. De son côté Arsène Houssaye a donné trois parties supplémentaires à l'*Histoire du chevalier des Grieux et de Manon Lescaut* (1847, repris en 1851). Ce qui prouve la fascination éprouvée par deux écrivains célèbres du XIXᵉ siècle, et que même face à un personnage enterré dans un désert d'Amérique, rien n'est impossible à l'imagination romanesque. Pour en revenir à cette fin qui efface les personnages réels des *Mémoires*, notons un paradoxe. *Manon Lescaut* prolonge d'un long épisode les *Mémoires*, mais en même temps semble rendre impossible tout nouvel ajout. Ce malgré une suite apocryphe publiée au XVIIIᵉ siècle [1].

Il existe un important discours préfaciel aux *Mémoires d'un Homme de qualité*. L'examen de ses divers éléments, en considérant qu'en fait évidemment partie l'*Avis de l'auteur des Mémoires d'un Homme de qualité* qui précède *Manon Lescaut*, permet peut-être de mieux comprendre l'articulation du récit rapporté à l'ensemble des *Mémoires*. Rien n'est au demeurant moins sûr. Si l'abbé Prévost a insisté sur l'authenticité des six tomes de mémoires qui précèdent l'histoire de Manon, l'*Avis de l'auteur*, certes attribué au marquis

---

1. On verra pour ces suites apocryphes l'excellente édition de *Manon Lescaut* donnée par Pierre Malandain, Presses Pocket, 1990, p. 237-316.

de Renoncour, auteur et héros des *Mémoires*, apparaît ambigu dans sa formulation. Renoncour distingue Mémoires et narration. Un peu comme si l'auteur de l'*Histoire du chevalier des Grieux*, n'était pas le chevalier lui-même, mais l'écrivain (Renoncour ou Prévost ?) qui avoue qu'il a « à *peindre un jeune aveugle* [souligné par moi], qui refuse d'être heureux, pour se précipiter volontairement dans les dernières infortunes ; qui, avec toutes les qualités dont se forme le plus brillant mérite, préfère, par choix, une vie obscure et vagabonde », pour ajouter qu'il s'agit d'un tableau (« Tel est le fond du tableau que je présente »). Comment prétendre en même temps que des Grieux raconte lui-même son histoire et que de cette même histoire le marquis, homme de qualité, est l'auteur ? Comment peut-il prétendre être un écrivain exact ou même un scripteur fidèle ? Comment prendre pour argent comptant la déclaration du marquis : « Je dois avertir ici le lecteur que j'écrivis son histoire presque aussitôt après l'avoir entendue, et qu'on peut s'assurer, par conséquent, que rien n'est plus exact et plus fidèle que cette narration » ?

Renoncour reconnaît un travail d'écriture, mais qui ne semble pas correspondre à la définition qu'il en donne dans l'« *Avis* » où il affirme avoir dû rendre surtout le destin inattendu d'un jeune homme de bonne famille, « qui prévoit ses malheurs, sans vouloir les éviter ; qui les sent et qui en est accablé, sans profiter des remèdes qu'on lui offre sans cesse et qui peuvent à tous moments les finir ; enfin un caractère ambigu, un mélange de vertus et de vices, un contraste perpétuel de bons sentiments et d'actions mauvaises ». On se trouve donc confronté à un récit rapporté, mais écrit, auquel il semble bien difficile de trouver des marques d'oralité. Ainsi on prendra pour une affirmation sans grand fondement la déclaration du marquis dans le rôle de scribe à la fin de la première partie : « Le chevalier des Grieux ayant employé plus d'une heure à ce récit, je le priai de prendre un peu de relâche, et de nous tenir compagnie à souper. Notre attention lui fit juger que nous l'avions écouté avec plaisir. Il nous assura que nous trouverions quelque chose encore de plus intéressant dans la suite de son histoire. » Il en faudrait un peu plus pour convaincre le lecteur qu'il s'agit d'une exacte transcription d'un texte oral. Le lecteur se trouve au centre d'une sorte de jeux de miroirs : Renoncour est une doublure énonciative de des Grieux, elle-même trahie par l'auteur qui se dévoile dans la préface pour indiquer qu'il n'est qu'un prête-nom.

5. *Le point de vue du chevalier des Grieux*

Tiberge, dont on en vient à se demander s'il peut exercer son ministère, croise le chemin de des Grieux – n'ira-t-il pas jusqu'en Amérique ? –, des dupes de Manon et de « ses hommes », frère et amant, du Gouverneur de Saint-Louis, de son neveu... Par la multiplicité des personnages et des lieux, même si leur description reste limitée et parfois banale – Prévost a déclaré que c'était de la tâche des géographes que de décrire les lieux –, le lecteur a l'impression d'un éparpillement spatial, d'une suite diversifiée de rebondissements. Il y a là tout un jeu d'apparences qui vise très largement à faire oublier que tout est perçu, interprété, rapporté du point de vue de des Grieux. Il y a un fait indéniable de prise abusive de parole, mais qu'on tente d'occulter par d'illusoires mises en perspective et par des brouillages.

Des Grieux donne sa version de ses amours. Si les faits qu'il rapporte représentent des données objectives, leurs circonstances (leur pourquoi et parfois leur comment), leur interprétation, le commentaire qui les accompagne, les silences auxquels ils sont liés, ce que des Grieux n'a pu matériellement voir, relèvent de l'autorité de l'auteur du récit rapporté, ici le chevalier. Le fait est ambigu. Comme le narrateur est aussi acteur de ce qu'il raconte, il se pose en témoin de tout son récit et de sa conformité à la vérité. Nous ne savons de Manon, de son goût pour le plaisir et l'argent, que ce que des Grieux en confie. C'est à peine si dans son propre récit, il lui donne la parole et cette parole qu'elle a, selon lui, prononcée, c'est encore lui qui la rapporte. C'est par ses pleurs que Manon, prise en défaut par son amant, conquiert le droit de s'exprimer et de se justifier. Ce qui ne signifie pas qu'elle dise pour autant la vérité. Mais le récit, le regard de des Grieux qu'il implique, lui donne statut de vérité. Les silences de Manon qui ont attiré l'attention de la critique soulignent le rôle de témoin principal, de rapporteur de la parole des autres qui est, de par la structure même du récit, dévolu à des Grieux. Comment savoir qui ment peut-être, de Manon ou de des Grieux ? L'importance que revêt l'emploi du style indirect illustre amplement le fait que le chevalier, étant le narrateur, devient aussi l'interprète déguisé en témoin de ce qu'il relate à son auditeur.

On n'en déduira pas qu'il ment ou qu'il cache la vérité, ou même qu'il l'arrange, consciemment ou non. Mais entre les contraintes inévitables du récit, déjà évoquées, le fait qu'il s'est repenti, qu'il sert la vertu, qu'il retourne dans le giron de l'Église et le cercle familial, tout cela construit une mise en perspective de son passé, qui acquiert alors un sens, éloigné de celui qu'il revêtait sans aucun doute dans l'instantané des événements ou le vertige du plaisir. La crédibilité du récit de des Grieux tient sans doute à ce vacillement entre présent de narration – qui est aussi présent de savoir – et présent de l'histoire.

Doit-on prendre pour argent comptant ce que raconte des Grieux ? Comment faire le tri entre ce qui relève de l'interprétation toujours discutable du chevalier et ce qui tient du constat objectif ou purement factuel, portât-il sur des fragments événementiels ? Le comportement de Manon qui mêle amoralisme, cynisme même, et passion pour des Grieux n'est peut-être déroutant que parce que nous n'en possédons pas tous les éléments. Quelle que soit la position adoptée, il subsistera toujours pourtant une part d'ombre chez Manon amoureuse et infidèle. Et c'est, peut-être, cette incertitude, cette difficulté à comprendre totalement ce personnage qui font du roman un chef-d'œuvre troublant. Que le récit de sa propre histoire par des Grieux contienne peu de traces formelles d'une oralité présumée, qu'il n'en mime ni la durée réelle, ni les aspects dialogiques, ni même les hésitations et la texture de la parole, ne signifie pas pour autant que son écriture, réfléchie, posée, ne possède aucune valeur. Quand des Grieux prend la parole dans l'appartement du marquis de Renoncour au *Lion d'Or*, des années se sont écoulées depuis sa rencontre avec Manon à Amiens. Manon est morte depuis un an. La conversion à la vertu de des Grieux, son choix d'une vie sage et réglée, ses réflexions sur son passé et son présent, la tranquillité qui « a commencé à renaître dans son âme », rendent possible ce récit continu de sa vie amoureuse.

Sans doute en a-t-il déjà fourni des ébauches. Le chevalier est depuis toujours habité par le désir de se raconter. Mais avec le Supérieur de Saint-Lazare, avec M. de T..., avec Tiberge, avec le capitaine du vaisseau qui vogue vers les Amériques, avec le Gouverneur, avec son père lui-même, avec les juges de Saint-Louis, ce sont des récits incomplets, fortement biaisés, qui doivent servir à gagner la confiance, à obtenir quelque avantage, à les apitoyer ou les convaincre. La curiosité des interlocuteurs est manifeste, dictée par la situation dans laquelle se trouvent Manon ou des Grieux. Dans tout ce qui précède le récit de l'auberge de Calais, on est loin d'un récit-confession, réunissant effort de lucidité et nostalgie, volonté de comprendre et sagesse durement acquise. Des Grieux agit en stratège face à un interlocuteur qui détient le pouvoir, l'argent, la possibilité de le rendre libre et de le réunir à Manon. Plus rien de tout cela ne subsiste quand des Grieux s'adresse à Renoncour, dont il n'attend rien d'autre qu'une écoute. Mais dit-il pour autant la vérité ? Des Grieux n'ignore pas que son interlocuteur, homme de qualité, plein de curiosité ne pourra s'empêcher de le juger,

comme on juge, malgré tout, l'émotion des retrouvailles dissipée, le fils prodigue.

Il s'agit ici d'un récit complexe et nécessairement
ambigu, qui prend les amours de leur origine à leur fin
tragique, de la chute à la rédemption. Ce qui implique
quelques contraintes narratives. Tout doit se passer, si
l'on excepte quelques rares remarques prospectives où
des Grieux fait état de ses malheurs à venir, comme si
le chevalier découvrait à mesure qu'il l'évoque sa
propre histoire, en adoptant, de fait, la position de son
interlocuteur et de son lecteur. Par la nature même de
son récit, des Grieux se voit assigné, comme une nécessité et sans même qu'il en ait une conscience exacte,
le rôle d'un archéologue sans mémoire.

6. *Une vie, une histoire, des personnages*

D'aucun des personnages de *Manon Lescaut* nous
ne possédons un récit de vie complet, de la naissance
à la mort. Que savons-nous de l'enfance de des Grieux
ou de celle de Manon ? On objectera que le récit
d'enfance n'est pas encore un genre littéraire, et de
citer comme preuve le trop rapide survol d'une enfance
qui ouvre les *Mémoires* du cardinal de Retz. Pourquoi,
à *Manon Lescaut*, ne pas opposer *Le Paysan parvenu*
qui, quoique brièvement, situe pourtant les origines du
héros ? De Manon, nous ne savons pas d'où elle vient,
ce que font ses parents. Elle semble ne pas avoir d'autre
passé qu'un goût venu très jeune pour le plaisir. Mais
en est-on si sûr ? L'envoi au couvent par des parents
inquiets de la dissipation de leur fille n'est d'ailleurs

qu'une hypothèse avancée tardivement par des Grieux. Elle s'échappe avec le chevalier de l'auberge d'Amiens, et personne ne semble la faire rechercher. Seule la famille des Grieux joue un rôle dans ce récit et s'inquiète des frasques du chevalier. Par les soins de son père et de son frère, il est enlevé (en fait livré par Manon) et rendu à sa famille et à ses études de séminariste. Plus tard, son père venu à Paris le sort de prison et se débarrasse de Manon qu'il fait expédier en Amérique. La famille de Manon est, quant à elle, totalement absente. À peine évoquée par des Grieux, ignorée par Lescaut, son frère. Sans preuve apparente, par simple instinct de classe sans doute, des Grieux avance que Manon est flattée d'être aimée par un noble. Mais d'où lui viennent son goût du luxe, son rapport si singulier à l'argent, sa passion des bijoux et des hôtels luxueux et plus encore des carrosses, sa connaissance de la valeur sociale des choses ? Comment les concilier avec la vulgarité et les mauvaises fréquentations de son frère ? Où a-t-elle appris à si bien aimer et à faire bénéficier ses amants un peu novices, comme des Grieux, d'un indéniable savoir-faire ? Un passé existe, pas ordinaire, opaque sans doute, mais nous n'en saurons rien. Ou des Grieux le cache ou Manon ne le lui a pas confié. On devra se contenter d'un récit lacunaire et regretter l'absence de curiosité du chevalier, muré dans sa passion et ses souvenirs comme dans une forteresse.

Nous savons qu'elle n'appartient pas à la noblesse. Mais encore ? Fille de commerçants ? Sans aucun doute. Elle ressemble à ces jeunes filles que Rameau le neveu débauche de la boutique de leurs parents en leur promettant plaisirs et richesses, si elles se laissent enlever « à la brune » par un séduisant aristocrate qui possède une petite maison et semble disposé à les combler de cadeaux. Sans doute a-t-elle vite appris la pratique du luxe et une certaine insolence aristocratique qui la conduit, par exemple, à se moquer du prince italien en l'humiliant. Et à faire preuve jusqu'à l'internement d'une bien grande désinvolture. Elle vient d'un autre univers, celui du plaisir et de la dépense. Elle en connaît les règles. Elle en a l'expérience comme le découvre, avec ravissement n'en doutons point, des Grieux quand commencent leurs amours. On sent toute la différence d'un milieu à l'autre en comparant le frère de des Grieux, au service de la Loi (c'est-à-dire de l'ordre familial et de l'autorité du père), à Lescaut, frère de Manon, joueur, plus ou moins escroc, et tout disposé à prostituer sa sœur pour en tirer profit, puisqu'elle a déjà fauté. Il y a là un effet de contrepoint, souvent repris dans *Manon Lescaut*. Au père vertueux du chevalier s'oppose le père de G... M..., débauché comme son fils. Tout fonctionne par couple antinomique pour illustrer, mettre en scène, le vice et la vertu. Ainsi des Grieux possède deux symétriques opposés : son frère et Tiberge d'un côté, mais aussi de l'autre, des *alter ego*, ces fils de riches financiers qui l'aident dans ses crapuleries ou partagent sa débauche, ce qui ne les empêche pas, tout en désirant Manon, comme tout un chacun dans le roman, de se montrer parfois des amis du couple.

Comme dans la plus triviale réalité, la mort clôt ici les destins : celui de Lescaut, celui de Manon et celui du père de des Grieux. Mais la mort, très présente dans

Manon Lescaut, peut devenir aussi un non-événement. Ainsi l'assassinat du portier de Saint-Lazare, que des Grieux expédie sans le moindre remords d'un coup de pistolet. Sa mort devient vite si insignifiante qu'elle n'entraîne aucune action en justice. Le père du chevalier meurt quand des Grieux est en Amérique, et il n'apprend que plus tard, avec une certaine distance, son décès. L'assassinat en pleine rue, sous leurs yeux, de Lescaut, ne semble guère importer à Manon et à des Grieux, que leur désir de fuir et leurs retrouvailles rendent insensibles aux autres. La banalisation de la mort, compagne habituelle du récit, rend plus dramatique, plus tragique et plus symbolique encore la mort de Manon. Tout en accordant, au demeurant, par effet rétroactif, une valeur prémonitoire à la mort brutale de Lescaut.

Laissons à part, pour l'instant, le lien qui unit des Grieux à Manon et tentons de comprendre les relations entre les autres personnages. Le père de des Grieux est veuf, hanté sans doute par le souvenir de sa femme, comme le prouve sa colère quand, pour se justifier, son fils évoque ce que put être sa passion pour son épouse. Il exerce pleinement son autorité paternelle. Il est garant de l'ordre et gardien de l'honneur de sa famille et de son milieu. Tout en méprisant le goût des financiers comme M. de B... ou G... M... pour la débauche, il s'allie avec eux et les utilise pour remettre son fils dans le droit chemin et punir (ou éloigner) celle qu'il rend responsable de ses errances. Tout en étant semblable à lui, il est très différent du vieux G... M... luttant pour qu'il n'arrive pas malheur à son fils, que Manon et des Grieux ont fait séquestrer, aidant le père de des

Grieux à envoyer Manon en Amérique avec les filles de mauvaise vie condamnées à la déportation. Chez le père du chevalier, pas d'effusion, pas de crainte pour les dangers que peut courir son fils, et aucune compréhension, fût-elle minime, des liens passionnés qui unissent des Grieux à Manon. En lui tout est ordre et raison. La folie amoureuse n'est apparemment pas de son monde. S'il admet que son fils a le goût des femmes, il se propose alors de le marier au lieu de le destiner à l'Ordre de Malte. Il chercherait même à lui procurer une épouse belle comme Manon, mais fidèle. Dans les deux confrontations avec son fils, il semble incapable de comprendre le non-respect du code aristocratique et la transgression des valeurs morales pour cause de passion amoureuse. Sa vision du monde est simple, directe, éloignée de tout sentimentalisme et même de toute forme de sensibilité, qu'il refoule, sans doute, par pudeur virile. Honneur et vertu sont ses maîtres mots, qui le conduisent jusqu'à la rupture brutale avec son fils.

La différence est grande entre ce père biologique et les pères de substitution, qui apparaissent au fil du récit. Tout d'abord, le Père supérieur de Saint-Lazare, que des Grieux séduit, pour mieux l'abuser, en laissant croire à ses regrets ou à une espèce de contrition, tout en avouant fort clairement au Père, qui tente de lui inspirer à nouveau le goût de la vertu et de la religion, et évoque les satisfactions et le plaisir qu'il procure : « vous ne savez pas, mon Père, l'unique chose qui est capable de m'en faire goûter ! » Entendons bien sûr Manon et tout ce que le bon Père ne peut sans doute comprendre. Quand des Grieux prend conscience que le Père n'ignore rien de ses mensonges et de ses débauches, il n'éprouve pas de regrets, mais la honte d'être ainsi humilié. Comme il ne l'avait pas fait, par respect pour son propre père, la réaction initiale de rejet passée, lors du retour au bercail, il commence à dissimuler et à jouer les hypocrites. « Je feignis, dit-il, de m'appliquer à l'étude avec le dernier attachement » et d'ajouter : « Je jouai un personnage d'hypocrite. » Sous prétexte de méditer sur ses fautes, il transforme Manon en unique objet de ses « tristes méditations ». La violence qu'il emploie contre G... M... le trahit, et seul le Supérieur le sauve d'un traitement plus sévère. La naissance du chevalier (son appartenance à la noblesse) lui épargne des châtiments destinés à punir sa brutale rébellion. Il joue habilement de l'amitié que lui porte le Supérieur pour préparer son évasion et n'hésite pas à menacer sa vie pour échapper à l'incarcération (« c'est fait de vous absolument ») et à le rendre responsable de la mort du portier (« Voilà de quoi vous êtes cause, mon Père »). À bien des égards, le substitut du père sert ici à révéler un comportement manipulateur et rebelle, fondé sur l'hypocrisie et la brutalité, qui sera ensuite utilisé avec le père véritable.

En Amérique, des Grieux trouve dans le Gouverneur un deuxième père de substitution. Mais il est là sur son chemin de Damas. Le Gouverneur incarne la Loi et l'ordre, et comme une preuve de sa conversion, des Grieux, sans lui avouer que Manon et lui ne sont pas mariés, se place sous sa protection. Il en tire des bénéfices jusqu'au conflit avec Synnelet. Apprenant que Manon et des Grieux vivent dans le péché, le Gouverneur, usant de son autorité, rappelle la loi et donne

Manon comme épouse à Synnelet. Le conflit est iné-
vitable, car l'autorité vient faire obstacle à la passion,
pourtant très assagie, du chevalier. Manon et des
Grieux s'enfuient vers le désert, Manon court nécessairement à sa perte.

Ainsi ces figures de substitution du père illustrent
les limites que la passion impose au respect et à l'obéis-
sance. La violence exercée contre le Supérieur (des
Grieux menace de le tuer, lui aussi, d'un coup de pistolet) révèle ce qui est socialement et affectivement
interdit envers le père, même si des Grieux en vient à
évoquer une mort de son père (naturelle, bien sûr) qui,
en le faisant hériter, le mettrait à l'abri du besoin. Quant
au Gouverneur, qui s'est montré accueillant et généreux tant qu'il a cru que des Grieux et Manon vivaient
dans le respect des lois, au beau milieu de leur processus de rédemption et de retour à la norme sociale,
il rappelle le pouvoir de l'autorité, l'incertitude du
pardon et le prix qu'il en coûte.

Dans l'illusion d'un salut qui paraît acquis, les figures
de substitution font intervenir une sorte de principe de
réalité. Elles constituent des formes de rappel et des
sortes de dévoilement. Ainsi des Grieux voit son hypocrisie mise à nu (n'est-il pas prêt à tuer et ne confesse-t-il
pas qu'il serait prêt à voir « périr tout l'univers sans y
prendre intérêt » ?) et la Loi se manifester dans toute sa
rigueur. La scène avec la prostituée, quand des Grieux
attend en se morfondant Manon qui doit duper un de ses
nouveaux amants, constitue un parfait exemple d'une
substitution explicative. La scène est remarquablement
insolite. Pour que son « greluchon » prenne son mal et
son attente en patience, Manon lui envoie une lettre

justifiant son retard : « elle remettait à un autre jour le plaisir de me voir ; et [disait] que, pour me consoler un peu de la peine qu'elle prévoyait que cette nouvelle pouvait me causer, elle avait trouvé le moyen de me procurer une des plus jolies filles de Paris ». Qui ne comprendrait la surprise et l'abattement de des Grieux ? Il reste partagé entre la colère et la douleur. Il éprouve « un transport terrible de fureur ». Il veut tuer l'infidèle. Il se calme enfin et décide de reconquérir Manon. Cette jeune prostituée constitue un message que des Grieux ne peut entendre et que Manon serait incapable de lui adresser plus clairement. Elle lui fait comprendre qu'il faut dissocier le plaisir et l'amour. Elle peut aimer des Grieux et faire commerce de son corps. Des Grieux peut éprouver du plaisir avec une fille de rencontre sans que son amour en soit diminué. On est là confronté à une morale distinguant l'essentiel de l'accessoire, le nécessaire du contingent, que Sartre et Simone de Beauvoir ont appliquée à leur vie amoureuse. Et Manon n'est pas un monstre quand, face à son amant en colère, elle s'écrie : « Que le Ciel me punisse, si j'ai cru l'être [coupable], ou si j'ai eu la pensée de le devenir ! »

Autant de paroles que la passion folle et entière de des Grieux ne lui permet pas d'entendre. Que Manon s'abandonne à son nouvel amant et il en mourra.

7. *Le plaisir, l'amour et l'argent*

On a remarqué que le corps de Manon n'est pas réellement décrit. Jamais le lecteur ne connaîtra la couleur de ses cheveux, l'incarnat de sa peau, l'éclat de ses yeux, le velouté de sa chair, la grâce de ses formes. Le corps de Manon tient aux rêves du lecteur face à un texte avare ici de détails. À lui d'imaginer, de rêver ce fantôme textuel, à partir et autour duquel pourtant le roman s'organise. Sans le corps de Manon, absent de la description, pas de roman. Car pas de coup de foudre, pas de passion amoureuse, pas de séminariste arraché à sa vocation, pas de financier, ou de prince italien séduits, pas de des Grieux trahi, pas de prison ni d'Hôpital, pas de convoi de femmes auquel Manon est enchaînée, ni même de récit puisque l'Homme de qualité, avant d'engager le dialogue avec des Grieux, a été séduit par cette belle jeune femme en haillons, abandonnée à la rudesse des gardiens et à la promiscuité de la chaîne.

Le corps de Manon irradie. Des Grieux l'aperçoit dans l'auberge à l'arrivée du coche, et, lui, si jeune, si timide, si naïf et si inexpérimenté, décide d'aborder la jeune fille, puis, sans vraiment hésiter, de s'enfuir avec elle. À la promenade ou plus simplement penchée à sa fenêtre, elle attire le regard des hommes, fait naître leurs désirs. Quand l'argent manque, on peut même imaginer qu'elle les provoque. Loin d'elle la tentation de jouer les ingénues, même libertines. Tout laisse imaginer qu'elle incite et s'offre. Le décompte des jours où elle a été fidèle à des Grieux, par le père du chevalier, est, à cet égard, parfaitement significatif. Il est rare que sa résistance dépasse quelques heures, et il faut la jalousie de son amant de cœur pour qu'elle accepte de ne pas respecter les termes du contrat qu'un financier vient de lui proposer. Ce qui fait que *Manon Lescaut* est d'abord et avant tout sans doute un roman du désir et du plaisir amoureux. À tel point que Manon, malgré le désir amoureux de Synnelet, au demeurant passablement dévalorisé dans ce pays abandonné, ayant cessé d'être un réel objet de désir, possédant une valeur marchande, n'a d'autre choix que la mort. Un peu comme s'il n'était de vie que dans la tension du désir amoureux. On ne s'étonnera donc pas que, dans un geste passionné, des Grieux s'allonge sur le corps de Manon entrée en agonie comme pour la rappeler par son désir à la vie.

Manon n'est pourtant pas une femme folle de son corps, ni même ce que la tradition appelle une grande amoureuse. L'argent qui facilite les plaisirs de la vie mondaine, et permet de paraître, lui semble plus essentiel que le seul plaisir amoureux. Tant que l'argent ne manque pas, elle mène avec des Grieux une vie de couple presque paisible. Elle aime son amant sans apparemment éprouver pour lui une passion dévorante, si ce n'est dans la scène des retrouvailles au séminaire où se mêlent désir de possession et passion amoureuse retrouvée. Le plaisir partagé n'en est pourtant pas absent. On surprend à deux reprises le couple au lit et l'ardeur amoureuse des jeunes gens lors du voyage d'Amiens surprend les témoins. Les riches financiers, qui la couvrent de bijoux ou d'or et l'installent dans de luxueux hôtels particuliers, paient à haut prix ses charmes autant que son charme. Le corps et le plaisir sont alors estimés comme des marchandises.

Un ensemble de scènes passablement incongrues ont dans *Manon Lescaut* une forte connotation érotique. Que penser de des Grieux sans culotte rendant visite à Manon à l'Hôpital où elle est internée, ou en cheveux et en chemise, traîné comme un bel animal qu'on exhibe, auprès du prince italien, de Manon déguisée en homme lors de sa fuite et se serrant dans les bras de son amant, de des Grieux couvrant de baisers le cadavre de son amante ? Nombre de comportements du couple relèvent d'une espèce de perversité. Les protecteurs de Manon que l'on dupe sont trompés parfois dans le lit même qui devait accueillir leurs amours avec Manon. Que penser de Manon envoyant à des Grieux qui l'attend une ravissante prostituée destinée à lui faire prendre patience ? Ce sont autant de scènes difficiles à interpréter. Rien n'y est dit, tout y est suggéré et livré à la sagacité du lecteur. Elles relèvent de plusieurs registres : ce sont des scènes de comédie et aussi des prétextes à réflexion morale. Face à la prostituée que lui envoie Manon, des Grieux lui-même hésite entre la philippique, le sermon et l'auto-analyse. Admettons que sous ces formes diverses, c'est bien la ronde du désir qui fait agir les personnages, qui motive leur trahison ou leurs engagements, les éloigne de leur devoir, les plonge dans la corruption morale, les accule au reniement, et transforme le mouvement narratif en une folle sarabande.

L'argent est aussi présent que le désir dans l'*Histoire du chevalier des Grieux et de Manon Lescaut*. À peine le chevalier et la belle Manon se lancent-ils sur la route qui les conduit à Paris, qu'on commence à faire des comptes. Comme on dépense, l'argent ne tarde pas à manquer. Des Grieux le comprend et comprend aussi que, sans argent, plus de Manon. Sa première infidélité survient au bout de quelques jours. Elle préfère un vieux financier riche à un jeune homme ardent mais pauvre. Pas question même d'en faire le greluchon de la belle comme un peu plus tard. Des Grieux est renvoyé à la maison. L'aventure est bien finie. Manon va vivre dans le luxe d'une fille entretenue. Ses atours sont de qualité et sa cassette bien garnie quand elle va retrouver des Grieux au parloir du séminaire. Le couple, à nouveau en fuite, vivra des réserves dues à la générosité du protecteur de Manon.

Mais le destin leur est contraire. Une suite de hasards rappelle aux jeunes amoureux que bien mal acquis ne profite jamais. L'argent disparaît dans un incendie, plus tard il est dérobé par des serviteurs indélicats. Le problème du couple est toujours le même. Comme les joueurs qui ont perdu, des Grieux et Manon doivent se refaire. Pour gagner l'argent indispensable pour que Manon ne lui soit pas infidèle, des Grieux s'ingénie. Il ne cesse de solliciter Tiberge, dont les ressources sont pourtant limitées, en lui cachant une partie de la vérité ; il s'avilit jusqu'à tricher et accepte que Manon ait un riche amant qu'il aide à gruger. Tous les moyens sont bons. Des Grieux se fait passer pour un adolescent naïf, frère de Manon pour mieux abuser de la confiance du vieux G... M... Il emprunte sur parole sans jamais rembourser. Il en appelle à son père en rêvant que sa mort fera de lui un riche héritier. Quel avilissement pour un homme qui en réfère souvent au sentiment de l'honneur face à des roturiers qui manquent à sa noblesse ! Le chevalier est devenu un « greluchon » (nous dirions aujourd'hui un amant de cœur), qui profite des gains de sa compagne qui se prostitue. Il fréquente les bas-fonds, grâce à Lescaut, homme peu scrupuleux qui le gruge, mais l'introduit dans les milieux interlopes.

Tout au long du roman, l'argent ne cesse de changer de mains. Il circule au même titre que le désir ou les corps désirés. Le désir de posséder argent et bijoux répond au désir que Manon fait naître chez les hommes riches. Il est ce par quoi le désir amoureux parvient à se satisfaire. Riche ou en ayant les apparences, des Grieux conserve Manon et file le parfait amour. Appauvri, il la perd. Si Manon vit dans l'aisance, elle l'accepte volontiers comme un amant de cœur. C'est dire que grâce à l'argent, le corps parvient à se révéler comme une marchandise et l'amour comme un marché. On est loin des sentiments, de la sensibilité dont, dans un tel système, des Grieux s'encombre. Le désir est mis à nu. Il a un prix. Un prix fort pour Manon, jeune et jolie, habituée du beau monde, et un vil prix pour la prostituée débutante, encore mal à l'aise dans le métier. En ce domaine, rien de différent dans le royaume de France de ce qui va se pratiquer avec les déportées en Amérique. Les femmes jeunes sont attribuées aux autorités ; les plus âgées, usées par la vie, aux plus pauvres et aux moins reconnus. Ce n'est point un hasard si Manon, rendue au troupeau puisqu'elle n'est pas mariée à des Grieux, se trouve d'entrée destinée au neveu du Gouverneur. Et ce sans que l'argent apparaisse comme tel dans ce marché aux femmes.

Prévost est très précis dans son chiffrage des sommes détenues, perdues ou gagnées. En pistoles, en écus... peu importe. L'essentiel est le chiffre. Non pour produire un effet de réalité, mais parce que l'argent, en bonne économie, se compte. D'où vient-il cet argent ? Quand les amants quittent Amiens, des Grieux fait état de ses « petites économies », mais se montre très discret sur l'origine de la somme bien plus importante que la sienne que détient Manon. Le jeune chevalier thésaurise. Il accumule à partir de la pension que lui verse son père. Mineur, il ne peut bénéficier en pleine propriété de l'héritage de sa mère. Économiser, voilà qui l'éloigne des principes de sa classe. Il participe, certes modestement, d'une économie d'épargne dans un milieu qui pratique la dépense ostentatoire et somptuaire. Influence du petit-bourgeois Tiberge, on ne sait. Car Tiberge ne thésaurise point vraiment. L'argent dont il dispose lui sert à aider son ami en difficulté. Il est charitable, même si l'on est en droit de douter du bien-fondé de la cause qu'il sert ainsi. Grâce à l'argent qu'il remet à des Grieux, celui-ci par exemple peut participer aux tricheries de l'Hôtel de Transylvanie. Des Grieux disposant de sommes d'argent importantes à nouveau se propose de les administrer selon les principes de l'économie bourgeoise. La vie qu'il mène, les gens qu'il fréquente font que la Providence en décide autrement. L'argent est une matière volatile. Il est menacé de perte : incendie, vols, saisies... la fortune (en général mal acquise, qu'il s'agisse des gains des financiers, des escroqueries de Manon, qui viennent s'ajouter à sa prostitution) ne dure jamais longtemps. Encore que les fils de financiers ne semblent pas plus pauvres que leurs pères, et tout aussi disposés à dépenser avec de jolies filles faciles, mais onéreuses, l'argent levé par la Ferme. Si l'on excepte les cochers – souvent mal récompensés des services qu'ils rendent –, de rares domestiques fidèles, peu d'honnêtes travailleurs dans le monde de *Manon Lescaut*. Même Tiberge, le vertueux Tiberge, bénéficie d'une prébende (un bénéfice), et semble peu assidu à sa charge puisqu'il peut voyager en Amérique et répondre aux incessants appels de son ami en détresse. Lescaut se voit bien en souteneur, et il participe à des tricheries de tripot auxquelles il associe des Grieux. Les gardes du corps acceptent contre rémunération d'attaquer le convoi des déportées soumises pourtant à l'autorité de la Justice. Les sergents du guet, fort rigoureux dans l'accomplissement de leur tâche, les aubergistes, les regrattiers (les revendeurs) et les fripiers sont à peine un décor. Quant aux portiers de la prison ou de l'Hôpital, on les corrompt ou on les tue. L'argent provient ou des excès du système fiscal et de la Ferme, que depuis le XVIIe siècle on dénonce, du vol, de la tricherie ou de ce travail très particulier que constitue la prostitution.

Ainsi gagné, malgré les règles que tente désespérément d'imposer des Grieux à sa gestion, l'argent est englouti dans des dépenses ostentatoires. Il faut des moments de crise pour qu'il soit utilisé à assurer le nécessaire : la nourriture, le vêtement, l'achat des complicités. Bijoux, carrosses, vêtements, sorties au théâtre ou à l'opéra, dîners fins, amusements quotidiens de Manon et de des Grieux représentent essentiellement des dépenses liées au plaisir et au paraître. Elles n'ont d'autre rentabilité que le plaisir éphémère qu'elles procurent. On est loin d'une économie d'accumulation ou d'une gestion boutiquière. Comme dans l'usage excessif des corps, nous sommes dans un monde de la dépense et de l'usure. D'où la ruine, l'affaiblissement et la mort. Les tentatives de des Grieux pour préserver par des pierres l'intégrité du corps de Manon n'y pourront rien.

8. *Significations de* Manon Lescaut

Comme toute grande œuvre, *Manon Lescaut* est justiciable, selon les époques et les points de vue, d'interprétations diverses, souvent complémentaires, parfois contradictoires. Sans respecter leur ordre chronologique, moins précis qu'on est parfois tenté de le croire, signalons-en quelques aspects.

Manon Lescaut a été très tôt analysé comme un grand roman d'amour. Libertin pour la majorité des critiques du XVIIIe siècle, de Montesquieu à La Harpe en passant par Rigoley de Juvigny. L'abbé Prévost aurait mis l'accent sur le plaisir, dépeint non sans complaisance le vice et les errements d'une société volage, montré que la conscience, la morale inculquée, les préceptes de l'Église, sont de peu de poids face à la passion amoureuse et au vertige du plaisir. La fièvre de la passion, la dégradation morale qu'elle implique, seraient inséparables dans une telle peinture des plaisirs qui les accompagnent. Sans doute Manon meurt-elle, alors qu'elle s'est repentie, ce qui fait de sa mort une espèce de punition à contretemps, dont la portée et la signification demeurent ambiguës. Sans doute cette mort en plein désert pour ne pas trahir ou abandonner son amant est dramatique à souhait, mais est-elle pour autant édifiante ? Le lien avec les errements antérieurs n'est pas établi narrativement, et le lecteur est compatissant comme si cette mort lui apparaissait injuste alors que tout annonçait des jours paisibles et heureux pour le couple, assagi au point de se marier. La passion de Synnelet ne rappelle-t-elle pas inopportunément que le corps de Manon continue d'exercer une fascination sensuelle sur les hommes qui l'entourent, même si elle-même n'y répond plus ? Sans doute y a-t-il retour à Dieu, mais avec une discrétion, une retenue qui lui retirent presque toute importance. Plus que de religion, on parle de vertu. Manon apparaît comme martyre de son amour et de sa toute nouvelle fidélité. Ce qui, somme toute, est paradoxal.

Pour ceux qui, comme les auteurs des livrets d'opéras en général, en font un hymne à la passion, les trahisons de Manon sont le fait des circonstances et de sa hantise de manquer. Avec eux, le lecteur est tout disposé à faire sien l'argument de des Grieux selon lequel les financiers ne sont après tout que des libertins et des voleurs, qu'on trichait même à cette époque à la cour, et que la culpabilité générale l'innocente de ses crimes. Quant au père de des Grieux, on le trouvera bien insensible d'enlever son fils à son amante, de faire mettre en prison des jeunes gens qui s'aiment, de condamner Manon à la déportation, choses qui relèvent de ces abus d'Ancien Régime auxquels la Révolution a heureusement mis fin. Cela posé, il reste la passion aveugle, mais combien émouvante, de des Grieux pour la belle Manon. En fait, c'est elle, la passion, qui domine dans cette interprétation. On insiste sur sa grandeur, sa force qui font supporter à des Grieux les trahisons de Manon et sa propre déchéance. Tout supporter pour ne pas perdre Manon, accepter même le

partage et la rupture d'avec le milieu familial. Le reniement des valeurs aristocratiques amène à les confondre
avec la fidélité amoureuse. Ce qui se lisait comme
dégradation devient, dans une telle perspective, renoncement généreux et exemplaire. On accepte l'inac-
ceptable par amour. L'amour, dès lors exalté, sanctifie
ce qui, aux yeux de la morale ordinaire, naturelle ou
révélée, relevait du péché ou de la faute, parfois même
de la délinquance. On est au terme d'un processus mis
en place durant l'âge classique de réhabilitation des passions, mais en des termes nouveaux. Si l'on retient de
la tradition la force, le caractère obsessionnel de la passion, on s'éloigne d'une morale ou d'une réhabilitation
qui tiendrait à un bon usage des passions. La passion est
ce qu'elle est, mais la faute passionnelle n'est plus un
crime comme les autres. On se trouve de fait engagé
dans une anthropologie des limites, de l'excès, de la
dépense, qui fascine comme une face d'ombre.

Une telle interprétation fait de Manon le prototype
de la « femme fatale », qui conduit son partenaire au
crime, à la déchéance physique et morale. Il est vrai
qu'on a été parfois tenté de prêter à Manon les traits
de ces femmes diaboliques, manipulatrices, faites pour
tromper et nuire. Mais on est loin de *L'Ange bleu*
(inspiré du roman d'Heinrich Mann, *Professor Unrat*)
ou de *La Femme et le Pantin* de Pierre Louÿs. Manon
ne cherche pas sciemment à humilier des Grieux ; elle
ne le pousse pas volontairement à déchoir. Elle est
simplement bien plus apte que lui à rétablir leur situation financière compromise. Grâce à son corps et à son
pouvoir de séduction, tout lui est possible. Elle ne
cherche pas à utiliser des Grieux, ni même à se faire

épouser par cet héritier d'un nom. Si elle le rend complice de ses duperies, c'est par jeu – et des Grieux se divertit à simuler le frère, écolier un peu niais – ou à sa demande quand il ne peut accepter que Manon cède aux avances pressantes du fils G... M... Quand se termine leur première aventure (la rencontre à Amiens et les quelques jours d'amour fou à Paris), Manon rend des Grieux à sa famille. Il n'a alors commis d'autre faute que de céder à la passion amoureuse et de désobéir à son père et à son clan. Si des Grieux plus tard s'adonne au jeu et à la tricherie, c'est pour empêcher que Manon ne rétablisse, en payant de son corps, la situation financière du couple. Des Grieux est complice et non incitateur des délits. Manon et son frère en sont pleinement responsables, mais jamais avec l'intention de compromettre des Grieux, dont l'avilissement n'est pas dû à Manon, mais à la force de son amour pour elle, à son refus qu'elle lui soit infidèle.

Le propos ici n'est pas d'innocenter Manon ou des Grieux. Au regard de la morale, des règles de la vie amoureuse en société, ils sont bien évidemment fautifs. Manon dispose librement de son corps, elle en accepte, sans la discuter, la valeur marchande ; elle est disposée à en faire commerce, et il lui semble naturel de vivre son amour en dehors du sacrement du mariage. La première faute que commettent dans le roman Manon et des Grieux, c'est, selon la formule du chevalier, d'avoir « fraudé les droits de l'Église ». Pour l'Église, ils vivent dans le péché. Ils n'en prennent conscience que tardivement lors de l'épisode américain, quand ils sentent la nécessité de vivre selon les lois. La formulation que donne de ce moment des Grieux est plus révélatrice d'un retour à la norme sociale que d'une adhésion renouvelée à la morale chrétienne. Dans cette perspective, le roman rend le lecteur aussi étranger à la dimension pécheresse de l'amour des héros qu'ils le sont eux-mêmes. Les trahisons de Manon, ses infidélités, son inconscience, sa frivolité aux moments les plus dramatiques de son aventure peuvent indigner le lecteur à qui l'absence du sacrement du mariage au fond importe peu. L'amour ainsi présenté n'a besoin ni de règles ni de lois.

Car Manon, à sa manière, aime des Grieux. Pourquoi sinon viendrait-elle le retrouver à Saint-Sulpice ? Leurs retrouvailles prouvent qu'ils gardent en mémoire leurs étreintes passionnées. Il faut à cet égard distinguer les épisodes. Manon a utilisé le naïf des Grieux pour échapper au couvent. Puis consciente de son incapacité à assurer le bien-être du couple et la satisfaction de son désir de luxe, consciente peut-être aussi de sa jeunesse, elle le rend à sa famille. Il n'est alors qu'une passade utile. Revoit-elle des Grieux, qu'elle comprend qu'elle l'aime au point de lui sacrifier l'aisance d'une femme richement entretenue. Manon aime des Grieux. Pas comme il le désire, mais comme les circonstances le permettent.

Manon ne possède ni le sens de la propriété (des êtres ou des choses), ni celui de la fidélité. Comme le prouve la scène du déguisement de des Grieux pour se moquer du prince italien, le partenaire en amour est conçu comme un jouet, une poupée que l'on peigne et déguise à son gré. Il existe ainsi chez Manon un mélange d'infantilisme joueur et des goûts et des calculs de l'adulte. Peut-être est-ce là une des causes de son charme. D'où les contrastes qui choquent, désarment ou indignent des Grieux : l'ingénuité, la naïveté et le cynisme. Le plus souvent, Manon n'a aucune conscience du bien et du mal, de ce qui va blesser ou faire souffrir des Grieux. À l'exception de la scène où elle livre, en ayant pleinement conscience de son acte, des Grieux aux envoyés de son père pour aller rejoindre M. de B... C'est dire que Manon contredit la croyance chrétienne à une connaissance innée du bien et du mal, sans laquelle il n'y a ni responsabilité ni péché, tout autant que l'idée d'une morale naturelle que défendent certains philosophes des Lumières. Manon ne distingue pas le bien du mal selon les définitions qu'en donnent la morale et la religion. Pour elle, le mal est ce qui empêche d'être heureux : l'absence de liberté, le manque d'argent, la faim, la douleur – et le bien ce qui procure du plaisir : les divertissements mondains, les éclats de la parure, le luxe. On comprend mieux dans cette perspective qu'elle puisse « offrir » à des Grieux une prostituée pour lui permettre de supporter son absence, et que le manque d'argent, source essentielle des plaisirs qui lui sont nécessaires, soit pour elle la forme la plus absolue du malheur.

9. *Religion et idéologie*

Prévost dans *Manon Lescaut* ne croit pas à la bonté des peuples primitifs, proches de l'état de nature. Les Indiens d'Amérique sont féroces, pervers même, amateurs d'alcools forts, dont des Grieux prend soin de se munir pour les amadouer en cas de rencontre. Cette vision du monde primitif se trouvera confirmée dans *Cleveland*. Elle n'est pas différente de la vision qu'a Prévost de l'homme civilisé. Son anthropologie est profondément pessimiste. Elle n'atteint pourtant pas la noirceur du *De cive* de Hobbes. Si l'homme n'y est pas défini comme un loup pour l'homme, il apparaît comme un être de plaisir, égoïste, victime de ses passions, capable de toutes les trahisons et des plus inattendus reniements pour les assouvir. Presque aucun des personnages de *Manon Lescaut* n'échappe à la règle : les amants de Manon, Manon elle-même, des Grieux, Lescaut, les gardes appliquant durement le règlement, les domestiques voleurs, Synnelet lui-même... La galerie de portraits est grinçante. On comprend qu'on ait fait parfois du roman de Prévost une des plus noires peintures de la société de la Régence, et qu'on ait avancé à propos de sa vision de l'homme l'hypothèse d'un jansénisme particulièrement noir.

On opposera pourtant, à ce monde habité par le mal, les figures du père du chevalier et de Tiberge. Pour le premier, la rigidité de ses principes, l'orgueil nobiliaire, la fidélité à un rituel et à des valeurs lui donnant conscience d'échapper à la loi commune, sont sans aucun doute plus importants que la leçon religieuse. Plus que le salut de son fils, c'est celui de son nom qui lui importe. Sans chercher à comprendre, il condamne Manon et lui fait porter l'entière responsabilité des fautes commises. En parfait accord avec G... M..., que pourtant il méprise, il expédie Manon vers l'Amérique et la mort. Tiberge est un homme de foi, excellent ami, charitable à l'excès, sorte de double

chrétien de des Grieux, chantre de la vertu, sans cesse
dupé, mais toujours à l'écoute du chevalier qui
l'appelle à l'aide. À partir du père de des Grieux et du
fidèle Tiberge, deux interprétations de *Manon Lescaut*
sont possibles.

La récurrence des apparitions de Tiberge, la répétition de ses conseils et de ses rappels, la présence
obsédante de la Providence à travers les péripéties
obligent à reconnaître une réelle dimension religieuse
de *Manon Lescaut*. Que Prévost, par sa formation, soit
frotté d'augustinisme ou de malebranchisme, qui pourrait en douter ? Qu'il soit sensible à la doctrine
janséniste semble une évidence. Qu'il y ait eu chez lui
une tentation de la vertu, un goût de la solitude, comme
celle dont rêve des Grieux au milieu des tourbillons
du monde, qui permettent à Manon d'échapper à
l'ennui d'une femme qui rêve à sa fenêtre, ce sont là
des éléments bien présents dans *Manon Lescaut* et dont
il faut tenir compte.

Tiberge prêche la vertu. Il paraît évident que des
Grieux l'attire, comme homme, comme ami, et comme
pécheur : « Mes fautes et mes désordres avaient
redoublé sa tendresse pour moi. » Il lui donne les
secours de sa foi et de sa bourse tout en sachant qu'il
sert peut-être ainsi le mal : « À quelle alternative me
réduisez-vous, s'il faut que je vous refuse le seul
secours que vous voulez accepter ou que je blesse mon
devoir en vous l'accordant ? » Tiberge n'est pas cette
belle âme naïve, passablement ridicule, comme on le
prétend parfois. Il connaît les déchirements, partagé
qu'il est entre son amitié passionnée, elle aussi – que
d'embrassements donnés à des Grieux, que de larmes

versées ! –, et les devoirs de sa foi (« Sa morale ne finissait pas... » ; « Il se plaignit de mon endurcissement... »), à tel point que Manon le considère comme un fou. Si des Grieux est parfois ébranlé par ses remontrances, il n'hésite pas à l'utiliser pour s'échapper de Saint-Lazare, et tente de le convaincre qu'amour et vertu ne sont pas antagonistes, mais relèvent du même ordre, avec cette différence que la vertu apporte moins de plaisir que l'amour. On peut s'interroger sur ce qui peut sembler ou une insigne maladresse de la part de des Grieux ou passer pour une insinuation à laquelle ne peut être insensible celui qui éprouve tant de tendresse pour lui. Quand des Grieux a réussi à arracher Manon à la Salpêtrière, il sollicite une fois de plus l'aide de son ami, qui lui donne cent pistoles, faisant preuve de ce « plaisir à donner qui n'est connu que de l'amour et de la fidèle amitié ». Quand il a rompu avec son père, des Grieux se tourne encore vers Tiberge, qui ira jusqu'en Amérique pour le retrouver. Preuve que des Grieux n'est sans doute pas le seul à connaître les affres de la passion.

On a souligné l'aspect ridicule du personnage. Son goût du prêche, sa facilité à se laisser duper ont fait oublier la cohérence de son discours et la force de ses convictions. Comme le père de des Grieux, mais avec infiniment plus de générosité – question d'âge ? absence du lien de parenté ? –, Tiberge rappelle, lui aussi, la Loi. Non plus sociale. Il n'emploie jamais le mot honneur. Seul le salut éternel l'intéresse. Le jugement du monde lui importe moins que le destin d'une âme. À lire le roman dans une perspective chrétienne, on prend conscience que Tiberge, malgré ses fai-

blesses, est investi d'une mission. Il est celui par qui
une première chance de rachat est offerte à des Grieux :
embrasser l'état ecclésiastique. Des Grieux ne sait pas
totalement la saisir tant est grand le pouvoir de la
passion amoureuse, qui le fait s'enfuir à nouveau avec
Manon et mélanger « théologie et amour », dans une
sorte de délire pervers. À partir de là, même lorsque
des Grieux fait appel à Tiberge pour lui soutirer de
l'argent, démarche qu'il justifie par un argument apparemment fallacieux – « [c'était] un effet de la protection du Ciel d'avoir songé à Tiberge » –, demeure en
lui la conscience que par l'ennuyeux Tiberge un peu
de la Providence se manifeste au pécheur. La scène de
rupture avec Tiberge, à la différence de celle qui
oppose des Grieux à son père, lui inspire du chagrin.
Avec Tiberge, des Grieux compare avec hardiesse mys-
ticisme et sentiment amoureux. Que Tiberge s'indigne
devant ce « sophisme d'impiété et d'irréligion »
importe peu, puisque par ces aberrations théologiques
des Grieux maintient un lien avec le spirituel. C'est
par Tiberge que le chevalier apprend que la mort du
portier de Saint-Lazare est restée cachée. Voilà un
signe de la Providence, dont à distance des Grieux
comprend qu'il n'a pas su tirer profit. Comment, dès
lors, ne pas considérer Tiberge comme un messager
d'espoir au milieu des épreuves ?

Ainsi la pensée chrétienne n'est pas absente de
Manon Lescaut. Tout d'abord par le rôle majeur
accordé à la Providence. C'est elle qui provoque les
innombrables péripéties, parfois d'ailleurs reprochées
à Prévost, la rencontre avec Manon, l'incendie, le vol,
l'emprisonnement, les trahisons de Manon, qui sont

autant de mises à l'épreuve infligées à des Grieux pour qu'il retrouve le chemin de la vertu. Mais l'homme, esclave de la passion, demeure sourd aux avertissements du Ciel. Misère de l'homme donc et, paradoxalement, bonté de Dieu. Dans le passage en Amérique, la Grâce divine enfin agit. Loin des tentations de la vie parisienne, l'Amérique, par sa pauvreté, ses masures et sa nature sauvage, devient la terre de la rédemption. Loin d'apparaître comme un châtiment, ce qu'elle est dans une perspective profane, la mort de Manon est une assomption, qui permet à des Grieux d'accomplir son salut. *Manon Lescaut* peut donc être lu aussi comme un roman de la Grâce et de la Rédemption.

Il reste à interroger l'idéologie de *Manon Lescaut*. On en a fait assez récemment un roman féministe. Manon serait une femme libre, mais payant de sa vie cette liberté. On aurait une héroïne qui veut disposer librement de son corps et se trouve obligée, au terme de nombreuses épreuves, de rentrer dans le rang pour finir par en mourir. *Manon* serait donc à lire comme le destin d'une femme opprimée par une société d'hommes : ses protecteurs, son frère, son amant de cœur. Il y aurait une aspiration qui tourne court et une victoire finale de l'ordre patriarcal, qui fait que Manon est dépossédée de tout, et même du droit à raconter son histoire et son échec.

À partir du personnage du père du chevalier et des valeurs aristocratiques qu'il défend, des comportements de des Grieux lui-même et du procès d'énonciation de son récit, on peut proposer une lecture idéologique de *Manon Lescaut* à situer au-delà de ses apparences d'immoralité ou de ses allures d'hymne à l'amour. L'opposition de des Grieux à la Loi, à sa classe, à son père, aux normes religieuses et sociales ne doit pas faire illusion. Elle ne dure que le temps d'une crise. Comme après sa première fugue, ainsi que le montre l'épisode américain, il y a toujours retour à l'ordre : le séminaire d'abord, le mariage et la soumission à l'autorité ensuite (l'aumônier et le Gouverneur). Quand des Grieux rentre d'Amérique, son frère l'attend, il va hériter d'un titre et d'une fortune, comme si l'épisode amoureux, les excès commis n'avaient socialement aucune importance. Seuls les Lescaut ont payé un lourd tribut, la mort, pour leur refus de se soumettre. Des Grieux est aussi tricheur que Lescaut. Il s'est moqué de la justice, il a assassiné un portier qui faisait son devoir, menacé un prêtre, trompé les uns et les autres, agi comme celui qui n'obéit qu'à son désir et à sa propre loi. Rien ne lui est reproché. Le silence de l'Homme de qualité est une sorte d'acquiescement. Tout montre qu'il existe deux justices : celle qui libère l'assassin, fils de famille, l'innocente de ses fautes, et l'autre qui condamne la fille perdue, le garde du corps joueur et corrompu. Justice humaine et justice divine semblent agir aussi arbitrairement sur le monde.

Enfoncé dans la crapulerie, sorte d'épave morale n'ayant d'autre énergie que celle qu'il met au service de sa passion, des Grieux n'en abandonne pas pour autant sa morgue aristocratique. Il fait sentir à G... M... la différence qu'il y a entre un vieux libertin et un jeune greluchon, fût-il surpris en chemise dans le lit de sa maîtresse, quand celui-ci est bien né. Serait-il condamné à être exécuté que des Grieux réclamerait que ce soit selon les formes réservées aux nobles. Aliéné à Lescaut, dominé par sa passion qui lui fait renier les valeurs de sa classe, il n'en porte pas moins sur le monde un regard plein de mépris et de morgue. Le portier de Saint-Lazare est un coquin et on peut l'expédier sans hésiter d'un coup de pistolet ; le gardien de la Salpêtrière qui permet l'évasion de Manon est de si vile extraction que des Grieux sait qu'il sera « toujours aisé de récompenser un homme de cette étoffe ». À travers les désordres de sa passion amoureuse, et ce malgré son aliénation, le chevalier retrouve, sur un mode fragmentaire, le rêve aristocratique d'un ordre que l'on construit l'épée à la main, par la violence, contre les lois mêmes. Il y a peut-être moins de différence entre des Grieux et son père qu'il n'y paraît.

Le roman décrit, par sa forme même, tout un processus de confiscation avortée, auquel Manon oppose la résistance de sa liberté et de son goût du plaisir. Elle inverse le rapport que des Grieux voudrait lui imposer, de la même façon qu'il refuse lui aussi l'autorité, le lien de subordination que la religion ou la famille lui rappellent à travers les discours de Tiberge ou les colères du père. Manon, brisée, se rallie et elle meurt. Des Grieux seul, acquitté par la justice des hommes, rentre en Europe. Il ne choisit ni la solitude dont il a rêvé ni le couvent pour expier, il rejoint sa famille pour, sans doute, y occuper son rang. Le récit, donné comme vérité, est aussi une prise du pouvoir, elle réussie, qui passe par la confiscation de la parole des autres.

10. *Dernières remarques*

Les analyses du roman montrent qu'il s'agit d'une œuvre complexe, plus complexe, en tout cas, que ce que la postérité en retient. Œuvre dans laquelle domine l'ambiguïté alors que la mise en récit par des Grieux donne l'apparence d'une totale transparence. Sans revenir sur le personnage de Tiberge, travaillé lui aussi par des passions multiples – n'avoue-t-il pas à des Grieux à qui il rend visite qu'il avait « autant de penchant que [son ami] vers la volupté, mais [que] le Ciel lui avait donné, en même temps, du goût pour la vertu » ? –, Manon apparaît comme contradictoire : innocente et perverse, généreuse et obsédée par le manque, amoureuse et infidèle, inconsciente du mal qu'elle fait et prête à le réparer, portant sans doute dans ses contradictions ce que le malheur fera d'elle dans le désert américain. Il semble même que Prévost ait tant voulu insister sur cette opacité des êtres, qu'il l'étendit à tous ses personnages, à Lescaut lui-même, escroc patenté et pourtant secourable à des Grieux, vivant aux crochets de sa sœur mais partageant avec des Grieux ses gains de tricheur. C'est sans aucun doute la raison de sa fascination pour la passion sans mesure et proche de la folie de des Grieux, ou pour des personnages aussi troubles et méprisables que G... M..., débauché sans scrupules, mais qui tremble le moment venu pour la vie de son fils et remue ciel et terre pour le sauver. La différence est fondamentale d'avec le père de des Grieux qui, accroché à ses principes d'honneur, farouche défenseur de la vertu, abandonne pourtant son fils, héritier de son nom, à son destin malheureux.

Par bien des aspects, les héros de *Manon Lescaut* sont d'une étonnante modernité. Parce qu'ils sont contradictoires, souvent au-delà du bien et du mal, et qu'ils mêlent force et faiblesse, lucidité et aveuglement. On est frappé non par la duplicité de Manon, mais par son innocence, son ignorance du mal. Des Grieux est le jouet de son désir et de sa passion, et ne cesse de se mentir sur lui-même et sur Manon. Il est pitoyable de mauvaise foi, malgré ses protestations d'aristocratie et de noblesse. Il se ment à lui-même autant qu'il ment aux autres. Il est lucide et aveugle tout à la fois. Tout simplement humain. Du christianisme, Prévost a retenu, comme Pascal, l'extrême misère de l'homme, le caractère souvent dérisoire de ses actions, la faiblesse de sa chair, sa résistance à la grâce et au salut. Si ce tragique n'est pas immédiatement perceptible, c'est par l'excès de sentimentalité et de sensiblerie dont souffre pour le lecteur moderne *Manon Lescaut*. On y pleure beaucoup, et on s'y apitoie sur soi-même avec trop de complaisance. Cette faiblesse de des Grieux, ordonnateur du récit, contamine l'ensemble romanesque et fait oublier la révolte de Manon, sa dignité dans la contrainte pour la noyer dans des torrents de larmes.

Au lecteur est assignée une position double. Il doit éprouver les vertiges de la passion, participer de la chute de qui la subit, ressentir la force incontrôlable de l'amour et du désir, et s'attendrir avec les héros sur leurs malheurs. C'est dire la qualité et l'habileté d'un récit truqué et manipulateur, sous les apparences d'une confession sincère, dont l'Homme de qualité, fort de son expérience du monde, se porte le garant. Il n'y a pas d'autre raison sans doute à la fascination qu'a exercée et qu'exerce l'*Histoire du Chevalier des Grieux et de Manon Lescaut* sur les lecteurs et créateurs. Son goût pour les larmes, son aptitude à émouvoir plutôt qu'à troubler expliquent que Manon ait inspiré les compositeurs d'opéras, les hommes de théâtre et de cinéma mais peu sollicité les peintres, tout en attirant les illustrateurs. Cela tient aux effets dont Prévost use, à la complexité de sa construction, aux secrets qu'il préserve sous son apparente volonté de construire, par ces voies singulières, une anthropologie romanesque des limites.

Jean GOULEMOT.

NOTE SUR L'ÉTABLISSEMENT DU TEXTE

Il existe deux éditions de référence auxquelles remontent toutes les éditions connues de *Manon Lescaut*, ce sont l'édition originale de 1731 et l'édition revue et corrigée par Prévost de 1753. Les éditions publiées entre ces deux dates ne présentent que des différences mineures, le plus souvent typographiques ou procédant à des arrangements pour faire de *Manon Lescaut* un texte autonome n'ayant plus rien à voir avec les *Mémoires d'un Homme de qualité*. Les éditeurs modernes choisissent soit l'une soit l'autre de ces deux éditions premières.

Comme l'ont fait Frédéric Deloffre et Raymond Picard, ainsi qu'Henri Coulet, nous avons retenu le texte de l'édition de 1753. Les raisons avancées par Frédéric Deloffre et Raymond Picard pour justifier ce choix nous paraissent tout à fait convaincantes. Comme eux, nous ne croyons pas à la dimension autobiographique que certains commentateurs prêtent à l'édition de 1731, ce qui leur permet de la juger plus spontanée et donc plus authentique. Ce sont là des critères, pour ne pas dire une idéologie de la littérature et du texte littéraire, dont nous ne participons pas. Par prudence nous avons vérifié notre lecture sur l'édition de *Manon Lescaut*, établie par Pierre Berthiaume et Jean Sgard, pour les *Œuvres de Prévost*, aux Presses universitaires de Grenoble.

L'orthographe du texte a été modernisée. Nous avons donné non la totalité des variantes, mais offert un choix de celles qui nous ont paru les plus significatives. Le lecteur que ce choix ne satisferait pas peut se référer à l'édition de Frédéric Deloffre et Raymond Picard, et à celle de Jean Sgard. Envers la première, nous avons contracté, dans la présente édition et dans notre enseignement, une immense dette. Nous sommes grandement redevable dans cette édition aux travaux de Jean Sgard sans qui notre connaissance de Prévost ne serait pas ce qu'elle est. Cette édition lui est dédiée, en souvenir des cours de licence suivis à la Sorbonne, où il enseignait comme assistant, il y a plus de quarante ans. Avec d'autres raisons, bien moins littéraires quant à elles, ils ont décidé de ma vocation de dix-huitiémiste.

Il existe, comme l'on sait, un très grand nombre d'éditions de *Manon Lescaut*, et l'annotation que l'on propose dans la présente édition doit évidemment beaucoup à toutes celles qui l'ont précédée. L'accent y a été mis sur la langue de Prévost, qui, malgré les apparences, n'est plus exactement la nôtre, ni même parfois celle de ses contemporains, et elle donne les informations nécessaires pour rendre intelligibles les lieux, les pratiques et les institutions évoqués. Nous avons eu recours à un très large éventail de dictionnaires des XVIIe et XVIIIe siècles : *Dictionnaire de* l'*Académie* (A), de Richelet (R), de Furetière (Fu) et de Trévoux (T), et, le plus tardif, le *Dictionnaire de Féraud* (Fé), et bien sûr le *Dictionnaire* d'Émile Littré, mais aussi, suivant en cela l'exemple de l'édition de *Manon Lescaut* établie par Frédéric Deloffre et Raymond Picard (D. P.) en renvoyant parfois au *Manuel lexique, ou Dictionnaire portatif des mots français dont la signification n'est pas familière à tout le monde* de Prévost lui-même. Pour les lieux, les institutions et les faits, ont été consultés le *Dictionnaire historique* de Moreri et le *Dictionnaire géographique* de Buzen de la Martinière.

Appelées par des lettres, les variantes sont en fin de volume, p. 315.

HISTOIRE DU CHEVALIER DES GRIEUX
ET DE MANON LESCAUT

AVIS DE L'AUTEUR
DES
Mémoires d'un Homme de Qualité[1][a]

Quoique j'eusse pu faire entrer dans mes Mémoires les aventures du chevalier[b] des Grieux, il m'a semblé que n'y ayant point un rapport nécessaire, le lecteur trouverait plus de satisfaction à les voir séparément[2]. Un récit de cette longueur aurait interrompu trop long-temps le fil de ma propre histoire. Tout éloigné que je suis de prétendre[c] à la qualité d'écrivain exact[3], je n'ignore point qu'une narration doit être déchargée des circonstances qui la rendraient pesante et embar-rassée[4]. C'est le précepte d'Horace :

---

1. L'auteur des *Mémoires* est le marquis de Renoncour, homme de qualité comme le montrent son titre, mais aussi sa personnalité morale. Les *Mémoires* de Renoncour comportent six tomes qui précèdent *Manon Lescaut*. Voir la préface. **2.** C'est-à-dire for-ment une publication autonome qui n'aurait plus grand-chose à voir avec les *Mémoires*. **3.** Écrire exactement, c'est écrire, composer avec justesse ou avec politesse (Fu). Plus qu'un écrivain qui rapporte les choses telles qu'elles se sont déroulées, l'écrivain exact est celui qui connaît l'art de composer un récit. **4.** Au figuré, on dit un style « embarrassé » ; c'est-à-dire, un peu obscur, un peu confus (Fu). Ici il semble qu'il s'agisse de la narration

Ut jam nunc dicat jam nunc debentia dici
Pleraque differat, ac prœsens in tempus omittat[1].

Il n'est pas même besoin d'une si grave[2] autorité
pour prouver une vérité si simple ; car le bon sens est
la première source de cette règle.

Si le public a trouvé quelque chose d'agréable et
d'intéressant dans l'histoire de ma vie, j'ose lui promettre qu'il ne sera pas moins satisfait de cette addition. Il verra, dans la conduite de M. des Grieux, un
exemple terrible de la force des passions[3]. J'ai à
peindre un jeune aveugle[a], qui refuse d'être heureux,
pour se précipiter volontairement dans les dernières

(manière de raconter), qui ne doit pas être surchargée d'éléments
ou de détails inutiles.
1. Horace, *Art poétique*, vers 42-44, les éditions modernes de
l'*Art poétique* donnent la leçon suivante : *Ordini haec uirtus erit
et uenus, aut ego fallor,/ ut iam nunc dicat iam nunc debentia dici/
pleraque differat et praesens in tempus omittat,/ hoc amet, hoc
spernat promissi carminis auctor.* Ces vers sont ainsi traduits par
François Villeneuve, Belles Lettres, 1989 : « L'ordre aura cette
vertu et cet agrément, ou je me trompe fort, qu'on dira tout de suite
ce qui doit être dit, qu'on réservera et laissera pour l'instant de
côté maint détail, qu'on élira celui-ci, qu'on dédaignera celui-là,
quand on a pris sur soi de promettre un poème. » Selon certains
commentateurs (Deloffre et Picard), ces vers, à l'époque de Prévost,
étaient parfois interprétés en référence au procédé de narration
épique du retour en arrière, ce qui en modifiait la traduction. Prévost semble étranger à cette querelle de traducteurs.   **2.** On
appelle auteur grave, un docteur de grand poids, et de grande
autorité dans quelque science (Fu).   **3.** La force de la passion est
un des thèmes favoris des moralistes classiques, de la tragédie et
du *Traité des passions* de Descartes.

infortunes[1] ; qui, avec toutes les qualités dont se forme
le plus brillant mérite, préfère, par choix, une vie obscure et vagabonde[2], à tous les avantages de la fortune
et de la nature ; qui prévoit ses malheurs, sans vouloir
les éviter ; qui les sent et qui en est accablé, sans
profiter des remèdes qu'on lui offre[a] sans cesse et qui
peuvent à tous moments les finir[3] ; enfin un caractère
ambigu, un mélange de vertus et de vices, un contraste
perpétuel de bons sentiments et d'actions mauvaises[4].
Tel est le fond du tableau que je présente[b]. Les personnes de bon sens ne regarderont point un ouvrage
de cette nature comme un travail inutile[5]. Outre le
plaisir d'une lecture agréable, on y trouvera peu d'événements qui ne puissent servir à l'instruction des
mœurs[6] ; et c'est rendre, à mon avis, un service considérable au public, que de l'instruire en l'amusant[c].

On ne peut réfléchir sur les préceptes de la morale,
sans être étonné de les voir[d] tout à la fois estimés et
négligés ; et l'on se demande la raison de cette bizarrerie du cœur humain, qui lui fait goûter des idées
de bien et de perfection, dont il s'éloigne dans la
pratique. Si les personnes d'un certain ordre

---

1. Malheur, désastre, perte causée par quelque accident fortuit ;
disgrâce, misère (Fu). **2.** Qui erre çà et là (Fu), errante. **3.** En
finir avec, mettre fin à. **4.** On remarquera toutes les oppositions
qui ici forment système. **5.** Le problème de l'utilité de la littérature, et plus généralement de l'art, se pose à nouveau au
XVIIIe siècle. La philosophie telle que la définit le siècle est une
manière de répondre à la question de l'utilité de l'art. **6.** On
entend par « instruction » : précepte, enseignement, tant à l'égard
des sciences, qu'à l'égard de la Morale (Fu). A pour synonyme
éducation. Voir François-Vincent Toussaint, *Les Mœurs*, 1748.

d'esprit[1] et de politesse[2] veulent examiner quelle est la matière la plus commune de leurs conversations, ou même de leurs rêveries solitaires, il leur sera aisé de remarquer qu'elles tournent presque toujours sur quelques considérations morales. Les plus doux moments de leur vie sont[a] ceux qu'ils[3] passent, ou seuls, ou avec un ami, à s'entretenir à cœur ouvert des charmes[4] de la vertu, des douceurs de l'amitié, des moyens d'arriver au bonheur, des faiblesses de la nature qui nous en éloignent, et des remèdes qui peuvent les guérir. Horace et Boileau marquent cet entretien[5] comme un des plus beaux traits dont ils composent l'image d'une vie heureuse[6]. Comment arrive-t-il donc qu'on tombe si facilement de ces hautes spéculations, et qu'on se retrouve sitôt au niveau du commun des hommes[7] ? Je suis trompé[8] si la raison que je vais en apporter n'explique bien cette contradiction de nos idées et de notre conduite ; c'est que, tous les préceptes de la morale n'étant que des prin-

---

1. Se dit des diverses fonctions de l'âme en tant qu'elle conçoit, qu'elle juge, qu'elle imagine et se souvient (Fu). On parlerait aujourd'hui d'une certaine intelligence.   **2.** Politesse, civilité ne sont pas parfaitement synonymes. La civilité est dans les manières ; la politesse est dans les sentiments exprimés par l'attention à ce qui peut plaire, et dans les vrais égards (Fu).   **3.** Curieusement, Prévost ici ne tient pas compte, en employant un masculin pluriel, que ces considérations renvoient à « personnes ».   **4.** Au sens fort d'*enchantement*.   **5.** Est donné comme synonyme de *conversation* (Fu).   **6.** Au sens de *tranquille*.   **7.** L'expression ne serait pas du beau style (Fé). C'est ici sans doute une dénomination péjorative. Le commun est parfois proche du vulgaire.   **8.** Je suis dans l'erreur.

cipes vagues et généraux, il est très difficile d'en faire
une application particulière au détail des mœurs et des
actions[1]. Mettons la chose dans un exemple. Les âmes
bien nées[2] sentent que la douceur et l'humanité sont
des vertus aimables[3], et sont portées d'inclination à
les pratiquer[4a] ; mais sont-elles au moment de l'exercice, elles demeurent souvent suspendues[5]. En est-ce
réellement l'occasion ? Sait-on bien quelle en doit être
la mesure ? Ne se trompe-t-on point sur l'objet ? Cent
difficultés arrêtent. On craint de devenir dupe en voulant être bienfaisant et libéral[6] ; de passer pour faible
en paraissant trop tendre et trop sensible[7] ; en un mot,
d'excéder ou de ne pas remplir assez des devoirs qui
sont renfermés d'une manière trop obscure dans les
notions générales d'humanité et de douceur. Dans
cette incertitude, il n'y a que l'expérience ou
l'exemple[8] qui puisse déterminer raisonnablement le
penchant du cœur. Or l'expérience n'est point un
avantage qu'il soit libre à tout le monde de se donner ;
elle dépend des situations différentes où l'on se trouve
placé par la fortune[9]. Il ne reste donc que l'exemple
qui puisse servir de règle à quantité de personnes dans
l'exercice de la vertu. C'est précisément pour cette

_____

1. De les appliquer à toutes les circonstances des mœurs et des
actions.   **2.** Qui ont de bonnes inclinations (Fu).   **3.** Qui méritent d'être aimées (Fé).   **4.** Signifie : à les pratiquer naturellement.   **5.** De *suspendre*, qui signifie arrêter, surseoir, différer (Fu).
6. Qui aime à donner, qui se plaît à donner, mais qui donne avec
raison et jugement, en sorte qu'il ne soit ni prodigue, ni avare...
(Fu).   **7.** Qui a du sentiment, qui reçoit aisément l'impression que
font les objets (Fé).   **8.** Modèle de conduite (Fu).   **9.** Destin.

sorte de lecteurs que des ouvrages tels que celui-ci peuvent être d'une extrême utilité, du moins lorsqu'ils[a] sont écrits par une personne d'honneur[1] et de bon sens. Chaque fait qu'on y rapporte est un degré de lumière, une instruction qui supplée à l'expérience ; chaque aventure est un modèle d'après lequel on peut se former ; il n'y manque que d'être ajusté aux circonstances où l'on se trouve. L'ouvrage entier est un traité de morale, réduit agréablement en exercice[2].

Un lecteur sévère s'offensera peut-être de me voir reprendre la plume, à mon âge[3], pour écrire des aventures de fortune et d'amour ; mais, si la réflexion que je viens de faire est solide[b], elle me justifie ; si elle est fausse, mon erreur sera mon excuse.

NOTA

C'est pour se rendre aux instances de ceux qui aiment ce petit ouvrage, qu'on s'est déterminé à le purger d'un grand nombre de fautes grossières qui se sont glissées dans la plupart des éditions[4]. On y a fait

---

1. Homme qui pratique la vertu, la droiture, la probité même, qui est exact à tenir sa parole (Fu).   **2.** Au sens de pratique. **3.** L'Homme de qualité a alors 70 ans.   **4.** Comme le remarque l'édition D. P., ces fautes remontent au texte de Prévost lui-même.

aussi quelques additions qui ont paru nécessaires pour la plénitude d'un des principaux caractères[1].

La vignette et les figures portent en elles-mêmes leur recommandation et leur éloge[2][a].

---

1. Voir la préface. **2.** Vignette : Petite estampe qui a plus de largeur que de hauteur, ainsi appelée parce qu'on y gravait autrefois des pampres et des raisins (Fu). Figures (Fé). Figure : Se dit en général de toutes estampes et représentations en images (Fu).

PREMIÈRE PARTIE[a]

Je suis obligé de faire remonter mon lecteur au temps de ma vie où je rencontrai pour la première fois le chevalier des Grieux. Ce fut environ six mois[b] avant mon départ pour l'Espagne[1]. Quoique je sortisse rarement de ma solitude, la complaisance[2] que j'avais pour ma fille m'engageait[3] quelquefois à divers petits voyages, que j'abrégeais autant qu'il m'était possible. Je revenais un jour de Rouen, où elle m'avait prié d'aller solliciter une affaire au Parlement de Normandie pour la succession de quelques terres auxquelles je lui avais laissé des prétentions du côté[c] de mon grand-père maternel[4]. Ayant repris mon chemin

---

1. Le marquis de Renoncour, âgé de 53 ans, a accepté de devenir précepteur d'un jeune seigneur, et il est parti avec lui pour l'Espagne. Ce séjour peut correspondre à l'accession du duc d'Anjou, petit-fils de Louis XIV, au trône d'Espagne sous le nom de Philippe V. **2.** Douceur et facilité d'esprit qu'on éprouve pour quelqu'un (Fu). **3.** M'obligeait à (Fé). **4.** Le caractère contourné de la phrase traduit la complication même de la procédure engagée. Ceci rappelle le caractère procédurier de la noblesse d'Ancien Régime, surtout en ce qui concerne les héritages.

par Évreux, où je couchai la première nuit, j'arrivai le lendemain pour dîner à Pacy[1], qui en est éloigné de cinq ou six lieues. Je fus surpris, en entrant dans ce bourg, d'y voir tous les habitants en alarme. Ils se précipitaient de leurs maisons pour courir en foule à la porte d'une mauvaise hôtellerie, devant laquelle étaient[a] deux chariots couverts. Les chevaux, qui étaient encore attelés et qui paraissaient fumants[2] de fatigue et de chaleur, marquaient que ces deux voitures ne faisaient qu'arriver. Je m'arrêtai un moment pour m'informer d'où venait le tumulte[b] ; mais je tirai peu d'éclaircissement d'une populace[3] curieuse, qui ne faisait nulle attention à mes demandes, et qui s'avançait toujours vers l'hôtellerie, en se poussant avec beaucoup de confusion. Enfin, un archer revêtu d'une bandoulière, et le mousquet sur l'épaule, ayant paru à la porte, je lui fis signe de la main de venir à moi. Je le priai de m'apprendre le sujet de ce désordre[c]. Ce n'est rien, monsieur, me dit-il ; c'est une douzaine de filles de joie[4][d] que je conduis, avec mes compagnons, jusqu'au Havre-de-Grâce[5], où nous les ferons embarquer pour l'Amérique. Il y en a quelques-unes de jolies, et c'est

---

1. Le dîner est le repas qu'on fait ordinairement à midi. Pacy-sur-Eure, à seize kilomètres à l'est d'Évreux, entre Mantes et Louviers. C'était sans doute une étape sur le chemin qui conduisait les convois de femmes qu'on embarquait vers les Îles, l'Amérique ou le Canada.   **2.** Se dit aussi des vapeurs, qui s'exhalent des corps humides, lorsqu'ils viennent à être échaudés par quelque cause que ce soit (Fé).   **3.** Terme collectif. Le bas peuple, le menu peuple (Fé).   **4.** Fille débauchée (Fé).   **5.** Le Havre était un lieu d'embarquement avec La Rochelle pour ces déportées.

apparemment ce qui excite la curiosité de ces bons paysans. J'aurais passé [1] [a] après cette explication, si je n'eusse été arrêté par les exclamations d'une vieille femme qui sortait de l'hôtellerie en joignant les mains, et criant que c'était une chose barbare, une chose qui faisait horreur et compassion [2]. De quoi s'agit-il donc ? lui dis-je. Ah ! monsieur, entrez, répondit-elle, et voyez si ce spectacle n'est pas capable de fendre le cœur ! La curiosité me fit descendre de mon cheval, que je laissai à mon palefrenier. J'entrai avec peine, en perçant la foule, et je vis [b], en effet, quelque chose d'assez touchant. Parmi les douze filles qui étaient enchaînées six à six par le milieu du corps [3], il y en avait une dont l'air et la figure étaient si peu conformes à sa condition, qu'en tout autre état je l'eusse prise pour une personne du premier rang [4] [c]. Sa tristesse et la saleté de son linge et de ses habits l'enlaidissaient si peu que sa vue m'inspira du respect et de la pitié. Elle tâchait néanmoins de se tourner, autant que sa chaîne pouvait le permettre, pour dérober son visage aux yeux des spectateurs. L'effort qu'elle faisait pour se cacher était si naturel, qu'il paraissait venir d'un sentiment de modestie [d].

---

1. Je me serais contenté de cette explication.   **2.** L'édition D. P. signale que ces déportations provoquaient la colère des braves gens qu'indignait le traitement réservé à ces femmes. Saint-Simon, dans les *Mémoires*, s'en fait le témoin.   **3.** Une chaîne tenait les filles réunies par six. Comme les forçats ainsi que les décrit Michel Foucault dans *Surveiller et punir*, après Honoré de Balzac et Victor Hugo.   **4.** Place qu'une chose ou une personne tient dans l'estimation des hommes : *tenir le premier rang entre les Poètes, les Orateurs...* (Fu).

Comme les six gardes qui accompagnaient cette malheureuse bande étaient aussi dans la chambre, je pris
le chef en particulier et je lui demandai quelques
lumières sur le sort de cette belle fille. Il ne put m'en
donner que de fort générales. Nous l'avons tirée de
l'Hôpital[1], me dit-il, par ordre de M. le Lieutenant
général de Police[2]. Il n'y a pas d'apparence qu'elle y
eût été renfermée pour ses bonnes actions. Je l'ai inter-
rogée plusieurs fois sur la route, elle s'obstine à ne me
rien répondre. Mais, quoique je n'aie pas reçu ordre
de la ménager plus que les autres, je ne laisse pas
d'avoir quelques égards pour elle, parce qu'il me
semble qu'elle vaut un peu mieux que ses compagnes.
Voilà un jeune homme, ajouta l'archer, qui pourrait
vous instruire mieux que moi sur la cause de sa disgrâce[a] ; il l'a suivie depuis Paris, sans cesser presque
un moment de pleurer. Il faut que ce soit son frère ou
son amant. Je me tournai vers le coin de la chambre
où ce jeune homme était assis. Il paraissait enseveli
dans[b] une rêverie profonde. Je n'ai jamais vu de plus
vive image de la douleur. Il était mis fort simplement ;
mais on distingue, au premier coup d'œil, un homme
qui a de la naissance et de l'éducation[3]. Je m'approchai
de lui. Il se leva ; et je découvris dans ses yeux, dans
sa figure et dans tous ses mouvements, un air si fin[4]

---

1. Hôpital général dans lequel on internait les fous, les men-
diants, les malades et les filles de mauvaise vie.   **2.** Ce qui cor-
respondrait pour Paris à l'actuel Préfet de police.   **3.** De naissance
noble et ayant reçu une bonne éducation.   **4.** Ce mot se dit des
traits du visage et de la taille. Il veut dire délicat, bien fait, beau
(R).

et si noble que je me sentis porté naturellement à lui
vouloir du bien. Que je ne vous trouble[1] point, lui
dis-je, en m'asseyant près de lui. Voulez-vous bien
satisfaire la curiosité que j'ai de connaître cette belle
personne, qui ne me paraît point faite pour le triste état
où je la vois ? Il me répondit honnêtement[2] qu'il ne
pouvait m'apprendre qui elle était sans se faire
connaître lui-même, et qu'il avait de fortes raisons pour
souhaiter de demeurer inconnu. Je puis vous dire, néanmoins, ce que ces misérables n'ignorent point,
continua-t-il en montrant les archers, c'est que je
l'aime avec une passion si violente qu'elle me rend le
plus infortuné[3] de tous les hommes. J'ai tout employé,
à Paris, pour obtenir sa liberté. Les sollicitations,
l'adresse et la force m'ont été inutiles ; j'ai pris le parti
de la suivre, dût-elle aller au bout du monde. Je
m'embarquerai avec elle ; je passerai en Amérique.
Mais ce qui est de la dernière inhumanité, ces lâches
coquins, ajouta-t-il en parlant des archers, ne veulent
pas me permettre d'approcher d'elle. Mon dessein était
de les attaquer ouvertement, à quelques lieues de Paris.
Je m'étais associé quatre hommes qui m'avaient
promis leur secours pour une somme considérable. Les
traîtres m'ont laissé seul aux mains[4] et sont partis[a]
avec mon argent. L'impossibilité de réussir par la force
m'a fait mettre les armes bas. J'ai proposé aux archers
de me permettre du moins de les suivre, en leur offrant
de les récompenser. Le désir du gain les y a fait

----

1. De *troubler* : inquiéter quelqu'un dans la jouissance de
quelque chose (A).   2. Décemment, convenablement (R).
3. Malheureux (A).   4. Entre les mains des archers.

consentir. Ils ont voulu être payés chaque fois qu'ils m'ont accordé la liberté de parler à ma maîtresse. Ma bourse s'est épuisée en peu de temps, et maintenant que je suis sans un sou, ils ont la barbarie de me repousser brutalement lorsque je fais un pas vers elle [1]. Il n'y a qu'un instant, qu'ayant osé m'en approcher malgré leurs menaces, ils ont eu l'insolence de lever contre moi le bout du fusil [a]. Je suis obligé, pour satisfaire leur avarice et pour me mettre en état de continuer la route à pied, de vendre ici un mauvais cheval qui m'a servi jusqu'à présent de monture.

Quoiqu'il parût faire assez tranquillement ce récit, il laissa tomber quelques larmes en le finissant. Cette aventure me parut des plus extraordinaires et des plus touchantes [2]. Je ne vous presse pas, lui dis-je, de me découvrir le secret de vos affaires, mais, si je puis vous être utile à quelque chose, je m'offre volontiers à vous rendre service. Hélas ! reprit-il, je ne vois pas le moindre jour [3] à l'espérance. Il faut que je me soumette à toute la rigueur de mon sort. J'irai en Amérique. J'y serai du moins libre avec ce que j'aime. J'ai écrit à un de mes amis qui me fera tenir [4] quelque secours au Havre-de-Grâce. Je ne suis embarrassé que pour m'y conduire et pour procurer à cette pauvre créature, ajouta-t-il en regardant tristement sa maîtresse, quelque soulagement sur la route. Hé bien, lui dis-je, je vais finir votre embarras. Voici quelque argent que je vous prie d'accepter. Je suis fâché de ne pouvoir vous servir

---

1. Des Grieux relatera plus avant ces mêmes faits.
2. L'adjectif indique un récit sentimental.   3. La moindre possibilité.   4. Parvenir.

autrement. Je lui donnai quatre louis d'or, sans que les
gardes s'en aperçussent, car je jugeais bien que, s'ils lui
savaient cette somme, ils lui vendraient plus chèrement
leurs secours. Il me vint même à l'esprit de faire marché
avec eux pour obtenir au jeune amant la liberté de parler
continuellement à sa maîtresse jusqu'au Havre. Je fis
signe au chef de s'approcher, et je lui en fis la proposition. Il en parut honteux, malgré son effronterie. Ce n'est
pas, monsieur, répondit-il d'un air embarrassé, que nous
refusions de le laisser parler à cette fille, mais il voudrait
être sans cesse auprès d'elle ; cela nous est incommode ;
il est bien juste qu'il paye pour l'incommodité. Voyons
donc, lui dis-je, ce qu'il faudrait pour[a] vous empêcher
de la sentir. Il eut l'audace de me demander deux louis.
Je les lui donnai sur-le-champ : Mais prenez garde, lui-
dis-je, qu'il ne vous échappe quelque friponnerie ; car
je vais laisser mon adresse à ce jeune homme, afin qu'il
puisse m'en informer, et comptez que j'aurai le pouvoir
de vous faire punir. Il m'en coûta six louis d'or. La bonne
grâce et la vive reconnaissance avec laquelle ce jeune
inconnu me remercia, achevèrent de me persuader qu'il
était né quelque chose[1], et qu'il méritait ma libéralité[2].
Je dis quelques mots à sa maîtresse avant que de sortir.
Elle me répondit avec une modestie[3] si douce et si charmante, que je ne pus m'empêcher de faire, en sortant,
mille réflexions sur le caractère incompréhensible des
femmes.

Étant retourné à ma solitude[4], je ne fus point informé

---

1. Bien né.   **2.** Générosité.   **3.** Signifie aussi *pudeur*, mais le
mot est ici employé avec un sens moderne.   **4.** Signifie *retraite*,
mais ici le fait d'être seul.

de la suite de cette aventure. Il se passa près de deux ans, qui me la firent oublier tout à fait, jusqu'à ce que le hasard me fît renaître l'occasion d'en apprendre à fond[1] toutes les circonstances. J'arrivais de Londres à Calais, avec le marquis de..., mon élève. Nous logeâmes, si je m'en souviens bien, au *Lion d'Or*, où quelques raisons nous obligèrent de passer le jour entier et la nuit suivante. En marchant l'après-midi dans les rues, je crus apercevoir ce même jeune homme dont j'avais fait la rencontre à Pacy. Il était en fort mauvais équipage[2], et beaucoup plus pâle que[a] je ne l'avais vu la première fois. Il portait sur le bras un vieux porte-manteau[3], ne faisant qu'arriver dans la ville. Cependant, comme il avait la physionomie trop belle pour[b] n'être pas reconnu facilement, je le remis[4] aussitôt. Il faut, dis-je au marquis, que nous abordions ce jeune homme. Sa joie fut plus vive que toute expression, lorsqu'il m'eut remis à son tour. Ah ! monsieur, s'écria-t-il en me baisant la main, je puis donc encore une fois vous marquer mon immortelle[5] reconnaissance ! Je lui demandai d'où il venait. Il me répondit qu'il arrivait, par mer, du Havre-de-Grâce, où il était revenu de l'Amérique peu auparavant. Vous ne me paraissez pas fort bien en argent, lui dis-je.

---

1. Pleinement, parfaitement (Fu).   **2.** Tout ce qui est nécessaire pour s'entretenir. On dit figurément qu'un homme est en pauvre, en triste équipage, lorsqu'il est mal vêtu, qu'il n'a pas de quoi vivre honorablement (Fu).   **3.** Pièces d'étoffe taillées en rond, en forme de valise, dans lesquelles on enveloppe les manteaux, et qu'on met sur la croupe d'un cheval, quand on va en campagne (Fu).
4. Reconnus.   **5.** On attendrait plutôt ici « éternelle ».

Allez-vous-en au *Lion d'Or*, où je suis logé. Je vous rejoindrai dans un moment. J'y retournai en effet, plein d'impatience d'apprendre le détail de son infortune et les circonstances de son voyage d'Amérique. Je lui fis mille caresses[1], et j'ordonnai qu'on ne le laissât manquer de rien. Il n'attendit point que je le pressasse de me raconter l'histoire de sa vie. Monsieur, me dit-il, vous[a] en usez si noblement avec moi, que je me reprocherais, comme une basse ingratitude, d'avoir quelque chose de réservé[2] pour vous. Je veux vous apprendre, non seulement mes malheurs et mes peines, mais encore mes désordres[3] et mes plus honteuses faiblesses. Je suis sûr qu'en me condamnant, vous ne pourrez pas vous empêcher de me plaindre.

Je dois avertir ici le lecteur que j'écrivis son histoire presque aussitôt après l'avoir entendue, et qu'on peut s'assurer, par conséquent, que rien n'est plus exact et plus fidèle que cette narration. Je dis fidèle jusque dans la relation des réflexions et des sentiments que le jeune aventurier[4] exprimait de la meilleure grâce du monde. Voici donc son récit, auquel je ne mêlerai[b], jusqu'à la fin, rien qui ne soit de lui.

---

1. Témoignage d'affection qu'on marque pour quelqu'un par ses actions ou ses paroles (Fé).   2. On dit n'avoir rien de réservé, ou n'avoir point de réserve, ou aucune réserve pour quelqu'un ; avoir en lui une entière confiance (Fé).   3. Se dit surtout des personnes qui sont dans le vice et le dérèglement (Fé).   4. N'a pas un sens péjoratif. Désigne des personnes qui sont en quête d'aventures militaires ou galantes (A).

J'avais dix-sept ans, et j'achevais mes études de philosophie à Amiens, où mes parents, qui sont d'une des meilleures maisons de P.[1], m'avaient envoyé. Je menais une vie si sage et si réglée[2], que mes maîtres me proposaient pour l'exemple du collège. Non que je fisse des efforts extraordinaires pour mériter cet éloge, mais j'ai l'humeur naturellement douce et tranquille : je m'appliquais à l'étude par inclination, et l'on me comptait pour des vertus quelques marques d'aversion naturelle pour le vice[a]. Ma naissance, le succès de mes études et quelques agréments extérieurs[3][b] m'avaient fait connaître et estimer de tous les honnêtes gens de la ville. J'achevai mes exercices[c] publics[4] avec une approbation si générale, que Monsieur l'Évêque, qui y assistait, me proposa d'entrer dans l'état ecclésiastique, où je ne manquerais pas, disait-il, de m'attirer plus de distinction que dans l'ordre de Malte[5], auquel mes parents me destinaient. Ils me faisaient déjà porter la

---

1. Selon les commentateurs, il s'agit de Péronne. **2.** Qui implique une conduite juste et raisonnable (Fu). **3.** Qui ont trait à la figure et à la mine (Fu). **4.** Il s'agissait pour le collège d'Amiens, en ce qui concerne la philosophie et la théologie, des soutenances de thèses, avec objections et discussions (voir D. P.). **5.** L'Ordre de Malte recevait des enfants de familles nobles. À 11 ans, ils portaient le titre avec la croix, mais rejoignaient l'Ordre une fois leurs études terminées. Voir l'Abbé de Vertot (René Aubert de Vertot d'Aubeuf) qui publie en 1726 *L'Histoire des Chevaliers hospitaliers, de S. Jean de Jérusalem, appelez depuis les Chevaliers de Rhodes et aujourd'hui les Chevaliers de Malte*, Paris, 1726, 4 vol. L'ouvrage connut de très nombreuses éditions, ce qui illustre l'intérêt pour l'Ordre.

croix, avec le nom de chevalier des Grieux[1]. Les
vacances arrivant, je me préparais à retourner chez mon
père, qui m'avait promis de m'envoyer bientôt à l'Académie[2]. Mon seul regret, en quittant Amiens, était d'y
laisser un ami avec lequel j'avais toujours été tendrement
uni[3]. Il était de quelques années plus âgé que moi. Nous
avions été élevés ensemble, mais le bien de sa maison
étant des plus médiocres[4], il était obligé de prendre l'état
ecclésiastique, et de demeurer à Amiens après moi, pour
y faire les études qui conviennent à cette profession. Il
avait mille bonnes qualités. Vous le connaîtrez par les
meilleures dans la suite de mon histoire, et surtout, par
un zèle et une générosité en amitié qui surpassent les plus
célèbres exemples de l'antiquité. Si j'eusse alors suivi
ses conseils, j'aurais toujours été sage et heureux. Si
j'avais, du moins, profité de ses reproches[a] dans le précipice où mes passions m'ont entraîné, j'aurais sauvé
quelque chose du naufrage de ma fortune[5] et de ma réputation. Mais il n'a point recueilli d'autre fruit de ses soins
que le chagrin de les voir inutiles et, quelquefois, durement récompensés par un ingrat qui s'en offensait, et qui
les traitait d'importunités[6].

J'avais marqué[7] le temps de mon départ d'Amiens.
Hélas ! que ne le marquais-je[8] un jour plus tôt ! j'aurais

---

1. L'édition D. P. signale qu'un nommé Charles-Antoine des
Grieux a été chevalier de l'Ordre.   **2.** Lieu où la jeune noblesse
apprend à monter à cheval, à faire des armes, et tous les exercices
que doit savoir un gentilhomme (R).   **3.** D'entrée, Tiberge apparaît comme un ami exceptionnel.   **4.** Moyens.   **5.** Bonheur,
agrandissement, au sens d'élévation sociale.   **6.** Actions de la personne qui importune (A).   **7.** Décidé le temps de mon départ.
8. On attendrait ici : *que ne l'ai-je marqué.*

porté chez mon père toute mon innocence. La veille même de celui que je devais quitter cette ville, étant à me promener avec mon ami, qui s'appelait Tiberge[1], nous vîmes arriver le coche[2] d'Arras, et nous le suivîmes jusqu'à l'hôtellerie[a] où ces voitures descendent. Nous n'avions pas d'autre motif que la curiosité. Il en sortit quelques femmes, qui se retirèrent aussitôt. Mais il en resta une, fort jeune, qui s'arrêta seule dans la cour, pendant qu'un homme d'un âge avancé, qui paraissait lui servir de conducteur, s'empressait pour faire tirer son équipage des paniers[3]. Elle me parut si charmante que moi, qui n'avais jamais pensé à la différence des sexes, ni regardé une fille avec un peu d'attention, moi, dis-je[b], dont tout le monde admirait la sagesse et la retenue, je me trouvai enflammé tout d'un coup jusqu'au transport[4]. J'avais le défaut d'être[c] excessivement timide et facile à déconcerter ; mais loin d'être arrêté alors par cette faiblesse, je m'avançai vers la maîtresse de mon cœur. Quoiqu'elle fût encore moins âgée que moi[5], elle reçut mes politesses sans[d] paraître embarrassée. Je lui demandai ce qui l'amenait à Amiens et si elle y avait quelques personnes de connaissance. Elle me répondit ingénument qu'elle y était envoyée par ses parents pour être religieuse[6].

---

1. On a proposé plusieurs identifications de ce personnage. Voir D. P. **2.** Espèce de carrosse où un messager amène des gens et des ballots de province à Paris et de Paris en province (A). **3.** Le coche était pourvu de malles en osier sur son arrière où l'on plaçait les bagages des voyageurs (A). **4.** Passion qui nous met en quelque sorte hors de nous-mêmes (A). **5.** Des Grieux a 17 ans et Manon entre 15 et 16. **6.** Manon est-elle si ingénue ?

L'amour me rendait déjà si éclairé [1], depuis un moment qu'il était dans mon cœur, que je regardai ce dessein comme un coup mortel pour mes désirs. Je lui parlai d'une manière qui lui fit comprendre mes sentiments, car elle était bien plus expérimentée que moi. C'était malgré elle qu'on l'envoyait au couvent, pour arrêter sans doute son penchant au plaisir [2], qui s'était déjà déclaré et qui a causé, dans la suite, tous ses malheurs et les miens. Je combattis la cruelle intention de ses parents par toutes les raisons que mon amour naissant et mon éloquence scolastique [3] purent me suggérer. Elle n'affecta ni rigueur ni dédain. Elle me dit, après un moment de silence, qu'elle ne prévoyait que trop qu'elle allait être malheureuse, mais que c'était apparemment la volonté du Ciel, puisqu'il ne lui laissait nul moyen de l'éviter. La douceur de ses regards, un air charmant de tristesse en prononçant ces paroles, ou plutôt, l'ascendant de ma destinée [4] qui m'entraînait à

Elle dit partiellement la vérité puisqu'elle n'avoue pas les raisons qui poussent ses parents à l'envoyer au couvent.

1. Qui a des connaissances et des lumières particulières (A). Des Grieux s'analyse, fort du savoir acquis par son expérience amoureuse. Il le fait ironiquement, même si le thème de l'amour qui éveille l'esprit est un thème à la mode fréquent chez Marivaux (*Arlequin poli par l'amour, La Double Inconstance...*) et dans le roman libertin.   **2.** Il faut entendre ici une vie dissipée. Pourtant la différenciation *plaisir* et *plaisirs*, à en croire les dictionnaires, n'est pas pertinente. Le plaisir ne renvoie pas exclusivement à la vie amoureuse. Agréable émotion de l'âme, contentement (A).
3. Qui est de l'école (A). Des Grieux étudie la philosophie comme il l'a rappelé.   **4.** L'ascendant est l'inclination (A). Destinée est synonyme de destin. Voir D. P.

ma perte, ne me permirent pas de balancer[1] un moment
sur ma réponse. Je l'assurai que, si elle voulait faire
quelque fond sur mon honneur et sur la tendresse
infinie qu'elle m'inspirait déjà, j'emploierais ma vie
pour la délivrer de la tyrannie de ses parents, et pour
la rendre heureuse. Je me suis étonné mille fois, en y
réfléchissant, d'où me venait alors tant de hardiesse et
de facilité à m'exprimer ; mais on ne ferait pas une
divinité de l'amour, s'il n'opérait souvent[a] des prodiges[2]. J'ajoutai mille choses pressantes. Ma belle
inconnue savait bien qu'on n'est point trompeur à mon
âge ; elle me confessa que, si je voyais quelque jour[3]
à la pouvoir mettre en liberté, elle croirait m'être redevable de quelque chose de plus cher que la vie. Je lui
répétai que j'étais prêt à tout entreprendre, mais,
n'ayant point assez d'expérience pour imaginer tout
d'un coup les moyens de la servir, je m'en tenais à
cette assurance générale, qui ne pouvait être d'un grand
secours pour elle et pour moi[b]. Son vieil Argus[4] étant
venu nous rejoindre, mes espérances allaient échouer
si elle n'eût eu assez d'esprit pour suppléer à la stérilité
du mien. Je fus surpris, à l'arrivée de son conducteur,
qu'elle m'appelât son cousin et que, sans paraître
déconcertée le moins du monde, elle me dît que,
puisqu'elle était assez heureuse pour me rencontrer à
Amiens, elle remettait au lendemain son entrée dans
le couvent, afin de se procurer le plaisir de souper avec

---

1. Hésiter. **2.** Cette notation renvoie au thème de la force de
l'amour-passion. **3.** Voir note 3, page 85. **4.** Prince argien doté
de cent yeux, dont cinquante restaient toujours ouverts.

moi. J'entrai fort bien dans le sens de cette ruse. Je lui proposai de se loger dans une hôtellerie, dont le maître [1][a], qui s'était établi à Amiens, après avoir été longtemps cocher de mon père, était dévoué entièrement à mes ordres. Je l'y conduisis moi-même, tandis que le vieux conducteur paraissait un peu murmurer, et que mon ami Tiberge, qui ne comprenait rien à cette scène, me suivait sans prononcer une parole. Il n'avait point entendu notre entretien. Il était demeuré à se promener dans la cour pendant que je parlais d'amour à ma belle maîtresse. Comme je redoutais sa sagesse, je me défis de lui par une commission dont je le priai de se charger. Ainsi j'eus le plaisir, en arrivant à l'auberge, d'entretenir seul la souveraine [b] de mon cœur. Je reconnus bientôt que j'étais moins enfant que je ne le croyais. Mon cœur s'ouvrit à mille sentiments de plaisir dont je n'avais jamais eu l'idée. Une douce chaleur se répandit dans toutes mes veines. J'étais dans une espèce de transport, qui m'ôta pour quelque temps la liberté de la voix et qui ne s'exprimait que par mes yeux. Mademoiselle Manon Lescaut, c'est ainsi qu'elle me dit qu'on la nommait [2], parut fort satisfaite de cet effet de ses charmes. Je crus apercevoir qu'elle n'était pas moins émue que moi. Elle me confessa qu'elle me trouvait aimable et qu'elle serait ravie de m'avoir

---

1. Au sens de propriétaire (A).   **2.** Manon est le dérivé affectueux de Marie ou Marianne. On utilise beaucoup au XVIIIe siècle les diminutifs Suzon pour Suzanne, de même Fanchette et Fanchon. Marie-Jeanne Philipon, Mme Roland, est appelée par ses familiers Manon. Ces diminutifs sont, en règle générale, répandus dans la petite bourgeoisie.

obligation de sa liberté. Elle voulut savoir qui j'étais, et cette connaissance augmenta son affection, parce qu'étant d'une naissance commune, elle[a] se trouva flattée d'avoir fait la conquête d'un amant tel que moi[1]. Nous nous entretînmes des moyens d'être l'un à l'autre. Après quantité de réflexions, nous ne trouvâmes point d'autre voie que celle de la fuite. Il fallait tromper la vigilance du conducteur, qui était un homme à ménager, quoiqu'il ne fût qu'un domestique. Nous réglâmes que je ferais préparer pendant la nuit une chaise de poste[2], et que je reviendrais de grand matin à l'auberge avant qu'il fût éveillé ; que nous nous déroberions secrètement[3], et que nous irions droit à Paris, où nous nous ferions marier en arrivant. J'avais environ cinquante écus[4], qui étaient le fruit de mes petites épargnes[5] ; elle en avait à peu près le double. Nous nous imaginâmes, comme des enfants sans expérience, que cette somme ne finirait jamais, et nous ne comptâmes pas moins sur le succès de nos autres mesures[b].

Après avoir soupé avec plus de satisfaction que je n'en avais jamais ressenti, je me retirai pour exécuter notre projet. Mes arrangements furent d'autant plus faciles[c], qu'ayant eu dessein de retourner le lendemain

---

1. Sur la dimension sociale du roman, voir la préface. Il y a chez Manon une fascination sociale pour la noblesse et la richesse. **2.** Petite voiture pour une ou deux personnes (A). On les louait dans les relais de poste. Elles n'assuraient pas un service régulier. **3.** *Se dérober* est s'enfuir secrètement (A). D'où un pléonasme comme si Prévost voulait insister sur le plan, le secret autant que sur la transgression.   **4.** L'écu vaut trois francs.   **5.** Économies (F).

chez mon père, mon petit équipage [1] était déjà préparé. Je n'eus donc nulle peine à faire transporter ma malle, et à faire tenir une chaise prête pour cinq heures du matin, qui étaient le temps où les portes de la ville devaient être ouvertes ; mais je trouvai un obstacle dont je ne me défiais point, et qui faillit de rompre [2] entièrement mon dessein.

Tiberge, quoique âgé seulement de trois ans plus que moi, était un garçon d'un sens [3] mûr et d'une conduite fort réglée. Il m'aimait avec une tendresse extraordinaire. La vue d'une aussi jolie fille que Mademoiselle Manon, mon empressement à la conduire, et le soin que j'avais eu de me défaire de lui en l'éloignant, lui firent naître quelques soupçons de mon amour. Il n'avait osé revenir à l'auberge, où il m'avait laissé, de peur de m'offenser par son retour ; mais il était allé m'attendre à mon logis, où je le trouvai en arrivant, quoiqu'il fût dix heures du soir. Sa présence me chagrina. Il s'aperçut facilement de la contrainte [4] qu'elle me causait. Je suis sûr, me dit-il sans déguisement [5], que vous méditez quelque dessein que vous me voulez cacher ; je le vois à votre air. Je lui répondis assez brusquement que je n'étais pas obligé de lui rendre compte de tous mes desseins. Non, reprit-il, mais vous m'avez toujours traité en ami, et cette qualité suppose un peu de confiance et d'ouverture [6]. Il me pressa si fort et si longtemps de lui découvrir mon secret, que,

---

1. Bagage (R). **2.** *Faillir de* est une forme usitée au XVIIIᵉ siècle. *Rompre* au sens de renverser (R). **3.** Jugement, raison (R). **4.** Violence (A). **5.** Sans dissimulation, très clairement. **6.** Franchise, sincérité (R).

n'ayant jamais eu de réserve avec lui, je lui fis l'entière
confidence de ma passion. Il la reçut avec une apparence de mécontentement qui me fit frémir. Je me
repentis surtout de l'indiscrétion avec laquelle je lui
avais découvert le dessein de ma fuite. Il me dit qu'il
était trop parfaitement[1] mon ami pour ne pas s'y
opposer de tout son pouvoir ; qu'il voulait me représenter d'abord tout ce qu'il croyait capable de m'en
détourner, mais que, si je ne renonçais pas ensuite à
cette misérable[2] résolution, il avertirait des personnes
qui pourraient l'arrêter à coup sûr. Il me tint là-dessus
un discours sérieux qui dura plus d'un quart d'heure,
et qui finit encore par la menace de me dénoncer, si je
ne lui donnais ma parole de me conduire avec plus de
sagesse et de raison. J'étais au désespoir de m'être
trahi si mal à propos. Cependant, l'amour m'ayant
ouvert extrêmement l'esprit depuis deux ou trois
heures, je fis attention que je ne lui avais pas découvert
que mon dessein devait s'exécuter le lendemain, et je
résolus de le tromper à la faveur d'une équivoque[3] :
Tiberge, lui dis-je, j'ai cru jusqu'à présent que vous
étiez mon ami, et j'ai voulu vous éprouver par cette
confidence. Il est vrai que j'aime, je ne vous ai pas
trompé, mais, pour ce qui regarde ma fuite, ce n'est
point une entreprise à former au hasard. Venez me
prendre demain à neuf heures ; je vous ferai voir, s'il
se peut, ma maîtresse, et vous jugerez si elle mérite

---

1. Véritablement. **2.** Vile (R). **3.** Méprise, erreur (R). Paul
Hazard analysant ce passage (*Études sur* Manon Lescaut), à propos
des restrictions mentales utilisées par des Grieux, indique que le
mot *équivoque* a un sens précis dans la casuistique jésuite.

que je fasse cette démarche pour elle. Il me laissa seul, après mille protestations d'amitié. J'employai la nuit à mettre ordre à mes affaires, et m'étant rendu à l'hôtellerie de Mademoiselle Manon vers la pointe du jour, je la trouvai qui m'attendait. Elle était à sa fenêtre, qui donnait sur la rue, de sorte que, m'ayant aperçu, elle vint m'ouvrir elle-même. Nous sortîmes sans bruit. Elle n'avait point d'autre équipage que[a] son linge[1], dont je me chargeai moi-même. La chaise était en état de partir ; nous nous éloignâmes aussitôt de la ville. Je rapporterai, dans la suite, quelle fut la conduite de Tiberge, lorsqu'il s'aperçut que je l'avais trompé. Son zèle n'en devint pas moins ardent. Vous verrez à quel excès il le porta, et combien je devrais verser de larmes en songeant quelle en a toujours été la récompense.

Nous nous hâtâmes tellement d'avancer[2] que nous arrivâmes à Saint-Denis avant la nuit. J'avais couru à cheval à côté de la chaise, ce qui ne nous avait guère permis de nous entretenir qu'en changeant de chevaux[3] ; mais lorsque nous nous vîmes si proche[4] de Paris, c'est-à-dire presque en sûreté, nous prîmes le temps de nous rafraîchir[5], n'ayant rien mangé depuis notre départ d'Amiens. Quelque passionné que je fusse pour Manon, elle sut me persuader qu'elle ne l'était pas moins pour moi. Nous étions si peu réservés dans

---

1. Sans doute l'ensemble des vêtements de rechange.
2. Curieuse formulation pour indiquer qu'ils s'éloignèrent à très grande vitesse.   3. On changeait de monture pour les cavaliers, et d'attelage pour les chaises et les diligences dans les relais.
4. Au sens de *près*, donc adverbe invariable.   5. Faire une collation (A).

nos caresses, que nous n'avions pas la patience d'attendre que nous fussions seuls. Nos postillons et nos hôtes[1] nous regardaient avec admiration[2], et je remarquais qu'ils étaient surpris de voir deux enfants de notre âge, qui paraissaient s'aimer jusqu'à la fureur. Nos projets de mariage furent oubliés à Saint-Denis ; nous fraudâmes[3] les droits de l'Église, et nous nous trouvâmes époux sans y avoir fait réflexion. Il est sûr que, du naturel tendre et constant dont je suis, j'étais heureux pour toute ma vie, si Manon m'eût été fidèle. Plus je la connaissais, plus je découvrais en elle de nouvelles qualités aimables. Son esprit, son cœur, sa douceur et sa beauté formaient une chaîne si forte et si charmante, que j'aurais mis tout mon bonheur à n'en sortir jamais. Terrible changement ! Ce qui fait mon désespoir a pu faire ma félicité. Je me trouve le plus malheureux de tous les hommes, par cette même constance[4] dont je devais attendre le plus doux de tous les sorts, et les plus parfaites récompenses de l'amour.

Nous prîmes un appartement meublé à Paris. Ce fut dans la rue V...[5] et, pour mon malheur, auprès de la maison de M. de B..., célèbre fermier général. Trois

---

1. Les patrons des relais de poste.   **2.** Sentiment qu'on éprouve quand on considère avec surprise, avec étonnement ce qui paraît merveilleux (A).   **3.** Le verbe indique qu'ils vécurent comme mari et femme sans avoir reçu le sacrement du mariage.   **4.** Il s'agit de la constance des sentiments que des Grieux éprouve pour Manon. Il en est amoureux et il lui est fidèle.   **5.** Pour les commentateurs, il s'agit de la rue de Vivienne devenue célèbre lors de l'expérience de John Law, qui y avait installé sa banque qui allait devenir Banque royale.

semaines se passèrent, pendant lesquelles j'avais été si rempli de ma passion que j'avais peu songé à ma famille et au chagrin que mon père avait dû ressentir de mon absence. Cependant, comme la débauche n'avait nulle part à ma conduite, et que Manon se comportait aussi avec beaucoup de retenue, la tranquillité où nous vivions servit à me faire rappeler peu à peu l'idée de mon devoir [1]. Je résolus de me réconcilier, s'il était possible, avec mon père. Ma maîtresse était si aimable que je ne doutai point qu'elle ne pût lui plaire, si je trouvais moyen de lui faire connaître sa sagesse et son mérite : en un mot, je me flattai d'obtenir de lui la liberté de l'épouser, ayant été désabusé de l'espérance de le pouvoir sans son consentement [2]. Je communiquai ce projet à Manon, et je lui fis entendre qu'outre les motifs de l'amour et du devoir, celui de la nécessité pouvait y entrer aussi pour quelque chose, car nos fonds étaient extrêmement altérés [3], et je commençais à revenir de l'opinion [4] qu'ils étaient inépuisables. Manon reçut froidement cette proposition. Cependant, les difficultés qu'elle y opposa n'étant prises que de sa tendresse même et de la crainte de me

---

1. Le caractère paisible de l'amour éprouvé par les deux jeunes gens conduit des Grieux à prendre conscience de l'irrégularité de leur situation et à vouloir reprendre contact avec sa famille. **2.** Les enfants mineurs ont besoin du consentement des parents pour se marier. Son absence faisait que les parents déshéritaient de fait les coupables. Le mariage lui-même se heurtait à de grandes difficultés et peu de prêtres se risquaient à s'y prêter.   **3.** Au sens de diminués (R).   **4.** Des Grieux commençait à ne plus croire qu'ils étaient inépuisables.

perdre[1], si mon père n'entrait point dans notre dessein après avoir connu le lieu de notre retraite, je n'eus pas le moindre soupçon du coup cruel[2] qu'on se préparait à me porter. À l'objection de la nécessité, elle répondit qu'il nous restait encore de quoi vivre quelques semaines, et qu'elle trouverait, après cela, des ressources dans l'affection de quelques parents à qui elle écrirait en province. Elle adoucit son refus par des caresses si tendres et si passionnées, que moi, qui ne vivais que dans elle[3], et qui n'avais pas la moindre défiance de son cœur, j'applaudis à toutes ses réponses et à toutes ses résolutions. Je lui avais laissé la disposition de notre bourse, et le soin de payer notre dépense ordinaire. Je m'aperçus, peu après, que notre table était mieux servie, et qu'elle s'était donné quelques ajustements[4] d'un prix considérable. Comme je n'ignorais pas qu'il devait nous rester à peine douze ou quinze pistoles[5], je lui marquai mon étonnement de cette augmentation apparente de notre opulence. Elle me pria, en riant, d'être sans embarras[6]. Ne vous ai-je pas promis, me dit-elle, que je trouverais des ressources ? Je l'aimais avec trop de simplicité[7] pour m'alarmer facilement.

Un jour que j'étais sorti l'après-midi, et que je l'avais avertie que je serais dehors plus longtemps qu'à l'ordinaire, je fus étonné qu'à mon retour on me fît

---

1. C'est-à-dire : ne lui étant dictées que par sa tendresse et la crainte... **2.** Dur, fâcheux (R). **3.** Au sens ici de *par elle* et *pour elle*. **4.** Habit, parure (A). **5.** On peut calculer que cela représente environ 5 000 francs ou 750 euros d'aujourd'hui. **6.** Formé sur *s'embarrasser* au sens de *s'inquiéter*. Être sans inquiétude. **7.** Candeur, ingénuité (A).

attendre deux ou trois minutes à la porte. Nous n'étions
servis que par une petite fille qui était à peu près de notre
âge. Étant venue m'ouvrir, je lui demandai pourquoi elle
avait tardé si longtemps. Elle me répondit, d'un air
embarrassé, qu'elle ne m'avait point entendu frapper. Je
n'avais frappé qu'une fois ; je lui dis : Mais, si vous ne
m'avez pas entendu, pourquoi êtes-vous donc venue
m'ouvrir ? Cette question la déconcerta si fort, que,
n'ayant point assez de présence d'esprit pour y
répondre, elle se mit à pleurer, en m'assurant que ce
n'était point sa faute, et que madame lui avait défendu
d'ouvrir la porte jusqu'à ce que M. de B... [1] fût sorti par
l'autre escalier, qui répondait au cabinet [2]. Je demeurai
si confus, que je n'eus point la force d'entrer dans
l'appartement. Je pris le parti de descendre sous prétexte
d'une affaire, et j'ordonnai à cet enfant de dire à sa maîtresse que je retournerais dans le moment, mais de ne
pas faire connaître qu'elle m'eût parlé de M. de B...

Ma consternation fut si grande, que je versais des
larmes en descendant l'escalier, sans savoir encore de
quel sentiment elles partaient [3] [a]. J'entrai dans le premier café et m'y étant assis près [4] d'une table, j'appuyai
la tête sur mes deux mains pour y développer ce qui
se passait dans mon cœur. Je n'osais rappeler ce que
je venais d'entendre. Je voulais le considérer comme
une illusion, et je fus prêt [5] deux ou trois fois de

---

1. On a cherché en vain à quel personnage réel correspondait
ce B... Les initiales souvent employées dans le roman servent à
produire des effets de réalité.   **2.** Petit lieu qui est auprès de
quelque appartement, et où l'on se retire pour converser (A).
3. Quelle en était la cause.   **4.** Au sens de *à une table*.   **5.** On
attendrait ici *près*, mais Prévost écrit *prêt*.

retourner au logis, sans marquer que j'y eusse fait attention. Il me paraissait si impossible que Manon m'eût trahi, que je craignais de lui faire injure en la soupçonnant. Je l'adorais, cela était sûr ; je ne lui avais pas donné plus de preuves d'amour que je n'en avais reçu d'elle ; pourquoi l'aurais-je accusée d'être moins sincère et moins constante que moi ? Quelle raison aurait-elle eue de me tromper ? Il n'y avait que trois heures qu'elle m'avait accablé de ses plus tendres caresses et qu'elle avait reçu les miennes avec transport ; je ne connaissais pas mieux mon cœur que le sien. Non, non, repris-je, il n'est pas possible que Manon me trahisse. Elle n'ignore pas que je ne vis que pour elle. Elle sait trop bien que je l'adore. Ce n'est pas là un sujet[1] de me haïr.

Cependant la visite et la sortie furtive de M. de B... me causaient de l'embarras[a]. Je rappelais[2] aussi les petites acquisitions de Manon, qui me semblaient surpasser nos richesses présentes. Cela paraissait sentir les libéralités[3] d'un nouvel amant. Et cette confiance qu'elle m'avait marquée pour des ressources qui m'étaient inconnues ! J'avais peine à donner à tant d'énigmes un sens aussi favorable que mon cœur le souhaitait. D'un autre côté, je ne l'avais presque pas perdue de vue depuis que nous étions à Paris. Occupations, promenades, divertissements, nous avions toujours été l'un à côté de l'autre ; mon Dieu ! un instant de séparation nous aurait trop affligés[b]. Il fallait

---

1. Occasion (A).   **2.** On attendrait ici un passé simple plutôt qu'un imparfait.   **3.** La magnificence (A).

nous dire sans cesse que nous nous aimions ; nous
serions morts d'inquiétude sans cela. Je ne pouvais
donc m'imaginer presque un seul moment où Manon
pût s'être occupée d'un autre que moi. À la fin, je crus
avoir trouvé le dénouement [1] de ce mystère. M. de B...,
dis-je en moi-même, est un homme qui fait de grosses
affaires, et qui a de grandes relations ; les parents de
Manon se seront servis de cet homme pour lui faire
tenir quelque argent. Elle en a peut-être déjà reçu de
lui ; il est venu aujourd'hui lui en apporter encore. Elle
s'est fait sans doute un jeu [2] de me le cacher, pour me
surprendre agréablement. Peut-être m'en aurait-elle
parlé si j'étais rentré à l'ordinaire [3], au lieu de venir ici
m'affliger ; elle ne me le cachera pas, du moins,
lorsque je lui en parlerai moi-même.

Je me remplis si fortement de cette opinion, qu'elle
eut la force de diminuer beaucoup ma tristesse. Je
retournai sur-le-champ au logis. J'embrassai Manon
avec ma tendresse ordinaire [a]. Elle me reçut fort bien.
J'étais tenté d'abord de lui découvrir mes conjectures [4],
que je regardais plus que jamais comme certaines ; je
me retins, dans l'espérance qu'il lui arriverait peut-être
de me prévenir, en m'apprenant tout ce qui s'était
passé. On nous servit à souper [5]. Je me mis à table d'un
air fort gai ; mais à la lumière de la chandelle qui était
entre elle et moi, je crus apercevoir de la tristesse sur
le visage et dans les yeux de ma chère maîtresse. Cette

---

1. Se dit également en parlant des affaires, des intrigues... (A).
2. Façon d'agir badine, galante.   **3.** Comme on a de coutume (R).
4. Au sens de *suppositions*.   **5.** Cette scène est commentée dans
Mimesis d'Auerbach.

pensée m'en inspira aussi. Je remarquai que ses regards s'attachaient sur moi d'une autre façon qu'ils n'avaient accoutumé. Je ne pouvais démêler si c'était de l'amour ou de la compassion, quoiqu'il me parût que c'était un sentiment doux et languissant. Je la regardai avec la même attention ; et peut-être n'avait-elle pas moins de peine à juger de la situation de mon cœur par mes regards. Nous ne pensions ni à parler, ni à manger. Enfin, je vis tomber des larmes de ses beaux yeux : perfides[1] larmes ! Ah Dieux ! m'écriai-je, vous pleurez, ma chère Manon ; vous êtes affligée jusqu'à pleurer, et vous ne me dites pas un seul mot de vos peines. Elle ne me répondit que par quelques soupirs qui augmentèrent mon inquiétude. Je me levai en tremblant. Je la conjurai, avec tous les empressements de l'amour, de me découvrir le sujet de ses pleurs ; j'en versai moi-même en essuyant les siens ; j'étais plus mort que vif. Un barbare aurait été attendri des témoignages de ma douleur et de ma crainte. Dans le temps que j'étais ainsi tout occupé d'elle, j'entendis le bruit de plusieurs personnes qui montaient l'escalier. On frappa doucement à la porte. Manon me donna un baiser, et s'échappant de mes bras, elle entra rapidement dans le cabinet, qu'elle ferma aussitôt sur elle[a]. Je me figurai qu'étant un peu en désordre, elle voulait se cacher aux yeux des étrangers qui avaient frappé. J'allai leur ouvrir moi-même. À peine avais-je ouvert, que je me vis saisir par trois hommes, que je reconnus pour les laquais[2] de mon père. Ils ne me firent point de violence ; mais deux

---

1. Qui est sans foi, déloyal (A).   **2.** Domestique, valet (A).

d'entre eux m'ayant pris par les bras, le troisième visita mes poches, dont il tira un petit couteau qui était le seul fer [1] que j'eusse sur moi. Ils me demandèrent pardon de la nécessité où ils étaient de me manquer de respect ; ils me dirent naturellement qu'ils agissaient par l'ordre de mon père, et que mon frère aîné m'attendait en bas dans un carrosse. J'étais si troublé, que je me laissai conduire sans résister et sans répondre. Mon frère était effectivement à m'attendre. On me mit dans le carrosse, auprès de lui, et le cocher, qui avait ses ordres, nous conduisit à grand train [2] jusqu'à Saint-Denis. Mon frère m'embrassa tendrement, mais il ne me parla point, de sorte que j'eus tout le loisir dont j'avais besoin, pour rêver à mon infortune.

J'y trouvai d'abord tant d'obscurité que je ne voyais pas de jour à la moindre conjecture. J'étais trahi cruellement. Mais par qui ? Tiberge fut le premier qui me vint à l'esprit. Traître ! disais-je, c'est fait de ta vie si mes soupçons se trouvent justes. Cependant je fis réflexion qu'il ignorait le lieu de ma demeure, et qu'on ne pouvait, par conséquent, l'avoir appris de lui. Accuser Manon, c'est de quoi mon cœur n'osait se rendre coupable. Cette tristesse extraordinaire dont je l'avais vue comme accablée, ses larmes, le tendre baiser qu'elle m'avait donné en se retirant, me paraissaient bien une énigme ; mais je me sentais porté à l'expliquer comme un pressentiment de notre malheur commun, et dans le temps que je me désespérais de l'accident qui m'arrachait à elle, j'avais

---

1. Tout instrument de guerre dont on peut se blesser (A).
2. L'allure d'un cheval, le pas d'un cheval (A).

la crédulité de m'imaginer qu'elle était encore plus à plaindre que moi. Le résultat de ma méditation fut de me persuader que j'avais été aperçu dans les rues de Paris par quelques personnes de connaissance, qui en avaient donné avis à mon père. Cette pensée me consola. Je comptais d'en être quitte pour des reproches ou pour quelques mauvais traitements, qu'il me faudrait essuyer de l'autorité paternelle. Je résolus de les souffrir avec patience, et de promettre tout ce qu'on exigerait de moi, pour me faciliter l'occasion de retourner plus promptement à Paris, et d'aller rendre la vie et la joie à ma chère Manon.

Nous arrivâmes, en peu de temps, à Saint-Denis. Mon frère, surpris de mon silence, s'imagina que c'était un effet de ma crainte. Il entreprit de me consoler, en m'assurant que je n'avais rien à redouter de la sévérité de mon père, pourvu que je fusse disposé à rentrer doucement dans le devoir, et à mériter l'affection qu'il avait pour moi. Il me fit passer la nuit à Saint-Denis, avec la précaution de faire coucher les trois laquais dans ma chambre. Ce qui me causa une peine sensible, fut de me voir dans la même hôtellerie où je m'étais arrêté avec Manon, en venant d'Amiens à Paris. L'hôte et les domestiques me reconnurent, et devinèrent en même temps la vérité de mon histoire. J'entendis dire à l'hôte : Ah ! c'est ce joli monsieur qui passait, il y a six semaines, avec[a] une petite demoiselle qu'il aimait si fort. Qu'elle était[b] charmante ! Les pauvres enfants, comme ils se caressaient[1][c] ! Pardi,

---

1. (R) et (A) donnent un sens fort, sans aller jusqu'au sens actuel, au verbe « se caresser ».

c'est dommage qu'on les ait séparés. Je feignais de ne
rien entendre, et je me laissais voir le moins qu'il
m'était possible. Mon frère avait, à Saint-Denis, une
chaise à deux[1], dans laquelle nous partîmes de grand
matin, et nous arrivâmes chez nous le lendemain au
soir. Il vit mon père avant moi, pour le prévenir en ma
faveur en lui apprenant avec quelle douceur je m'étais
laissé conduire, de sorte que j'en fus reçu moins durement que je ne m'y étais attendu. Il se contenta de me
faire quelques reproches généraux sur la faute que
j'avais commise en m'absentant sans sa permission.
Pour ce qui regardait ma maîtresse, il me dit que j'avais
bien mérité ce qui venait de m'arriver, en me livrant à
une inconnue ; qu'il avait eu meilleure opinion de ma
prudence[2], mais qu'il espérait que cette petite aventure
me rendrait plus sage. Je ne pris ce discours[a] que dans
le sens qui s'accordait avec mes idées. Je remerciai
mon père de la bonté qu'il avait de me pardonner, et
je lui promis de prendre une conduite plus soumise et
plus réglée. Je triomphais au fond du cœur, car de la
manière dont les choses s'arrangeaient, je ne doutais
point que je n'eusse la liberté de me dérober[3] de la
maison, même avant la fin de la nuit.

On se mit à table pour souper ; on me railla sur ma
conquête d'Amiens, et sur ma fuite avec cette fidèle
maîtresse. Je reçus les coups de bonne grâce. J'étais
même charmé qu'il me fût permis de m'entretenir de
ce qui m'occupait continuellement l'esprit[b]. Mais

---

1. Voir note 2, page 95.   **2.** Discernement de ce qu'il faut faire
et ne pas faire pour être heureux. Sagesse (A).   **3.** Voir note 3,
page 95.

quelques mots lâchés par mon père me firent prêter l'oreille avec la dernière attention : il parla de perfidie et de service intéressé [1], rendu par Monsieur de B... Je demeurai interdit en lui entendant prononcer ce nom, et je le priai humblement de s'expliquer davantage. Il se tourna vers mon frère, pour lui demander s'il ne m'avait pas raconté toute l'histoire. Mon frère lui répondit que je lui avais paru si tranquille sur la route, qu'il n'avait pas cru que j'eusse besoin de ce remède pour me guérir de ma folie. Je remarquai que mon père balançait s'il achèverait de s'expliquer. Je l'en suppliai si instamment, qu'il me satisfit, ou plutôt, qu'il m'assassina cruellement par le plus horrible de tous les récits.

Il me demanda d'abord si j'avais toujours eu la sim-plicité de croire que je fusse aimé de ma maîtresse. Je lui dis hardiment que j'en étais si sûr que rien ne pouvait m'en donner la moindre défiance [2]. Ha ! ha ! ha ! s'écria-t-il en riant de toute sa force, cela est excel-lent ! Tu es une jolie dupe, et j'aime à te voir dans ces sentiments-là. C'est grand dommage, mon pauvre Che-valier, de te faire entrer dans l'ordre de Malte, puisque tu as tant de disposition à faire un mari patient et commode [3]. Il ajouta mille railleries de cette force, sur ce qu'il appelait ma sottise et ma crédulité. Enfin,

---

1. Qui a intérêt à quelque chose (A). Le service de B... est intéressé car il lui permet de se débarrasser de des Grieux pour faciliter ses amours tout en ayant l'air de servir la morale. **2.** Sorte de crainte qu'on a et qui oblige à se défier d'une personne ou d'une chose qui peut nuire (A). **3.** Au sens de *complaisant*. Qui serait facilement trompé par sa femme.

comme je demeurais dans le silence, il continua de me
dire que, suivant le calcul qu'il pouvait faire du temps
depuis mon départ d'Amiens, Manon m'avait aimé
environ douze jours : car, ajouta-t-il, je sais que tu
partis d'Amiens le 28 de l'autre mois ; nous sommes
au 29 du présent ; il y en a onze que Monsieur de B...
m'a écrit ; je suppose qu'il lui en ait fallu huit pour
lier une parfaite connaissance[a] avec ta maîtresse ;
ainsi, qui ôte onze et huit de trente et un jours qu'il y
a depuis le 28 d'un mois jusqu'au 29 de l'autre, reste
douze, un peu plus ou moins. Là-dessus, les éclats de
rire recommencèrent. J'écoutais tout avec un saisissement de cœur auquel j'appréhendais de ne pouvoir
résister jusqu'à la fin de cette triste comédie. Tu sauras
donc, reprit mon père, puisque tu l'ignores, que Monsieur de B... a gagné le cœur de ta princesse, car il se
moque de moi, de prétendre me persuader que c'est
par un zèle désintéressé pour mon service qu'il a voulu
te l'enlever. C'est bien d'un homme tel que lui, de qui,
d'ailleurs, je ne suis pas connu, qu'il faut attendre des
sentiments si nobles ! Il a su d'elle que tu es mon fils,
et pour se délivrer de tes importunités, il m'a écrit le
lieu de ta demeure et le désordre[1] où tu vivais, en me
faisant entendre qu'il fallait main-forte pour s'assurer
de toi. Il s'est offert de me faciliter les moyens de
te saisir au collet, et c'est par sa direction et celle de
ta maîtresse même que ton frère a trouvé le moment
de te prendre sans vert[2]. Félicite-toi maintenant de la

---

1. Libertinage, dérèglement (A).   **2.** Prendre quelqu'un au
dépourvu (Fé).

durée de ton triomphe. Tu sais vaincre assez rapidement, Chevalier ; mais tu ne sais pas conserver tes
conquêtes [1].

Je n'eus pas la force de soutenir plus longtemps un
discours dont chaque mot m'avait percé le cœur. Je me
levai de table, et je n'avais pas fait quatre pas pour
sortir de la salle, que je tombai sur le plancher, sans
sentiment et sans connaissance. On me les rappela par
de prompts secours. J'ouvris les yeux pour verser un
torrent de pleurs, et la bouche pour proférer les plaintes
les plus tristes et les plus touchantes. Mon père, qui
m'a toujours aimé tendrement, s'employa avec toute
son affection pour me consoler. Je l'écoutais, mais sans
l'entendre. Je me jetai à ses genoux, je le conjurai, en
joignant les mains, de me laisser retourner à Paris[a]
pour aller poignarder B... Non, disais-je, il n'a pas
gagné le cœur de Manon, il lui a fait violence ; il l'a
séduite par un charme [2] ou par un poison ; il l'a peut-
être forcée brutalement [3]. Manon m'aime. Ne le sais-je
pas bien ? Il l'aura menacée, le poignard à la main,
pour la contraindre de m'abandonner. Que n'aura-t-il
pas fait pour me ravir une si charmante maîtresse ! Ô
dieux ! dieux ! serait-il possible que Manon m'eût
trahi, et qu'elle eût cessé de m'aimer !

Comme je parlais toujours de retourner promptement à Paris, et que je me levais même à tous moments
pour cela, mon père vit bien que, dans le transport où

---

1. Allusion à l'apostrophe de Maharbal à Hannibal *Vincere scis,
Hannibal, sed victoria uti nescis* chez Tite-Live (XXII-51).
2. Moyen et adresse de gagner le cœur, enchantement (A).
3. *Forcer* au sens de contraindre, violenter (A).

j'étais, rien ne serait capable de m'arrêter. Il me conduisit dans une chambre haute, où il laissa deux domestiques avec moi pour me garder à vue[1]. Je ne me possédais point. J'aurais donné mille vies pour être seulement un quart d'heure à Paris. Je compris que, m'étant déclaré si ouvertement, on ne me permettrait pas aisément de sortir de ma chambre. Je mesurai des yeux la hauteur des fenêtres ; ne voyant nulle possibilité de m'échapper par cette voie[a], je m'adressai doucement à mes deux domestiques. Je m'engageai, par mille serments, à faire un jour leur fortune, s'ils voulaient consentir à mon évasion. Je les pressai, je les caressai[2], je les menaçai ; mais cette tentative fut encore inutile. Je perdis alors toute espérance. Je résolus de mourir, et je me jetai sur un lit, avec le dessein de ne le quitter qu'avec la vie. Je passai la nuit et le jour suivant dans cette situation. Je refusai la nourriture qu'on m'apporta le lendemain. Mon père vint me voir l'après-midi. Il eut la bonté de flatter mes peines par les plus douces consolations[3]. Il m'ordonna si absolument de manger quelque chose, que je le fis par respect pour ses ordres. Quelques jours se passèrent, pendant lesquels je ne pris rien qu'en sa présence et pour lui obéir. Il continuait toujours de m'apporter les raisons qui pouvaient me ramener au bon sens et m'inspirer du mépris pour l'infidèle Manon. Il est

---

1. Garder avec surveillance. S'emploie aujourd'hui dans l'expression juridique « garde à vue ».   **2.** Voir note 1, page 107. **3.** En reconnaissant la douleur sentimentale de son fils, le père de des Grieux crée un lien de complicité avec lui. Il dissocie son autorité de la contrainte.

certain que je ne l'estimais plus ; comment aurais-je estimé la plus volage et la plus perfide de toutes les créatures ? Mais son image, ses traits charmants[1] que je portais au fond du cœur, y subsistaient toujours. Je le sentais bien. Je puis mourir, disais-je ; je le devrais même, après tant de honte et de douleur ; mais je souffrirais mille morts sans pouvoir oublier l'ingrate Manon.

Mon père était surpris de me voir toujours si fortement touché[2]. Il me connaissait des principes d'honneur, et ne pouvant douter que sa trahison ne me la fît mépriser, il s'imagina que ma constance venait moins de cette passion en particulier que d'un penchant général pour les femmes. Il s'attacha tellement à cette pensée que, ne consultant que sa tendre affection, il vint un jour m'en faire l'ouverture[3]. Chevalier, me dit-il, j'ai eu dessein, jusqu'à présent, de te faire porter la croix de Malte ; mais je vois que tes inclinations ne sont point tournées de ce côté-là. Tu aimes les jolies femmes. Je suis d'avis de t'en chercher une qui te plaise. Explique-moi naturellement ce que tu penses là-dessus. Je lui répondis que je ne mettais plus de distinction entre les femmes, et qu'après le malheur qui venait de m'arriver je lès détestais toutes également. Je t'en chercherai une, reprit mon père en souriant, qui ressemblera à Manon, et qui sera plus fidèle. Ah ! si vous avez quelque bonté pour moi, lui dis-je,

---

1. Qui agissent comme des charmes, qui ensorcellent. **2.** De *toucher* : attendrir, émouvoir [...], fâcher, irriter (A). **3.** Au sens d'*occasion*. N'apparaît pas clairement avec ce sens dans les dictionnaires consultés.

c'est elle qu'il faut me rendre. Soyez sûr, mon cher père, qu'elle ne m'a point trahi ; elle n'est pas capable d'une si noire et si cruelle lâcheté[a]. C'est le perfide B... qui nous trompe, vous, elle et moi. Si vous saviez combien elle est tendre et sincère, si vous la connaissiez, vous l'aimeriez vous-même. Vous êtes un enfant, repartit mon père. Comment pouvez-vous vous aveugler jusqu'à ce point, après ce que je vous ai raconté d'elle ? C'est elle-même qui vous a livré à votre frère. Vous devriez oublier jusqu'à son nom, et profiter, si vous êtes sage, de l'indulgence que j'ai pour vous. Je reconnaissais trop clairement qu'il avait raison. C'était un mouvement involontaire qui me faisait prendre ainsi le parti de mon infidèle. Hélas ! repris-je, après un moment de silence, il n'est que trop vrai que je suis le malheureux objet de la plus lâche[b] de toutes les perfidies. Oui, continuai-je, en versant des larmes de dépit, je vois bien que je ne suis qu'un enfant. Ma crédulité ne leur coûtait guère à tromper. Mais je sais bien ce que j'ai à faire pour me venger. Mon père voulut savoir quel était mon dessein. J'irai à Paris, lui dis-je, je mettrai le feu à la maison de B..., et je le brûlerai tout vif avec la perfide Manon. Cet emportement fit rire mon père et ne servit qu'à me faire garder plus étroitement dans ma prison.

J'y passai six mois entiers, pendant le premier desquels il y eut peu de changement dans mes dispositions. Tous mes sentiments n'étaient qu'une alternative perpétuelle de haine et d'amour, d'espérance ou de désespoir, selon l'idée sous laquelle Manon s'offrait à mon esprit. Tantôt je ne considérais en elle que la plus aimable de toutes les filles, et je languissais du désir de la revoir ; tantôt je n'y apercevais qu'une lâche et perfide maîtresse [1], et je faisais mille serments de ne la chercher que pour la punir. On me donna des livres, qui servirent à rendre un peu de tranquillité à mon âme. Je relus tous mes auteurs ; j'acquis de nouvelles connaissances ; je repris un goût infini pour l'étude. Vous verrez de quelle utilité il me fut dans la suite. Les lumières que je devais à l'amour me firent trouver de la clarté dans quantité d'endroits d'Horace et de Virgile, qui m'avaient paru obscurs auparavant. Je fis un commentaire amoureux sur le quatrième livre de l'*Énéide* ; je le destine à voir le jour, et je me flatte que le public en sera satisfait [2]. Hélas ! disais-je en le faisant, c'était un cœur tel que le mien qu'il fallait à la fidèle Didon [3].

---

1. Fille ou femme recherchée en mariage ou simplement aimée de quelqu'un (A).   **2.** D. P. signale que Prévost dans l'apologie du *Pour et contre* (feuille XLVIII), privé de la liberté dans le cloître, cherche sa consolation dans l'étude. On remarquera que les lectures indiquées ici renvoient à des auteurs latins, essentiellement poètes, qui ont chanté l'amour, l'exil et la nature. La référence à l'*Énéide*, poème épique de la fondation de Rome, dont des Grieux propose un commentaire amoureux du quatrième chant montre comment l'étude demeure liée encore pour des Grieux à la vie amoureuse. L'expérience affective et sensuelle vécue par le chevalier nourrit sa compréhension des textes d'Horace et de Virgile et rend plus clairs des passages obscurs.   **3.** Princesse de Tyr, qui s'enfuit de Phénicie quand son frère assassine son époux Sicharbas et vient fonder Carthage. Pour échapper à Iarbas qui voulait l'épouser, elle s'immola sur un bûcher. Virgile l'a fait vivre au temps de la guerre de Troie. Dans son poème, elle accueille Énée à Carthage et s'éprend de lui. Abandonnée, désespérée, Didon se poignarde sur un bûcher.

Tiberge vint me voir un jour dans ma prison. Je fus surpris du transport avec lequel il m'embrassa. Je n'avais point encore eu de preuves de son affection qui pussent me la faire regarder autrement que comme une simple amitié de collège, telle qu'elle se forme entre de jeunes gens qui sont à peu près du même âge. Je le trouvai si changé et si formé [1], depuis cinq ou six mois que j'avais passés sans le voir, que sa figure et le ton de son discours m'inspirèrent du respect. Il me parla en conseiller sage, plutôt qu'en ami d'école. Il plaignit l'égarement où j'étais tombé. Il me félicita de ma guérison, qu'il croyait avancée ; enfin il m'exhorta à profiter de cette erreur de jeunesse pour ouvrir les yeux sur la vanité des plaisirs. Je le regardai avec étonnement. Il s'en aperçut. Mon cher Chevalier, me dit-il, je ne vous dis rien qui ne soit solidement vrai, et dont je ne me sois convaincu par un sérieux examen. J'avais autant de penchant que vous vers la volupté, mais le Ciel m'avait donné, en même temps, du goût pour la vertu. Je me suis servi de ma raison pour comparer les fruits de l'une et de l'autre et je n'ai pas tardé longtemps à découvrir leurs différences. Le secours du Ciel s'est joint à mes réflexions. J'ai conçu pour le monde un mépris auquel il n'y a rien d'égal [a]. Devineriez-vous ce qui m'y retient, ajouta-t-il, et ce qui m'empêche de courir à la solitude ? C'est uniquement la tendre amitié que j'ai pour vous [2]. Je connais l'excellence de votre

---

1. Instruit (R). Le mot implique ici, semble-t-il, une maturité, un sérieux et une profondeur acquis par Tiberge.   **2.** Intervention de la Grâce par l'intermédiaire de Tiberge comme l'ont remarqué les commentateurs, mais aussi « tendre amitié ».

cœur et de votre esprit ; il n'y a rien de bon dont vous
ne puissiez vous rendre capable. Le poison du plaisir [1]
vous a fait écarter du chemin. Quelle perte pour la
vertu ! Votre fuite d'Amiens m'a causé tant de douleur,
que je n'ai pas goûté, depuis, un seul moment de satisfaction. Jugez-en par les démarches qu'elle m'a fait
faire. Il me raconta qu'après s'être aperçu que je l'avais
trompé et que j'étais parti avec ma maîtresse, il était
monté à cheval pour me suivre ; mais qu'ayant sur lui
quatre ou cinq heures d'avance, il lui avait été impossible de me joindre ; qu'il était arrivé néanmoins à
Saint-Denis une demi-heure après mon départ ;
qu'étant bien certain que je me serais arrêté à Paris, il
y avait passé six semaines à me chercher inutilement ;
qu'il allait dans tous les lieux où il se flattait de pouvoir [a] me trouver, et qu'un jour enfin il avait reconnu
ma maîtresse à la Comédie [2] ; qu'elle y était dans une
parure si éclatante qu'il s'était imaginé qu'elle devait
cette fortune à un nouvel amant ; qu'il avait suivi son
carrosse jusqu'à sa maison, et qu'il avait appris d'un
domestique qu'elle était entretenue par les libéralités
de Monsieur B... Je ne m'arrêtai point là, continua-t-il.
J'y retournai le lendemain, pour apprendre d'elle-
même ce que vous étiez devenu ; elle me quitta
brusquement, lorsqu'elle m'entendit parler de vous, et
je fus obligé de revenir en province sans aucun autre
éclaircissement. J'y appris votre aventure et la

---

1. Le discours de Tiberge détonne dans une époque où la
recherche du plaisir est un des buts de la vie et où le libertinage
s'affirme comme une valeur sociale.   **2.** Signifie encore le lieu où
l'on joue la comédie (A).

consternation extrême qu'elle vous a causée ; mais je n'ai pas voulu vous voir, sans être assuré de vous trouver plus tranquille.

Vous avez donc vu Manon, lui répondis-je en soupirant. Hélas ! vous êtes plus heureux que moi, qui suis condamné à ne la revoir jamais. Il me fit des reproches de ce soupir, qui marquait encore de la faiblesse pour elle. Il me flatta si adroitement sur la bonté de mon caractère et sur mes inclinations, qu'il me fit naître, dès cette première visite, une forte envie de renoncer comme lui à tous les plaisirs du siècle pour entrer dans l'état ecclésiastique[1].

Je goûtai tellement cette idée que, lorsque je me trouvai seul, je ne m'occupai plus d'autre chose. Je me rappelai les discours de M. l'Évêque d'Amiens, qui m'avait donné le même conseil, et les présages heureux qu'il avait formés en ma faveur, s'il m'arrivait d'embrasser ce parti. La piété se mêla aussi dans mes considérations. Je mènerai une vie sage et chrétienne[a], disais-je ; je m'occuperai de l'étude et de la religion, qui ne me permettront point de penser aux dangereux plaisirs de l'amour. Je mépriserai ce que le commun des hommes admire ; et comme je sens assez que mon cœur ne désirera que ce qu'il estime, j'aurai aussi peu d'inquiétudes que de désirs. Je formai là-dessus, d'avance, un système de vie paisible et solitaire. J'y faisais entrer une maison écartée, avec un petit bois et un ruisseau d'eau douce au bout du jardin, une

---

1. Ce renoncement n'était pas, comme l'on sait, le fait de nombreux ecclésiastiques au XVIIIe siècle. Ni le fait de Prévost lui-même.

bibliothèque composée de livres choisis, un petit nombre d'amis vertueux et de bon sens, une table propre, mais frugale et modérée[1]. J'y joignais un commerce de lettres[2] avec un ami qui ferait son séjour[a] à Paris, et qui m'informerait des nouvelles publiques, moins pour satisfaire ma curiosité que pour me faire un divertissement des folles agitations des hommes. Ne serai-je pas heureux ? ajoutais-je ; toutes mes prétentions ne seront-elles point remplies ? Il est certain que ce projet flattait extrêmement mes inclinations[3]. Mais, à la fin d'un si sage arrangement, je sentais que mon cœur attendait encore quelque chose, et que, pour n'avoir rien à désirer dans la plus charmante solitude, il y fallait être avec Manon.

Cependant, Tiberge continuant de me rendre de fréquentes visites, dans le dessein qu'il m'avait inspiré, je pris l'occasion d'en faire l'ouverture à mon père. Il me déclara que son intention était de laisser ses enfants libres dans le choix de leur condition et que, de quelque manière que je voulusse disposer de moi, il ne se réserverait que le droit de m'aider de ses conseils. Il m'en donna de fort sages, qui tendaient moins à me dégoûter

---

1. La table a ici le sens de *nourriture*. Elle est définie par les qualités de propreté, frugalité et modération. Elle refuse les raffinements outrés et les excès. **2.** Entretien qu'on a par lettres avec quelqu'un (A). **3.** La référence ici n'est pas la vie ecclésiastique, mais la vie du sage selon Horace, à laquelle aspira Prévost lui-même. C'est une forme de bonheur champêtre souvent chantée dans la deuxième moitié du XVIIIe siècle par Gessner, Delille, et bien sûr Rousseau. Dans *Le Mondain*, Voltaire lui oppose la vie urbaine et mondaine. Voir Robert Mauzi, *L'Idée de bonheur au XVIIIe siècle*, 1994.

de mon projet, qu'à me le faire embrasser avec connaissance[1]. Le renouvellement de l'année scolastique[2]
approchait. Je convins avec Tiberge de nous mettre
ensemble au séminaire de Saint-Sulpice, lui pour
achever ses études de théologie, et moi pour
commencer les miennes[3]. Son mérite, qui était connu
de l'évêque du diocèse, lui fit obtenir de ce prélat un
bénéfice[4] considérable avant notre départ.

Mon père, me croyant tout à fait revenu de ma passion, ne fit aucune difficulté de me laisser partir. Nous
arrivâmes à Paris. L'habit ecclésiastique prit la place
de la croix de Malte, et le nom d'abbé des Grieux celle
de chevalier. Je m'attachai à l'étude avec tant d'application, que je fis des progrès extraordinaires en peu de
mois. J'y employais une partie de la nuit, et je ne
perdais pas un moment du jour. Ma réputation eut tant
d'éclat[5][a], qu'on me félicitait déjà sur les dignités que
je ne pouvais manquer d'obtenir, et sans l'avoir sollicité, mon nom fut couché sur la feuille des bénéfices.
La piété n'était pas plus négligée ; j'avais de la ferveur
pour tous les exercices[6]. Tiberge était charmé de ce

---

1. En connaissance de cause et en toute lucidité, ce qui va rendre
plus dramatique la nouvelle aventure avec Manon et illustrer mieux
encore la force de la passion amoureuse.   **2.** Il s'agit de l'année
scolaire qui commence au séminaire en septembre. Le séminaire
de Saint-Sulpice possédait une grande réputation. Voir D. P., note 3,
page 41.   **3.** Les études de théologie étaient de trois ans pour
devenir bachelier en théologie. Il fallait deux années d'étude supplémentaires pour obtenir le titre de licencié.   **4.** Charge spiri-
tuelle, accompagnée d'un revenu que l'Église donne à un ecclésiastique afin de servir Dieu et l'Église (A).   **5.** Splendeur, lustre
(A).   **6.** Actions de piété, de recueillement, de prière et de médi-

qu'il regardait comme son ouvrage, et je l'ai vu plusieurs fois répandre des larmes, en s'applaudissant de ce qu'il nommait ma conversion. Que les résolutions humaines soient sujettes à changer, c'est ce qui ne m'a jamais causé d'étonnement ; une passion les fait naître, une autre passion peut les détruire ; mais quand je pense à la sainteté de celles qui m'avaient conduit à Saint-Sulpice et à la joie intérieure que le Ciel m'y faisait goûter en les exécutant, je suis effrayé de la facilité avec laquelle j'ai pu les rompre. S'il est vrai que les secours célestes [1] sont à tous moments d'une force égale à celle des passions, qu'on m'explique donc par quel funeste ascendant [2] on se trouve emporté tout d'un coup loin de son devoir, sans se trouver capable de la moindre résistance, et sans ressentir le moindre remords. Je me croyais absolument délivré [a] des faiblesses de l'amour. Il me semblait que j'aurais préféré la lecture d'une page de saint Augustin [3], ou un quart d'heure de méditation chrétienne, à tous les plaisirs des sens, sans excepter ceux [b] qui m'auraient été offerts par Manon. Cependant, un instant malheureux me fit

---

tation dont saint Ignace de Loyola a défini la forme dans les *Exercices spirituels*. Le texte en était très répandu en latin et en français. Contemporaines de *Manon Lescaut*, les éditions reprises de celle de 1673 (traduction française du P. Vatier publiée à Anvers).

1. Aide que le Ciel envoie au chrétien pour l'aider à résister à la tentation. **2.** Voir note 4, page 92. **3.** Père de l'Église catholique latine (354-430). Théologien, philosophe et moraliste. Auteur de *La Cité de Dieu* et des *Confessions*. Sa pensée religieuse et morale, l'augustinisme, a marqué la théologie des XVIIe et XVIIIe siècles.

retomber dans le précipice, et ma chute fut d'autant plus irréparable, que me trouvant tout d'un coup au même degré de profondeur d'où j'étais sorti, les nouveaux désordres où je tombai me portèrent bien plus loin vers le fond de l'abîme.

J'avais passé près d'un an à Paris, sans m'informer des affaires de Manon. Il m'en avait d'abord coûté beaucoup pour me faire cette violence[1] ; mais les conseils toujours présents de Tiberge, et mes propres réflexions, m'avaient fait obtenir la victoire. Les derniers mois s'étaient écoulés si tranquillement que je me croyais sur le point d'oublier éternellement cette charmante et perfide créature. Le temps arriva auquel je devais soutenir un exercice public dans l'École de Théologie[2]. Je fis prier plusieurs personnes de considération[3] de m'honorer de leur présence. Mon nom fut ainsi répandu dans tous les quartiers de Paris : il alla jusqu'aux oreilles de mon infidèle. Elle ne le reconnut pas avec certitude sous le titre d'abbé[a] ; mais un reste de curiosité, ou peut-être quelque repentir de m'avoir trahi (je n'ai jamais pu démêler lequel de ces deux sentiments) lui fit prendre intérêt à un nom si semblable au mien ; elle vint en Sorbonne avec quelques autres dames. Elle fut présente à[b] mon exercice, et sans doute qu'elle eut peu de peine à me remettre.

Je n'eus pas la moindre connaissance de cette visite. On sait qu'il y a, dans ces lieux, des cabinets

---

1. Pour m'imposer cette contrainte.   **2.** Il s'agit d'exercices publics qui précèdent les examens véritables et auxquels se livraient les candidats bacheliers qui envoyaient des invitations.   **3.** Personnes d'importance.

particuliers[1] pour les dames, où elles sont cachées derrière une jalousie[2]. Je retournai à Saint-Sulpice, couvert de gloire et chargé de compliments. Il était six
heures du soir. On vint m'avertir, un moment après
mon retour, qu'une dame demandait à me voir. J'allai
au parloir sur-le-champ. Dieux ! quelle apparition sur-
prenante ! j'y trouvai Manon. C'était elle, mais plus
aimable et plus brillante que je ne l'avais jamais vue.
Elle était dans sa dix-huitième année. Ses charmes
surpassaient tout ce qu'on peut décrire. C'était un air
si fin, si doux, si engageant, l'air de l'Amour même.
Toute sa figure me parut un enchantement[3].

Je demeurai interdit à sa vue, et ne pouvant conjec-
turer quel était le dessein de cette visite, j'attendais,
les yeux baissés et avec tremblement[4], qu'elle s'expli-
quât. Son embarras fut, pendant quelque temps, égal
au mien, mais, voyant que mon silence continuait, elle
mit la main devant ses yeux, pour cacher quelques
larmes. Elle me dit, d'un ton timide, qu'elle confessait
que son infidélité méritait ma haine ; mais que, s'il
était vrai que j'eusse jamais eu quelque tendresse pour
elle, il y avait eu, aussi, bien de la dureté à laisser
passer deux ans sans prendre soin de m'informer de
son sort et qu'il y en avait beaucoup encore à la voir
dans l'état où elle était en ma présence, sans lui dire

---

1. Sortes de loge, de salon pour recevoir d'une façon plus privée
ou plus intime (R).   **2.** Sorte de fenêtre treillissée (A), c'est-à-dire
formée par des lattes de bois en croisillons, qui dissimulaient les
occupants, mais leur permettaient de voir à l'extérieur.   **3.** Voilà
un des rares portraits de Manon. Il est vague et imprécis. Voir un
autre portrait, semblable, page 233.   **4.** En tremblant.

une parole. Le désordre de mon âme, en l'écoutant, ne
saurait être exprimé.

Elle s'assit. Je demeurai debout, le corps à demi
tourné, n'osant l'envisager directement[1]. Je commençai plusieurs fois une réponse, que je n'eus pas la
force d'achever. Enfin, je fis un effort pour m'écrier
douloureusement : Perfide Manon ! Ah ! perfide ! perfide ! Elle me répéta, en pleurant à chaudes larmes,
qu'elle ne prétendait point justifier sa perfidie. Que
prétendez-vous donc ? m'écriai-je encore. Je prétends
mourir, répondit-elle, si vous ne me rendez votre cœur,
sans lequel il est impossible que je vive. Demande donc
ma vie, infidèle ! repris-je en versant moi-même des
pleurs, que je m'efforçai en vain de retenir. Demande
ma vie, qui est l'unique chose qui me reste à te sacrifier ; car mon cœur n'a jamais cessé d'être à toi. À
peine eus-je achevé ces derniers mots, qu'elle se leva
avec transport[2] pour venir m'embrasser. Elle m'accabla de mille caresses passionnées. Elle m'appela par
tous les noms que l'amour invente pour exprimer ses
plus vives tendresses. Je n'y répondais encore qu'avec
langueur[3]. Quel passage, en effet, de la situation tranquille où j'avais été, aux mouvements tumultueux que
je sentais renaître ! J'en étais épouvanté. Je frémissais,
comme il arrive lorsqu'on se trouve la nuit dans une
campagne écartée : on se croit transporté dans un

---

1. Jeter les yeux sur le visage de quelqu'un (R). Des Grieux
n'ose pas regarder en face Manon. S'agit-il d'une habitude cléricale
acquise ou d'une peur de ce que va déclencher la vue du visage
de Manon ?   **2.** Avec passion comme dans une sorte de délire (R).
3. Sans vivacité.

nouvel ordre de choses ; on y est saisi d'une horreur secrète [1], dont on ne se remet qu'après avoir considéré longtemps tous les environs.

Nous nous assîmes l'un près de l'autre. Je pris ses mains dans les miennes. Ah ! Manon, lui dis-je en la regardant d'un œil triste, je ne m'étais pas attendu à la noire trahison dont vous avez payé mon amour. Il vous était bien facile de tromper un cœur dont vous étiez la souveraine absolue, et qui mettait toute sa félicité à vous plaire et à vous obéir. Dites-moi maintenant si vous en avez trouvé d'aussi tendres et d'aussi soumis. Non, non, la Nature n'en fait guère de la même trempe que le mien. Dites-moi, du moins, si vous l'avez quelquefois regretté. Quel fond dois-je faire sur ce retour de bonté qui vous ramène aujourd'hui pour le consoler ? Je ne vois que trop que vous êtes plus charmante que jamais ; mais au nom de toutes les peines que j'ai souffertes pour vous, belle Manon, dites-moi si vous serez plus fidèle.

Elle me répondit des choses si touchantes sur son repentir, et elle s'engagea à la fidélité par tant de protestations et de serments, qu'elle m'attendrit à un degré inexprimable. Chère Manon ! lui dis-je, avec un mélange profane d'expressions amoureuses et théologiques, tu es trop adorable pour une créature. Je me sens le cœur emporté par une délectation [2] victorieuse. Tout ce qu'on dit de la liberté à Saint-Sulpice est une chimère [3]. Je vais perdre ma fortune et ma réputation

---

1. Sentiment d'horreur dont on ignore la cause.   **2.** Terme de théologie : *La grâce produit son effet dans l'acte, par une délectation victorieuse* (R).   **3.** Chose visionnaire, vision (A).

pour toi, je le prévois bien ; je lis ma destinée dans tes
beaux yeux ; mais de quelles pertes ne serai-je pas
consolé par ton amour ! Les faveurs de la fortune ne
me touchent point ; la gloire me paraît une fumée ; tous
mes projets de vie ecclésiastique étaient de folles ima-
ginations ; enfin tous les biens différents de ceux que
j'espère avec toi sont des biens méprisables, puisqu'ils
ne sauraient tenir un moment, dans mon cœur, contre
un seul de tes regards.

En lui promettant néanmoins un oubli général de ses
fautes, je voulus être informé de quelle manière elle
s'était laissée séduire par B... Elle m'apprit que, l'ayant
vue à sa fenêtre, il était devenu passionné pour elle ;
qu'il avait fait sa déclaration en fermier général [1], c'est-
à-dire en lui marquant dans une lettre que le payement
serait proportionné aux faveurs ; qu'elle avait capitulé
d'abord [2], mais sans autre dessein que de tirer de lui
quelque somme considérable qui pût servir à nous faire
vivre commodément ; qu'il l'avait éblouie par de si
magnifiques promesses, qu'elle s'était laissée ébranler
par degrés [3] ; que je devais juger pourtant de ses
remords par la douleur dont elle m'avait laissé voir des
témoignages, la veille de notre séparation ; que, malgré
l'opulence dans laquelle il l'avait entretenue, elle
n'avait jamais goûté de bonheur avec lui, non seulement parce qu'elle n'y trouvait point, me dit-elle, la
délicatesse de mes sentiments et l'agrément de mes

---

1. Membre d'une société de quarante financiers à laquelle le
gouvernement avait cédé en 1720 le monopole des droits liés à la
consommation moyennant le versement d'une taxe fixe payable
d'avance.   2. Aussitôt (A).   3. Progressivement.

manières, mais parce qu'au milieu même des plaisirs qu'il lui procurait sans cesse, elle portait, au fond du cœur, le souvenir de mon amour, et le remords de son infidélité. Elle me parla de Tiberge et de la confusion extrême que sa visite lui avait causée. Un coup d'épée dans le cœur, ajouta-t-elle, m'aurait moins ému[1] le sang. Je lui tournai le dos, sans pouvoir soutenir[2] un moment sa présence. Elle continua de me raconter par quels moyens elle avait été instruite de mon séjour à Paris, du changement de ma condition, et de mes exercices de Sorbonne. Elle m'assura qu'elle avait été si agitée, pendant la dispute, qu'elle avait eu beaucoup de peine, non seulement à retenir ses larmes, mais ses gémissements mêmes et ses cris, qui avaient été plus d'une fois sur le point d'éclater. Enfin, elle me dit qu'elle était sortie de ce lieu la dernière, pour cacher son désordre, et que, ne suivant que le mouvement de son cœur et l'impétuosité de ses désirs, elle était venue droit au séminaire, avec la résolution d'y mourir si elle ne me trouvait pas disposé à lui pardonner.

Où trouver un barbare qu'un repentir si vif et si tendre n'eût pas touché ? Pour moi, je sentis, dans ce moment, que[a] j'aurais sacrifié pour Manon tous les évêchés du monde chrétien. Je lui demandai quel nouvel ordre[3] elle jugeait à propos de mettre dans nos affaires. Elle me dit qu'il fallait sur-le-champ sortir du séminaire, et remettre[4] à nous arranger dans un lieu

---

1. Remué. **2.** Supporter.   **3.** Il s'agit à la fois (à preuve le terme « affaires ») de l'argent dont le couple dispose, mais aussi de l'organisation de leur vie commune. **4.** Reporter cette discussion à leur installation dans un lieu plus sûr.

plus sûr. Je consentis à toutes ses volontés sans
réplique. Elle entra dans son carrosse, pour aller
m'attendre au coin de la rue. Je m'échappai un
moment après, sans être aperçu du portier. Je montai
avec elle. Nous passâmes à la friperie[1]. Je repris les
galons et l'épée[2]. Manon fournit aux frais[3], car j'étais
sans un sou ; et dans la crainte que je ne trouvasse de
l'obstacle à ma sortie de Saint-Sulpice, elle n'avait pas
voulu que je retournasse un moment à ma chambre
pour y prendre mon argent. Mon trésor, d'ailleurs, était
médiocre, et elle assez riche des libéralités de B... pour
mépriser ce qu'elle me faisait abandonner[a]. Nous
conférâmes, chez le fripier même, sur le parti que nous
allions prendre. Pour me faire valoir davantage le
sacrifice qu'elle me faisait de B..., elle résolut de ne
pas garder avec lui le moindre ménagement. Je veux
lui laisser ses meubles, me dit-elle, ils sont à lui ; mais
j'emporterai, comme de justice, les bijoux et près de
soixante mille francs que j'ai tirés de lui depuis deux
ans. Je ne lui ai donné nul pouvoir sur moi, ajouta-
t-elle ; ainsi nous pouvons demeurer sans crainte à
Paris, en prenant une maison commode[4] où nous
vivrons heureusement[b]. Je lui représentai que, s'il n'y
avait point de péril pour elle, il y en avait beaucoup
pour moi, qui ne manquerais point tôt ou tard d'être
reconnu, et qui serais continuellement exposé au malheur que j'avais déjà essuyé. Elle me fit entendre

---

1. Négoce de vieux habits, de vieux meubles (A).   **2.** C'est,
semble-t-il, un habit d'officier. Encore que les galons puissent être
de simples ornements sans indiquer un grade.   **3.** Fournit à la
dépense.   **4.** Propre, convenable (R).

qu'elle aurait du regret à quitter Paris. Je craignais tant
de la chagriner, qu'il n'y avait point de hasards que je
ne méprisasse pour lui plaire ; cependant, nous trouvâmes un tempérament[1] raisonnable, qui fut de louer
une maison dans quelque village voisin de Paris, d'où
il nous serait aisé d'aller à la ville lorsque le plaisir
ou le besoin nous y appellerait. Nous choisîmes
Chaillot[2], qui n'en est pas éloigné. Manon retourna
sur-le-champ chez elle. J'allai l'attendre à la petite
porte du jardin des Tuileries[3]. Elle revint une heure
après, dans un carrosse de louage[4], avec une fille qui
la servait, et quelques malles où ses habits et tout ce
qu'elle avait de précieux était renfermé.

Nous ne tardâmes point à gagner Chaillot. Nous
logeâmes la première nuit à l'auberge, pour nous
donner le temps de chercher une maison, ou du moins
un appartement commode. Nous en trouvâmes, dès le
lendemain, un de notre goût.

Mon bonheur me parut d'abord établi d'une manière
inébranlable. Manon était la douceur et la complaisance même. Elle avait pour moi des attentions si
délicates, que je me crus trop parfaitement dédommagé
de toutes mes peines. Comme nous avions acquis tous
deux un peu d'expérience, nous raisonnâmes sur la
solidité[5] de notre fortune. Soixante mille francs, qui

---

1. Accommodement (A).   2. Village indépendant de Paris,
situé sur la colline où se trouve actuellement le palais de Chaillot.
Prévost s'y installera en 1746.   3. Porte qui donnait sur le quai,
près du Pont-Royal.   4. On les appelait carrosses de remise. On
les louait à la journée, à la semaine ou au mois (Fu).
5. L'importance.

faisaient le fond de nos richesses, n'étaient pas une somme qui pût s'étendre autant que le cours d'une longue vie. Nous n'étions pas disposés d'ailleurs à resserrer[1] trop notre dépense. La première vertu de Manon, non plus que la mienne, n'était pas l'économie. Voici le plan que je me proposai : Soixante mille francs, lui dis-je, peuvent nous soutenir[2] pendant dix ans. Deux mille écus[3] nous suffiront chaque année, si nous continuons de vivre à Chaillot. Nous y mènerons une vie honnête, mais simple. Notre unique dépense sera pour l'entretien d'un carrosse, et pour les spectacles[a]. Nous nous réglerons[4]. Vous aimez l'Opéra : nous irons deux fois la semaine. Pour le jeu, nous nous bornerons tellement que nos pertes ne passeront jamais deux pistoles[5][b]. Il est impossible que, dans l'espace de dix ans, il n'arrive point de changement dans ma famille ; mon père est âgé, il peut mourir. Je me trouverai du bien, et nous serons alors au-dessus de toutes nos autres craintes.

Cet arrangement n'eût pas été la plus folle action de ma vie, si nous eussions été assez sages pour nous y assujettir constamment. Mais nos résolutions ne durèrent guère plus d'un mois. Manon était passionnée pour le plaisir ; je l'étais pour elle. Il nous naissait, à tous moments, de nouvelles occasions de dépense ; et loin de regretter les sommes qu'elle employait quelquefois

---

1. Au sens de *réduire*.   **2.** Soutenir une dépense pendant dix ans.   **3.** 60 000 francs représentant 20 000 écus.   **4.** Nous nous imposerons des règles.   **5.** D. P. a calculé (note 5, page 49) ce que représentait cette dépense réglée. Elle est bien évidemment excessive et annonce les dépassements que déplore des Grieux.

avec profusion, je fus le premier à lui procurer tout ce que je croyais propre à lui plaire. Notre demeure de Chaillot commença même à lui devenir à charge[1]. L'hiver approchait ; tout le monde retournait à la ville, et la campagne devenait déserte. Elle me proposa de reprendre une maison à Paris. Je n'y consentis point ; mais, pour la satisfaire en quelque chose, je lui dis que nous pouvions y louer un appartement meublé, et que nous y passerions la nuit lorsqu'il nous arriverait de quitter trop tard l'assemblée[2] où nous allions plusieurs fois la semaine ; car l'incommodité de revenir si tard à Chaillot était le prétexte qu'elle apportait pour le vouloir quitter. Nous nous donnâmes ainsi[a] deux logements, l'un à la ville, et l'autre à la campagne. Ce changement mit bientôt le dernier désordre dans nos affaires, en faisant naître deux aventures qui causèrent notre ruine.

Manon avait un frère, qui était garde du corps. Il se trouva malheureusement logé, à Paris, dans la même rue que nous. Il reconnut sa sœur, en la voyant le matin à sa fenêtre. Il accourut aussitôt chez nous. C'était un homme brutal et sans principes d'honneur. Il entra dans notre chambre en jurant horriblement, et comme il savait une partie des aventures de sa sœur, il l'accabla d'injures et de reproches. J'étais sorti un moment auparavant, ce qui fut sans doute un bonheur pour lui ou pour moi, qui n'étais rien moins que disposé à souffrir

---

1. Le mot *charge* désigne tout ce qui incommode une personne dans ses biens ou dans ses plaisirs (A).   **2.** Réunion de gens dans un même lieu. Ici sans doute cercle de joueurs ou de gens qui participent à d'autres divertissements.

une insulte. Je ne retournai au logis qu'après son
départ. La tristesse de Manon me fit juger qu'il s'était
passé quelque chose d'extraordinaire. Elle me raconta
la scène fâcheuse qu'elle venait d'essuyer, et les
menaces brutales de son frère. J'en eus tant de ressentiment, que j'eusse couru sur-le-champ à la vengeance
si elle ne m'eût arrêté par ses larmes. Pendant que je
m'entretenais avec elle de cette aventure, le garde du
corps rentra dans la chambre où nous étions, sans s'être
fait annoncer. Je ne l'aurais pas reçu aussi civilement
que je fis si je l'eusse connu ; mais, nous ayant salués
d'un air riant, il eut le temps de dire à Manon qu'il
venait lui faire des excuses de son emportement ; qu'il
l'avait crue dans le désordre, et que cette opinion avait
allumé sa colère ; mais que, s'étant informé qui j'étais,
d'un de nos domestiques, il avait appris de moi des
choses si avantageuses, qu'elles lui faisaient désirer de
bien [1] vivre avec nous. Quoique cette information, qui
lui venait d'un de mes laquais, eût quelque chose de
bizarre et de choquant, je reçus son compliment avec
honnêteté. Je crus faire plaisir à Manon. Elle paraissait
charmée de le voir porté à se réconcilier. Nous le
retînmes à dîner. Il se rendit, en peu de moments, si
familier, que nous ayant entendus parler de notre retour
à Chaillot, il voulut absolument nous tenir compagnie.
Il fallut lui donner une place dans notre carrosse. Ce
fut une prise de possession, car il s'accoutuma bientôt
à nous voir avec tant de plaisir, qu'il fit sa maison de
la nôtre et qu'il se rendit le maître, en quelque sorte,

---

1. Vivre en bonne entente.

de tout ce qui nous appartenait. Il m'appelait son frère,
et sous prétexte de la liberté fraternelle, il se mit sur
le pied[1] d'amener tous ses amis dans notre maison de
Chaillot, et de les y traiter à nos dépens. Il se fit habiller
magnifiquement à nos frais. Il nous engagea même à
payer[a] toutes ses dettes. Je fermais les yeux sur cette
tyrannie, pour ne pas déplaire à Manon, jusqu'à feindre
de[b] ne pas m'apercevoir qu'il tirait d'elle, de temps en
temps, des sommes considérables. Il est vrai, qu'étant
grand joueur, il avait la fidélité[2] de lui en remettre une
partie lorsque la fortune le favorisait ; mais la nôtre
était trop médiocre pour fournir longtemps à des
dépenses si peu modérées. J'étais sur le point de
m'expliquer fortement[3] avec lui, pour nous délivrer de
ses importunités, lorsqu'un funeste accident m'épargna
cette peine, en nous en causant une autre qui nous
abîma[4] sans ressource.

Nous étions demeurés un jour à Paris, pour y coucher, comme il nous arrivait fort souvent. La servante,
qui restait seule à Chaillot dans ces occasions, vint
m'avertir, le matin, que le feu avait pris, pendant la
nuit, dans ma maison, et qu'on avait eu beaucoup de
difficulté à l'éteindre. Je lui demandai si nos meubles
avaient souffert quelque dommage ; elle me répondit
qu'il y avait eu une si grande confusion, causée par la
multitude d'étrangers qui étaient venus au secours,

---

1. Une manière de penchant qu'on donne à une chose. Ici *se
préparer à*, un peu comme dans l'expression « être sur le pied de
guerre ».   **2.** Sorte de vertu qui consiste à observer exactement et
sincèrement ce qu'on a promis (Fu).   **3.** Vivement.   **4.** Ruina,
perdit entièrement (A).

qu'elle ne pouvait être assurée de rien. Je tremblai pour notre argent, qui était renfermé dans une petite caisse [1]. Je me rendis promptement à Chaillot. Diligence [2] inutile ; la caisse avait déjà disparu. J'éprouvai alors qu'on peut aimer l'argent sans être avare. Cette perte me pénétra d'une si vive douleur que j'en pensai perdre la raison. Je compris tout d'un coup à quels nouveaux malheurs j'allais me trouver exposé ; l'indigence était le moindre. Je connaissais Manon ; je n'avais déjà que trop éprouvé que, quelque fidèle et quelque attachée qu'elle me fût dans la bonne fortune, il ne fallait pas compter sur elle dans la misère. Elle aimait trop l'abondance [3] et les plaisirs pour me les sacrifier : Je la perdrai, m'écriai-je. Malheureux Chevalier, tu vas donc perdre encore tout ce que tu aimes ! Cette pensée me jeta dans un trouble si affreux, que je balançai, pendant quelques moments, si je ne ferais pas mieux de finir tous mes maux par la mort. Cependant, je conservai assez de présence d'esprit [a] pour vouloir examiner auparavant s'il ne me restait nulle ressource. Le Ciel me fit naître une idée [b], qui arrêta mon désespoir. Je crus qu'il ne me serait pas impossible de cacher notre perte à Manon, et que, par industrie [4] ou par quelque faveur du hasard [c], je pourrais fournir assez honnêtement [5] à son entretien pour l'empêcher de sentir la

---

1. Coffre-fort (A).   **2.** Promptitude à faire quelque chose (A). **3.** Grande aisance.   **4.** Adresse, esprit de faire quelque chose (A). **5.** En honnête homme, avec honneur (A). Mais aussi d'une manière satisfaisante comme dans *gagner honnêtement sa vie*. Comme pour beaucoup d'expressions employées ici par des Grieux, le sens est donc ambigu et même parfois ironique.

nécessité. J'ai compté, disais-je pour me consoler, que vingt mille écus nous suffiraient pendant dix ans. Supposons que les dix ans soient écoulés, et que nul des changements que j'espérais ne soit arrivé dans ma famille. Quel parti prendrais-je ? Je ne le sais pas trop bien, mais, ce que je ferais alors, qui m'empêche de le faire aujourd'hui ? Combien de personnes vivent à Paris, qui n'ont ni mon esprit, ni mes qualités naturelles, et qui doivent néanmoins leur entretien à leurs talents[1], tels qu'ils les ont ! La Providence, ajoutais-je, en réfléchissant sur les différents états de la vie, n'a-t-elle pas arrangé les choses fort sagement ? La plupart des grands et des riches sont des sots : cela est clair à qui connaît un peu le monde. Or il y a là-dedans une justice admirable : s'ils joignaient l'esprit aux richesses, ils seraient trop heureux, et le reste des hommes trop misérable. Les qualités du corps et de l'âme sont accordées à ceux-ci, comme des moyens pour se tirer de la misère et de la pauvreté. Les uns prennent part aux richesses des grands en servant à leurs plaisirs : ils en font des dupes[2] ; d'autres servent à leur instruction : ils tâchent d'en faire d'honnêtes[3] gens ; il est rare, à la vérité, qu'ils y réussissent, mais ce n'est pas là le but de la divine Sagesse : ils tirent

---

1. Don de la nature, capacité, habileté (A). **2.** Personnes que l'on trompe. On remarquera la similitude de ce raisonnement avec celui que développent tous les héros du roman picaresque de la tradition espagnole (*Guzman de Alfarache* par exemple) ou des imitations françaises (*Gil Blas de Santillane* de Lesage). C'est bien évidemment le raisonnement de Rameau dans *Le Neveu de Rameau* de Diderot. **3.** *Honnête* est ici pris au sens moral et non social.

toujours un fruit de leurs soins, qui est de vivre aux
dépens de ceux qu'ils instruisent ; et de quelque façon
qu'on le prenne, c'est un fond excellent de revenu [1]
pour les petits, que la sottise des riches et des grands.

Ces pensées me remirent un peu le cœur et la tête.
Je résolus d'abord d'aller consulter M. Lescaut, frère
de Manon. Il connaissait parfaitement Paris, et je
n'avais eu que trop d'occasions de reconnaître que ce
n'était ni de son bien ni de la paye du roi qu'il tirait
son plus clair revenu. Il me restait à peine vingt pistoles
qui s'étaient trouvées heureusement dans ma poche. Je
lui montrai ma bourse, en lui expliquant mon malheur
et mes craintes, et je lui demandai s'il y avait pour moi
un parti à choisir[a] entre celui de mourir de faim, ou
de me casser la tête de désespoir. Il me répondit que
se casser la tête était la ressource des sots ; pour mourir
de faim, qu'il y avait quantité de gens d'esprit qui s'y
voyaient réduits, quand ils ne voulaient pas faire usage
de leurs talents ; que c'était à moi d'examiner de quoi
j'étais capable ; qu'il m'assurait de son secours [2] et de
ses conseils dans toutes mes entreprises.

Cela est bien vague, monsieur Lescaut, lui dis-je ;
mes besoins demanderaient un remède plus présent,
car que voulez-vous que je dise à Manon ? À propos
de Manon, reprit-il, qu'est-ce qui vous embarrasse ?
N'avez-vous pas toujours, avec elle, de quoi finir vos
inquiétudes quand vous le voudrez ? Une fille comme
elle devrait nous entretenir, vous, elle et moi. Il me
coupa la réponse que cette impertinence méritait, pour

---

1. Source de revenu.   **2.** Aide (A).

continuer de me dire qu'il me garantissait avant le soir
mille écus à partager entre nous, si je voulais suivre son
conseil ; qu'il connaissait un seigneur, si libéral sur le
chapitre des plaisirs, qu'il était sûr que mille écus ne lui
coûteraient rien pour obtenir les faveurs d'une fille telle
que Manon[a]. Je l'arrêtai. J'avais meilleure opinion de
vous, lui répondis-je ; je m'étais figuré que le motif que
vous aviez eu, pour m'accorder votre amitié, était un
sentiment tout opposé[b] à celui où vous êtes maintenant.
Il me confessa impudemment qu'il avait toujours pensé
de même, et que, sa sœur ayant une fois violé les lois de
son sexe[1], quoique en faveur de l'homme qu'il aimait le
plus, il ne s'était réconcilié avec elle que dans l'espérance de tirer parti de sa mauvaise conduite[c]. Il me fut
aisé de juger que jusqu'alors nous avions été ses dupes.
Quelque émotion néanmoins que ce discours m'eût
causée, le besoin que j'avais de lui m'obligea de
répondre, en riant, que son conseil était une dernière ressource qu'il fallait remettre à l'extrémité[2]. Je le priai de
m'ouvrir quelque autre voie. Il me proposa de profiter
de ma jeunesse et de la figure avantageuse[3] que j'avais
reçue de la nature, pour me mettre en liaison avec
quelque dame vieille et libérale[4]. Je ne goûtai pas non
plus ce parti, qui m'aurait rendu infidèle à Manon. Je lui
parlai du jeu, comme du moyen le plus facile, et le plus
convenable à ma situation. Il me dit que le jeu, à la vérité,
était une ressource, mais que cela demandait d'être

---

1. Les lois ou sa nature qui lui imposent pudeur, décence et
fidélité.   **2.** À   considérer   comme   un   ultime   recours.
3. Agréable, faite pour plaire.   **4.** Le frère de Manon propose à
des Grieux d'être entretenu.

expliqué ; qu'entreprendre de jouer simplement, avec les espérances communes, c'était le vrai moyen d'achever ma perte ; que de prétendre exercer seul, et sans être soutenu, les petits moyens qu'un habile homme emploie pour corriger la fortune, était un métier trop dangereux ; qu'il y avait une troisième voie, qui était celle de l'association, mais que ma jeunesse lui faisait craindre que messieurs les Confédérés ne me jugeassent point encore les qualités propres à la Ligue [1]. Il me promit néanmoins ses bons offices auprès d'eux ; et ce que je n'aurais pas attendu de lui, il m'offrit quelque argent, lorsque je me trouverais pressé du besoin. L'unique grâce que je lui demandai, dans les circonstances, fut de ne rien apprendre à Manon de la perte que j'avais faite, et du sujet de notre conversation.

Je sortis de chez lui, moins satisfait encore que je n'y étais entré ; je me repentis même de lui avoir confié mon secret. Il n'avait rien fait, pour moi, que je n'eusse pu obtenir de même sans cette ouverture, et je craignais mortellement qu'il ne manquât à la promesse qu'il m'avait faite de ne rien découvrir à Manon. J'avais lieu d'appréhender aussi, par la déclaration [2] de [a] ses sentiments, qu'il ne formât le dessein de tirer parti d'elle, suivant ses propres termes, en l'enlevant de mes mains, ou, du moins, en lui conseillant de me quitter pour s'attacher à quelque amant plus riche et plus heureux. Je fis là-dessus mille réflexions, qui n'aboutirent qu'à

---

1. Comme le terme *Confédérés*, le mot est employé ici ironiquement pour désigner une association de malfaiteurs et non une alliance politique et militaire comme la Ligue d'Augsbourg. **2.** Aveu.

me tourmenter et à renouveler le désespoir où j'avais été le matin. Il me vint plusieurs fois à l'esprit d'écrire à mon père, et de feindre une nouvelle conversion, pour obtenir de lui quelque secours d'argent ; mais je me rappelai aussitôt que, malgré toute sa bonté, il m'avait resserré[1] six mois dans une étroite prison, pour ma première faute ; j'étais bien sûr qu'après un éclat tel que l'avait dû causer ma fuite de Saint-Suplice, il me traiterait beaucoup plus rigoureusement. Enfin, cette confusion de pensées en produisit une qui remit le calme tout d'un coup dans mon esprit, et que je m'étonnai de n'avoir pas eue plus tôt, ce fut de recourir à mon ami Tiberge, dans lequel[2] j'étais bien certain de retrouver toujours le même fond de zèle et d'amitié. Rien n'est plus admirable, et ne fait plus d'honneur à la vertu, que la confiance avec laquelle on s'adresse aux personnes dont on connaît parfaitement la probité[3]. On sent qu'il n'y a point de risque à courir. Si elles ne sont pas toujours en état d'offrir du secours, on est sûr qu'on en obtiendra du moins de la bonté et de la compassion. Le cœur, qui se ferme avec tant de soin au reste des hommes, s'ouvre naturellement en leur présence, comme une fleur s'épanouit à la lumière du soleil, dont elle n'attend qu'une douce influence.

Je regardai comme un effet de la protection du Ciel[4]

---

1. Selon (R), *resserrer* signifie « retrancher de la liberté qu'on avait ». **2.** En qui. **3.** On remarquera ici la perversion du sens moral chez des Grieux qui aboutit à un évident cynisme, dont on peut se demander s'il est conscient ou tient tout simplement à l'aveuglement de sa passion amoureuse. **4.** Le Ciel aiderait des Grieux à trouver le moyen de continuer à vivre dans le vice.

de m'être souvenu si à propos de Tiberge, et je résolus
de chercher les moyens de le voir avant la fin du jour.
Je retournai sur-le-champ au logis, pour lui écrire un
mot, et lui marquer[1] un lieu propre à notre entretien.
Je lui recommandais le silence et la discrétion, comme
un des plus importants services qu'il pût me rendre
dans la situation de mes affaires. La joie que l'espérance de le voir m'inspirait effaça les traces du chagrin
que Manon n'aurait pas manqué d'apercevoir sur mon
visage. Je lui parlai de notre malheur de Chaillot
comme d'une bagatelle qui ne devait pas l'alarmer ; et
Paris étant[a] le lieu du monde où elle se voyait avec le
plus de plaisir, elle ne fut pas fâchée de m'entendre
dire qu'il était à propos d'y demeurer, jusqu'à ce qu'on
eût réparé à Chaillot quelques légers effets de
l'incendie. Une heure après, je reçus la réponse de
Tiberge, qui me promettait de se rendre au lieu de
l'assignation[2]. J'y courus avec impatience. Je sentais
néanmoins quelque honte d'aller paraître aux yeux
d'un ami, dont la seule présence devait être un reproche
de mes désordres, mais l'opinion que j'avais de la
bonté de son cœur et l'intérêt de Manon soutinrent ma
hardiesse.

Je l'avais prié de se trouver au jardin du Palais-
Royal[3]. Il y était avant moi. Il vint m'embrasser,
aussitôt qu'il m'eut aperçu. Il me tint serré longtemps

---

1. Indiquer.   **2.** Se prend aussi pour rendez-vous (A).
3. Jardin public au cœur de Paris, devenu à la mode à la mort de
Louis XIV puisque le Régent, Philippe d'Orléans, y avait sa rési-
dence. Plus on avance dans le siècle et plus le Palais-Royal devient
un lieu de débauche.

entre ses bras, et je sentis mon visage mouillé de ses larmes. Je lui dis que je ne me présentais à lui qu'avec confusion, et que je portais dans le cœur un vif sentiment de mon ingratitude ; que la première chose dont je le conjurais était de m'apprendre s'il m'était encore permis de le regarder comme mon ami, après avoir mérité si justement de perdre son estime et son affection. Il me répondit, du ton le plus tendre [1], que rien n'était capable de le faire renoncer à cette qualité ; que mes malheurs mêmes, et si je lui permettais de le dire, mes fautes et mes désordres, avaient redoublé sa tendresse pour moi ; mais que c'était une tendresse mêlée de la plus vive douleur, telle qu'on la sent pour une personne chère, qu'on voit toucher à sa perte sans pouvoir la secourir.

Nous nous assîmes sur un banc. Hélas ! lui dis-je, avec un soupir parti du fond du cœur, votre compassion doit être excessive, mon cher Tiberge, si vous m'assurez qu'elle est égale à mes peines. J'ai honte de vous les laisser voir, car je confesse que la cause n'en est pas glorieuse, mais l'effet en est si triste qu'il n'est pas besoin de m'aimer autant que vous faites pour en être attendri. Il me demanda, comme une marque d'amitié, de lui raconter sans déguisement ce qui m'était arrivé depuis mon départ de Saint-Suplice. Je le satisfis ; et loin d'altérer quelque chose à la vérité,

---

1. Se dit des choses propres à inspirer l'amitié, la compassion et l'amour (A). On a parfois, à partir de ces notations, avancé que l'amitié de Tiberge pour des Grieux recelait une sorte d'ambiguïté. On peut s'étonner en effet de la répétition en quelques lignes du mot « tendresse ».

ou de diminuer mes fautes pour les faire trouver plus excusables, je lui parlai de ma passion avec toute la force qu'elle m'inspirait [1]. Je la lui représentai comme un de ces coups particuliers du destin qui s'attache à la ruine d'un misérable, et dont il est aussi impossible à la vertu de se défendre qu'il l'a été à la sagesse de les prévoir. Je lui fis une vive peinture de mes agitations [2], de mes craintes, du désespoir où j'étais deux heures avant que de le voir, et de celui dans lequel j'allais retomber, si j'étais abandonné par mes amis aussi impitoyablement que par la fortune [3] ; enfin, j'attendris tellement le bon Tiberge, que je le vis aussi affligé par la compassion que je l'étais par le sentiment de mes peines. Il ne se lassait point de m'embrasser, et de m'exhorter à prendre du courage et de la consolation, mais, comme il supposait toujours qu'il fallait me séparer de Manon, je lui fis entendre nettement que c'était cette séparation même que je regardais comme la plus grande de mes infortunes, et que j'étais disposé à souffrir, non seulement le dernier excès de la misère, mais la mort la plus cruelle [4], avant que de recevoir un remède plus insupportable que tous mes maux ensemble.

Expliquez-vous donc, me dit-il : quelle espèce de secours suis-je capable de vous donner, si vous vous

---

1. D. P. remarque justement que « cette passion, présentée dans une perspective tragique, est précisément la meilleure excuse ». 2. Se dit aussi figurément du trouble que les passions causent dans l'âme (A). 3. Le terme est ici ambivalent : il signifie destin mais aussi l'état des richesses. 4. Le ton de des Grieux est totalement emphatique et même précieux. Ce qui indique plus son habileté que sa sincérité.

révoltez contre toutes mes propositions ? Je n'osais lui
déclarer que c'était de sa bourse que j'avais besoin. Il
le comprit pourtant à la fin, et m'ayant confessé qu'il
croyait m'entendre, il demeura quelque temps suspendu[1], avec l'air d'une personne qui balance. Ne
croyez pas, reprit-il bientôt, que ma rêverie[2] vienne
d'un refroidissement de zèle et d'amitié. Mais à quelle
alternative me réduisez-vous, s'il faut que je vous
refuse le seul secours que vous voulez accepter, ou que
je blesse mon devoir en vous l'accordant ? car n'est-ce
pas prendre part à votre désordre, que de vous y faire
persévérer ? Cependant, continua-t-il après avoir
réfléchi un moment, je m'imagine que c'est peut-être
l'état violent où l'indigence vous jette, qui ne vous
laisse pas assez de liberté pour choisir le meilleur
parti ; il faut un esprit tranquille pour goûter la sagesse
et la vérité[3]. Je trouverai le moyen de vous faire avoir
quelque argent. Permettez-moi, mon cher Chevalier,
ajouta-t-il en m'embrassant, d'y mettre seulement une
condition : c'est que vous m'apprendrez le lieu de votre
demeure, et que vous souffrirez que je fasse du moins
mes efforts pour vous ramener à la vertu, que je sais
que vous aimez, et dont il n'y a que la violence de vos
passions qui vous écarte. Je lui accordai sincèrement
tout ce qu'il souhaitait, et je le priai de plaindre la

---

1. Vient de *suspendre* au sens de *surseoir*, *différer pour quelque temps*. On ne dit pas généralement qu'une personne est suspendue, mais que son discours, sa parole le sont (A).   **2.** Pensée où se laisse aller l'imagination (A).   **3.** Tiberge est en effet complice. Il donne à des Grieux les moyens de se faire tricheur.

malignité [1] de mon sort, qui me faisait profiter si mal des conseils d'un ami si vertueux. Il me mena aussitôt chez un banquier de sa connaissance, qui m'avança cent pistoles sur son billet [2], car il n'était rien moins qu'en argent comptant. J'ai déjà dit qu'il n'était pas riche. Son bénéfice [3] valait mille écus [a], mais, comme c'était la première année qu'il le possédait, il n'avait encore rien touché du revenu : c'était sur les fruits futurs qu'il me faisait cette avance.

Je sentis tout le prix de sa générosité. J'en fus touché, jusqu'au point de déplorer l'aveuglement d'un amour fatal, qui me faisait violer tous les devoirs. La vertu eut assez de force pendant quelques moments pour s'élever dans mon cœur contre ma passion, et j'aperçus du moins, dans cet instant de lumière, la honte et l'indignité de mes chaînes. Mais ce combat fut léger et dura peu. La vue de Manon m'aurait fait précipiter du ciel, et je m'étonnai, en me retrouvant près d'elle, que j'eusse pu traiter un moment de honteuse une tendresse si juste pour un objet si charmant.

Manon était une créature d'un caractère extraordinaire. Jamais fille n'eut moins d'attachement qu'elle pour l'argent, mais elle ne pouvait être [b] tranquille un moment, avec la crainte d'en manquer. C'était du plaisir et des passe-temps qu'il lui fallait. Elle n'eût

---

1. Qualités nuisibles qui se trouvent dans quelques sujets. La malignité du sort (A).   **2.** Le billet à ordre est une promesse par laquelle on s'engage à payer à ordre une somme d'argent. C'est dire que Tiberge s'endette et gage ses revenus pour aider des Grieux. On a calculé qu'il en gageait ainsi le tiers.   **3.** Voir note 4, page 120.

jamais voulu toucher un sou, si l'on pouvait se divertir sans qu'il en coûte. Elle ne s'informait pas même quel était le fonds de nos richesses, pourvu qu'elle pût passer agréablement la journée, de sorte que, n'étant ni excessivement livrée au jeu ni capable d'être éblouie par le faste [1][a] des grandes dépenses, rien n'était plus facile que de la satisfaire, en lui faisant naître tous les jours des amusements de son goût. Mais c'était une chose si nécessaire pour elle, d'être ainsi occupée par le plaisir, qu'il n'y avait pas le moindre fond à faire, sans cela, sur son humeur et sur ses inclinations [2]. Quoiqu'elle m'aimât tendrement, et que je fusse le seul, comme elle en convenait volontiers, qui pût lui faire goûter parfaitement les douceurs de l'amour, j'étais presque certain que sa tendresse ne tiendrait point contre de certaines craintes. Elle m'aurait préféré à toute la terre avec une fortune médiocre ; mais je ne doutais nullement qu'elle ne m'abandonnât pour quelque nouveau B... lorsqu'il ne me resterait que de la constance et de la fidélité à lui offrir. Je résolus donc de régler si bien ma dépense particulière que je fusse toujours en état de fournir aux siennes, et de me priver plutôt de mille choses nécessaires que de la borner même pour le superflu. Le carrosse m'effrayait plus que tout le reste ; car il n'y avait point d'apparence [3] de pouvoir entretenir des chevaux et un cocher. Je découvris ma peine à M. Lescaut. Je ne lui avais point caché que j'eusse reçu cent pistoles d'un ami. Il me

---

1. Vaine ostentation (A).   **2.** On dit *faire fond sur quelqu'un* pour dire *compter sur quelqu'un* (A).   **3.** Se prend pour vraisemblance, probabilité (A).

répéta que, si je voulais tenter le hasard du jeu, il ne désespérait point qu'en sacrifiant de bonne grâce une centaine de francs pour traiter ses associés, je ne pusse être admis, à sa recommandation, dans la Ligue de l'Industrie. Quelque répugnance que j'eusse à tromper, je me laissai entraîner par une cruelle nécessité.

M. Lescaut me présenta, le soir même, comme un de ses parents ; il ajouta que j'étais d'autant mieux disposé à réussir, que j'avais besoin des plus grandes faveurs de la fortune. Cependant, pour faire connaître que ma misère n'était pas celle d'un homme de néant[1], il leur dit que j'étais dans le dessein de leur donner à souper. L'offre fut acceptée. Je les traitai magnifiquement. On s'entretint longtemps de la gentillesse de ma figure et de mes heureuses dispositions. On prétendit qu'il y avait beaucoup à espérer de moi, parce qu'ayant quelque chose dans la physionomie qui sentait l'honnête homme, personne ne se défierait de mes artifices. Enfin, on rendit grâces à M. Lescaut[a] d'avoir procuré à l'Ordre un novice de mon mérite, et l'on chargea un des chevaliers[2] de me donner, pendant quelques jours, les instructions nécessaires. Le principal théâtre de mes exploits devait être l'Hôtel de Transylvanie[3], où il y avait une table de pharaon[4] dans une salle et divers autres jeux de cartes et de dés dans la galerie. Cette

---

1. Homme de rien.   **2.** Désignation ironique calquée sur l'Ordre de Malte auquel on destinait des Grieux.   **3.** Se trouvait au quai Malaquais. Il tenait son nom du prince François II Rakoczy, allié de Louis XIV qui s'y était installé. Ses officiers se trouvant sans solde y avaient monté un tripot.   **4.** Jeu de cartes qui fut interdit en 1719.

académie[1] se tenait au profit de M. le prince de R...,
qui demeurait alors à Clagny[2], et la plupart de ses
officiers étaient de notre société. Le dirai-je à ma
honte ?[a] Je profitai en peu de temps des leçons de
mon maître. J'acquis surtout beaucoup d'habileté à
faire une volte-face, à filer la carte[3], et m'aidant fort
bien d'une[b] longue paire de manchettes, j'escamotais
assez légèrement pour tromper les yeux des plus
habiles, et ruiner sans affectation quantité d'honnêtes
joueurs. Cette adresse extraordinaire hâta si fort les
progrès de ma fortune, que je me trouvai en peu de
semaines des sommes considérables, outre celles que
je partageais de bonne foi avec mes associés. Je ne
craignis plus, alors, de découvrir à Manon notre perte
de Chaillot, et, pour la consoler, en lui apprenant cette
fâcheuse nouvelle, je louai une maison garnie, où
nous nous établîmes avec un air d'opulence et de
sécurité[c].

Tiberge n'avait pas manqué, pendant ce temps-là, de
me rendre de fréquentes visites. Sa morale ne finissait
point. Il recommençait sans cesse à me représenter le
tort que je faisais à ma conscience, à mon honneur et
à ma fortune. Je recevais ses avis avec amitié, et
quoique je n'eusse pas la moindre disposition à les
suivre, je lui savais bon gré de son zèle, parce que j'en

---

1. Se dit aussi d'un lieu où l'on donne publiquement à jouer.
Se retrouve dans l'expression encore usitée d'« académie de bil-
lard ».   **2.** Village près de Versailles où s'était installé le prince
Rakoczy, pour être près de la cour.   **3.** Tricheries diverses. « Filer
la carte » signifie, en donnant les cartes, les repérer au toucher par
des marques qu'elles portent.

connaissais la source. Quelquefois je le raillais agréablement, dans la présence même[1] de Manon, et je
l'exhortais à n'être pas plus scrupuleux qu'un grand
nombre d'évêques et d'autres prêtres, qui savent
accorder fort bien une maîtresse avec un bénéfice.
Voyez, lui disais-je, en lui montrant les yeux de la
mienne, et dites-moi s'il y a des fautes qui ne soient
pas justifiées par une si belle cause. Il prenait patience.
Il la poussa même assez loin ; mais lorsqu'il vit que
mes richesses augmentaient, et que non seulement je
lui avais restitué ses cent pistoles, mais qu'ayant loué
une nouvelle maison et doublé ma dépense[a], j'allais
me replonger plus que jamais dans les plaisirs, il
changea entièrement de ton et de manières. Il se plaignit de mon endurcissement ; il me menaça des
châtiments du Ciel, et il me prédit une partie des malheurs qui ne tardèrent guère à m'arriver. Il est
impossible, me dit-il, que les richesses qui servent à
l'entretien de vos désordres vous soient venues par des
voies légitimes. Vous les avez acquises injustement ;
elles vous seront ravies de même. La plus terrible punition de Dieu serait de vous en laisser jouir tranquillement. Tous mes conseils, ajouta-t-il, vous ont été
inutiles ; je ne prévois que trop qu'ils vous seraient
bientôt importuns. Adieu, ingrat et faible ami. Puissent
vos criminels plaisirs s'évanouir comme une ombre !
Puissent votre fortune et votre argent périr sans ressource, et vous rester seul et nu, pour sentir la vanité
des biens qui vous ont follement enivré ! C'est alors

---

1. En présence même de Manon.

que vous me trouverez disposé à vous aimer et à vous servir, mais je romps aujourd'hui tout commerce [1] avec vous, et je déteste la vie que vous menez. Ce fut dans ma chambre, aux yeux de Manon, qu'il me fit cette harangue apostolique [2]. Il se leva pour se retirer. Je voulus le retenir, mais je fus arrêté par Manon, qui me dit que c'était un fou qu'il fallait laisser sortir.

Son discours ne laissa pas de faire quelque impression sur moi. Je remarque ainsi les diverses occasions où mon cœur sentit un retour vers le bien, parce que c'est à ce souvenir que j'ai dû ensuite une partie de ma force dans les plus malheureuses circonstances de ma vie. Les caresses de Manon dissipèrent, en un moment, le chagrin que cette scène m'avait causé. Nous continuâmes de mener une vie toute composée de plaisir et d'amour. L'augmentation de nos richesses redoubla notre affection ; Vénus et la Fortune n'avaient point d'esclaves plus heureux et plus tendres. Dieux ! pourquoi nommer le monde un lieu de misères, puisqu'on y peut goûter de si charmantes délices ? Mais, hélas ! leur faible [3] est de passer trop vite. Quelle autre félicité voudrait-on se proposer, si elles étaient de nature à durer toujours ? Les nôtres eurent le sort commun, c'est-à-dire de durer peu, et d'être suivies par des regrets amers. J'avais fait, au jeu, des gains si considérables, que je pensais à placer une partie de mon argent. Mes domestiques n'ignoraient pas mes succès, surtout mon valet de chambre et la suivante de

---

1. Relation, fréquentation (R).   2. Qui est d'apôtre (R). Emploi ici ironique.   3. Est aussi substantif masculin (au sens de *faiblesse*) (A).

Manon, devant lesquels nous nous entretenions souvent sans défiance. Cette fille était jolie ; mon valet en était amoureux. Ils avaient affaire à des maîtres jeunes et faciles [1], qu'il s'imaginèrent pouvoir tromper aisément. Ils en conçurent le dessein, et ils l'exécutèrent si malheureusement pour nous, qu'ils nous mirent dans un état dont il ne nous a jamais été possible de nous relever.

M. Lescaut nous ayant un jour donné à souper, il était environ minuit lorsque nous retournâmes au logis. J'appelai mon valet, et Manon sa femme de chambre ; ni l'un ni l'autre ne parurent. On nous dit qu'ils n'avaient point été vus dans la maison depuis huit heures, et qu'ils étaient sortis après avoir fait transporter quelques caisses, suivant les ordres qu'ils disaient avoir reçus de moi [a]. Je pressentis une partie de la vérité, mais je ne formai point de soupçons qui ne fussent surpassés par ce que j'aperçus en entrant dans ma chambre. La serrure de mon cabinet avait été forcée, et mon argent enlevé, avec tous mes habits. Dans le temps que je réfléchissais, seul, sur cet accident, Manon vint, tout effrayée, m'apprendre qu'on avait fait le même ravage dans son appartement [2]. Le coup me parut si cruel qu'il n'y eut qu'un effort extraordinaire de raison qui m'empêcha de me livrer aux cris et aux pleurs. La crainte de communiquer mon désespoir à Manon me fit affecter de prendre un visage

---

1. Se dit en mauvaise part d'une personne qui n'est pas aussi ferme dans les occasions où il le faut être, mais qui se laisse aller trop aisément (A). Synonyme de *complaisant*.   2. Chambre, antichambre et cabinet (A).

tranquille. Je lui dis, en badinant, que je me vengerais
sur quelque dupe à l'hôtel de Transylvanie. Cependant,
elle me sembla si sensible à notre malheur, que sa
tristesse eut bien plus de force pour m'affliger, que ma
joie feinte n'en avait eu pour l'empêcher d'être trop
abattue. Nous sommes perdus ! me dit-elle, les larmes
aux yeux. Je m'efforçai en vain de la consoler par mes
caresses ; mes propres pleurs trahissaient mon désespoir et ma consternation. En effet, nous étions ruinés
si absolument, qu'il ne nous restait pas une chemise.

Je pris le parti d'envoyer chercher sur-le-champ
M. Lescaut. Il me conseilla d'aller, à l'heure même,
chez M. le Lieutenant de Police et M. le Grand Prévôt
de Paris [1]. J'y allai, mais ce fut pour mon plus grand
malheur ; car outre que cette démarche et celles que je
fis faire à ces deux officiers de justice ne produisirent
rien, je donnai le temps à Lescaut d'entretenir sa sœur,
et de lui inspirer, pendant mon absence, une horrible
résolution. Il lui parla de M. de G... M..., vieux volup-
tueux, qui payait prodiguement[a] les plaisirs, et il lui
fit envisager tant d'avantages à se mettre à sa solde [2],
que, troublée comme elle était par notre disgrâce, elle

---

1. Le Lieutenant de Police, dont la charge avait été créée en
1667, détenait la réalité du pouvoir policier, comme aujourd'hui le
Préfet de police de la capitale. Le Grand Prévôt – on rendait la
justice en son nom – possédait un pouvoir plus nominal que réel
à la suite de ce changement. **2.** Se mettre au service de
quelqu'un. Le terme n'est apparemment pas approprié. Il est digne
du militaire qu'est Lascaut (la solde est la paye des militaires). Il
laisse entendre indirectement que les « services » que prête Manon
sont rémunérés. C'est une sorte d'euphémisme qui dit autant qu'il
dissimule.

entra dans tout ce qu'il entreprit de lui persuader. Cet honorable marché fut conclu avant mon retour, et l'exécution remise au lendemain, après que Lescaut aurait prévenu M. de G... M... Je le trouvai qui m'attendait au logis ; mais Manon s'était couchée dans son appartement, et elle avait donné ordre à son laquais de me dire qu'ayant besoin d'un peu de repos, elle me priait de la laisser seule pendant cette nuit. Lescaut me quitta, après m'avoir offert quelques pistoles que j'acceptai. Il était près de quatre heures, lorsque je me mis au lit, et m'y étant encore occupé longtemps des moyens de rétablir ma fortune, je m'endormis si tard, que je ne pus me réveiller que vers onze heures ou midi. Je me levai promptement pour aller m'informer de la santé de Manon ; on me dit qu'elle était sortie, une heure auparavant, avec son frère, qui l'était venu prendre dans un carrosse de louage [1]. Quoiqu'une telle partie, faite avec Lescaut, me parût mystérieuse, je me fis violence pour suspendre mes soupçons. Je laissai couler quelques heures, que je passai à lire. Enfin, n'étant plus le maître de mon inquiétude, je me promenai à grands pas dans nos appartements. J'aperçus, dans celui de Manon, une lettre cachetée qui était sur sa table. L'adresse était à moi [2], et l'écriture de sa main. Je l'ouvris avec un frisson mortel ; elle était dans ces termes :

Je te jure, mon cher Chevalier, que tu es l'idole de mon cœur, et qu'il n'y a que toi au monde que je puisse

---

1. Le carrosse loué ne portait pas d'armoiries et assurait une plus grande discrétion.   2. La mienne.

aimer de la façon dont je t'aime ; mais ne vois-tu pas, ma pauvre chère âme, que, dans l'état où nous sommes réduits, c'est une sotte vertu que la fidélité ? Crois-tu qu'on puisse être bien tendre lorsqu'on manque de pain ? La faim me causerait quelque méprise fatale ; je rendrais quelque jour le dernier soupir, en croyant en pousser un d'amour [1]. Je t'adore, compte là-dessus ; mais laisse-moi, pour quelque temps, le ménagement de notre fortune. Malheur à qui va tomber dans mes filets ! Je travaille pour rendre mon Chevalier riche et heureux. Mon frère t'apprendra des nouvelles de ta Manon, et qu'elle a pleuré de la nécessité de te quitter.

Je demeurai, après cette lecture, dans un état qui me serait difficile à décrire car j'ignore encore aujourd'hui par quelle espèce de sentiments je fus alors agité. Ce fut une de ces situations uniques auxquelles on n'a rien éprouvé qui soit semblable. On ne saurait les expliquer aux autres, parce qu'ils n'en ont pas l'idée ; et l'on a peine à se les bien démêler à soi-même, parce qu'étant seules de leur espèce, cela ne se lie à rien dans la mémoire, et ne peut même être rapproché d'aucun sentiment connu. Cependant, de quelque nature que fussent les miens, il est certain qu'il devait y entrer de la douleur, du dépit, de la jalousie et de la honte. Heureux s'il n'y fût pas entré encore plus d'amour ! Elle m'aime, je le veux croire ; mais ne faudrait-il pas, m'écriai-je, qu'elle fût un monstre pour me haïr ? Quels droits eut-on jamais sur un cœur que je n'aie pas sur le sien ? Que me reste-t-il à faire pour elle,

---

1. A rapprocher de la mort de Manon, page 308.

après tout ce que je lui ai sacrifié ? Cependant elle
m'abandonne ! et l'ingrate se croit à couvert de mes
reproches en me disant qu'elle ne cesse pas de
m'aimer ! Elle appréhende la faim. Dieu d'amour[a] !
quelle grossièreté de sentiments ! et que c'est répondre
mal à ma délicatesse ! Je ne l'ai pas appréhendée, moi
qui m'y expose si volontiers pour elle en renonçant à
ma fortune et aux douceurs de la maison de mon père ;
moi qui me suis retranché jusqu'au nécessaire[1] pour
satisfaire ses petites humeurs et ses caprices. Elle
m'adore, dit-elle. Si tu m'adorais, ingrate, je sais bien
de qui tu aurais pris des conseils ; tu ne m'aurais pas
quitté, du moins, sans me dire adieu. C'est à moi qu'il
faut demander quelles peines cruelles on sent à se
séparer de ce qu'on adore. Il faudrait avoir perdu
l'esprit pour s'y exposer volontairement.

Mes plaintes furent interrompues par une visite à
laquelle je ne m'attendais pas. Ce fut celle de Lescaut.
Bourreau ! lui dis-je en mettant l'épée à la main[2], où est
Manon ? qu'en as-tu fait ? Ce mouvement[3] l'effraya ; il
me répondit que, si c'était ainsi que je le recevais
lorsqu'il venait me rendre compte du service le plus
considérable qu'il eût pu me rendre, il allait se retirer, et
ne remettrait jamais le pied chez moi. Je courus à la porte
de la chambre, que je fermai soigneusement. Ne t'imagine pas, lui dis-je en me tournant vers lui, que tu puisses
me prendre encore une fois pour dupe et me tromper par
des fables. Il faut défendre ta vie, ou me faire retrouver

---

1. Au sens de *se priver du nécessaire*.   **2.** Se battre en duel.
3. Le terme implique une idée de violence et de brusquerie. Peut
être synonyme de transport : agitation violente.

Manon. Là ! que vous êtes vif ! repartit-il ; c'est l'unique sujet qui m'amène. Je viens vous annoncer un bonheur auquel vous ne pensez pas, et pour lequel vous reconnaîtrez peut-être que vous m'avez quelque obligation. Je voulus être éclairci sur-le-champ.

Il me raconta que Manon, ne pouvant soutenir la crainte de la misère, et surtout l'idée d'être obligée tout d'un coup à la réforme de notre équipage [1], l'avait prié de lui procurer la connaissance de M. de G... M..., qui passait pour un homme généreux. Il n'eut garde de me dire que le conseil était venu de lui, ni qu'il eût préparé les voies, avant que de l'y conduire. Je l'y ai menée ce matin, continua-t-il, et cet honnête [2] homme a été si charmé de son mérite, qu'il l'a invitée d'abord à lui tenir compagnie à sa maison de campagne, où il est allé passer quelques jours. Moi, ajouta Lescaut, qui ai pénétré tout d'un coup de quel avantage cela pouvait être pour vous, je lui ai fait entendre adroitement que Manon avait essuyé des pertes considérables, et j'ai tellement piqué sa générosité, qu'il a commencé par lui faire un présent de deux cents pistoles. Je lui ai dit que cela était honnête pour le présent, mais que l'avenir amènerait à ma sœur de grands besoins ; qu'elle s'était chargée, d'ailleurs, du soin d'un jeune frère, qui nous était resté sur les bras après la mort de nos père et mère, et que, s'il la croyait digne de son estime, il ne la laisserait pas souffrir dans ce pauvre enfant qu'elle regardait comme la moitié d'elle-même. Ce récit n'a

---

1. On dit « il a un équipage » pour dire qu'il a un carrosse (A).
2. Emploi ironique de l'adjectif.

pas manqué de l'attendrir. Il s'est engagé à louer une maison commode, pour vous et pour Manon, car c'est vous-même qui êtes ce pauvre petit frère orphelin[1][a]. Il a promis de vous meubler[2] proprement, et de vous fournir, tous les mois, quatre cents bonnes livres, qui en feront, si je compte bien, quatre mille huit cents à la fin de chaque année. Il a laissé ordre à son intendant, avant que de partir pour sa campagne, de chercher une maison, et de la tenir prête pour son retour. Vous reverrez alors Manon, qui m'a chargé de vous embrasser mille fois pour elle, et de vous assurer qu'elle vous aime plus que jamais.

Je m'assis, en rêvant à cette bizarre disposition de mon sort. Je me trouvai dans un partage de sentiments, et par conséquent dans une incertitude si difficile à terminer, que je demeurai longtemps sans répondre à quantité de questions que Lescaut me faisait l'une sur l'autre. Ce fut, dans ce moment, que l'honneur et la vertu me firent sentir encore les pointes du remords, et que je jetai les yeux, en soupirant, vers Amiens, vers la maison de mon père, vers Saint-Sulpice et vers tous les lieux où j'avais vécu dans l'innocence. Par quel immense espace n'étais-je pas séparé de cet heureux état ! Je ne le voyais plus que de loin, comme une ombre qui s'attirait encore mes regrets et mes désirs,

---

1. On propose à des Grieux d'être l'amant de cœur d'une femme prostituée. On désignait au XVIIIe siècle cet emploi par le terme de « greluchon », ainsi défini (A) : nom qu'on donne à l'amant aimé et favorisé secrètement par une femme qui se fait payer par d'autres amants. Il est familier et libre.   **2.** Signifie pourvoir à tout ce qui garnit une maison. On y inclut parfois aussi les vêtements.

mais trop faible pour exciter mes efforts. Par quelle
fatalité, disais-je, suis-je devenu si criminel ? L'amour
est une passion innocente ; comment s'est-il changé,
pour moi, en une source de misères et de désordres ?
Qui m'empêchait de vivre tranquille et vertueux avec
Manon ? Pourquoi ne l'épousais-je point, avant que
d'obtenir rien de son amour ? Mon père, qui m'aimait
si tendrement, n'y aurait-il pas consenti si je l'en eusse
pressé avec des instances légitimes ? Ah ! mon père
l'aurait chérie lui-même, comme une fille charmante,
trop digne d'être la femme de[a] son fils ; je serais heureux avec l'amour de Manon, avec l'affection de mon
père, avec l'estime des honnêtes gens, avec les biens
de la fortune et la tranquillité de la vertu. Revers
funeste ! Quel est l'infâme personnage qu'on vient ici
me proposer ? Quoi ! j'irai partager... Mais y a-t-il à
balancer, si c'est Manon qui l'a réglé, et si je la perds
sans cette complaisance ? Monsieur Lescaut, m'écriai-
je en fermant les yeux, comme pour écarter de si cha-
grinantes réflexions, si vous avez eu dessein de me
servir, je vous rends grâces. Vous auriez pu prendre
une voie plus honnête ; mais c'est une chose finie,
n'est-ce pas ? Ne pensons donc plus qu'à profiter de
vos soins et à remplir votre projet. Lescaut, à qui ma
colère, suivie d'un fort long silence, avait causé[b] de
l'embarras, fut ravi de me voir prendre un parti tout
différent de celui qu'il avait appréhendé sans doute[c] ;
il n'était rien moins que brave[1], et j'en eus de meilleures preuves dans la suite. Oui, oui, se hâta-il de me

---

1. Euphémisme pour dire qu'il était lâche.

répondre, c'est un fort bon service que je vous ai rendu, et vous verrez que nous en tirerons plus d'avantage que vous ne vous y attendez. Nous concertâmes de quelle manière nous pourrions prévenir les défiances que M. de G... M... pouvait concevoir de notre fraternité, en me voyant plus grand et un peu plus âgé peut-être qu'il ne se l'imaginait. Nous ne trouvâmes point d'autre moyen, que de prendre devant lui un air simple et provincial, et de lui faire croire que j'étais dans le dessein d'entrer dans l'état ecclésiastique, et que j'allais pour cela tous les jours au collège. Nous résolûmes aussi que je me mettrais fort mal, la première fois que je serais admis à l'honneur de le saluer. Il revint à la ville trois ou quatre jours après ; il conduisit lui-même Manon dans la maison que son intendant avait eu soin de préparer. Elle fit avertir aussitôt Lescaut de son retour ; et celui-ci m'en ayant donné avis, nous nous rendîmes tous deux chez elle. Le vieil amant en était déjà sorti.

Malgré la résignation avec laquelle je m'étais soumis à ses volontés, je ne pus réprimer le murmure de mon cœur en la revoyant. Je lui parus triste et languissant. La joie de la retrouver ne l'emportait pas tout à fait sur le chagrin de son infidélité. Elle, au contraire, paraissait transportée du plaisir de me revoir. Elle me fit des reproches de ma froideur. Je ne pus m'empêcher de laisser échapper les noms de perfide et d'infidèle, que j'accompagnai d'autant de soupirs. Elle me railla d'abord de ma simplicité ; mais, lorsqu'elle vit mes regards s'attacher toujours tristement sur elle, et la peine que j'avais à digérer un changement si contraire à mon humeur et à mes désirs, elle passa seule dans son cabinet. Je la suivis un moment après. Je l'y trouvai tout en pleurs ; je lui demandai ce qui les causait. Il t'est bien aisé de le voir, me dit-elle, comment veux-tu que je vive, si ma vue n'est plus propre qu'à te causer un air sombre et chagrin ? Tu ne m'as pas fait une seule caresse, depuis une heure que tu es ici, et tu as reçu les miennes avec la majesté du Grand Turc au Sérail[1].

Écoutez, Manon, lui répondis-je en l'embrassant, je ne puis vous cacher que j'ai le cœur mortellement affligé. Je ne parle point à présent des alarmes où votre fuite imprévue m'a jeté, ni de la cruauté que vous avez eue de m'abandonner sans un mot de consolation, après avoir passé la nuit dans un autre lit que moi. Le charme de votre présence m'en ferait bien oublier davantage. Mais croyez-vous que je puisse penser sans soupirs, et même sans larmes, continuai-je en en versant quelques-unes, à la triste et malheureuse vie que vous voulez que je mène dans cette maison ? Laissons ma naissance et mon honneur à part : ce ne sont plus des raisons si faibles[a] qui doivent entrer en concurrence avec un amour tel que le mien ; mais cet amour même, ne vous imaginez-vous pas qu'il gémit de se voir si

---

1. Il existe au XVIIIe siècle un très important imaginaire du sérail, qui traduit très imparfaitement les informations des voyageurs comme Chardin, Herbelot ou Tavernier. Il inspire une tradition littéraire en même temps qu'il s'en nourrit. On confond dans un imaginaire oriental mœurs persanes et turqueries. Il mêle bouffonneries et fantasmes sexuels et utilise des éléments contradictoires : la sensualité du sérail et l'indifférence de son maître envers ses esclaves soumises.

mal récompensé, ou plutôt traité si cruellement[a] par une ingrate et dure maîtresse ?... Elle m'interrompit : Tenez, dit-elle, mon Chevalier, il est inutile de me tourmenter par des reproches qui me percent le cœur, lorsqu'ils viennent de vous. Je vois ce qui vous blesse. J'avais espéré que vous consentiriez au projet que j'avais fait pour rétablir un peu notre fortune, et c'était pour ménager votre délicatesse que j'avais commencé à l'exécuter sans votre participation ; mais j'y renonce, puisque vous ne l'approuvez pas. Elle ajouta qu'elle ne me demandait qu'un peu de complaisance, pour le reste du jour ; qu'elle avait déjà reçu deux cents pistoles de son vieil amant, et qu'il lui avait promis de lui apporter le soir un beau collier de perles, avec d'autres bijoux, et par-dessus cela, la moitié de la pension annuelle qu'il lui avait promise. Laissez-moi seulement le temps, me dit-elle, de recevoir ses présents ; je vous jure qu'il ne pourra se vanter des avantages que je lui ai donnés sur moi[b], car je l'ai remis[1] jusqu'à présent à la ville. Il est vrai qu'il m'a baisé plus d'un million de fois les mains ; il est juste qu'il paye ce plaisir, et ce ne sera point trop que cinq ou six mille francs, en proportionnant le prix à ses richesses et à son âge.

Sa résolution me fut beaucoup plus agréable que l'espérance des cinq mille livres. J'eus lieu de reconnaître que mon cœur n'avait point encore perdu tout sentiment d'honneur[2], puisqu'il était si satisfait

---

1. Différé. La phrase signifie que Manon ne s'est pas encore donnée à G... M..., qu'elle a remis son abandon à son retour de sa maison de campagne à Paris.   **2.** Curieux sentiment de l'honneur

d'échapper à l'infamie. Mais j'étais né pour les courtes joies et les longues douleurs. La Fortune ne me délivra d'un précipice que pour me faire tomber dans un autre. Lorsque j'eus marqué à Manon, par mille caresses, combien je me croyais heureux de son changement, je lui dis qu'il fallait en instruire M. Lescaut, afin que nos mesures se prissent de concert. Il en murmura d'abord ; mais les quatre ou cinq mille livres d'argent comptant le firent entrer gaiement dans nos vues. Il fut donc réglé que nous nous trouverions tous à souper avec M. de G... M..., et cela pour deux raisons : l'une, pour nous donner le plaisir d'une scène agréable en me faisant passer pour un écolier[1], frère de Manon ; l'autre, pour empêcher ce vieux libertin[2] de s'émanciper[3] trop avec ma maîtresse, par le droit qu'il croirait s'être acquis en payant si libéralement[4] d'avance. Nous devions nous retirer, Lescaut et moi, lorsqu'il monterait à la chambre où il comptait de passer la nuit ; et Manon, au lieu de le suivre, nous promit de sortir, et de la venir passer avec moi. Lescaut se chargea du soin d'avoir exactement un carrosse à la porte.

---

qui permet à des Grieux de se faire complice d'une escroquerie, de participer à « une scène agréable » où on dupera G... M... Il semble plutôt que sa satisfaction tient au fait qu'il croit que Manon ne l'a pas sexuellement trahi.

1. L'École est l'équivalent des universités. (A) donne comme exemples École de grammaire, École de médecine, École de théologie... Un écolier est donc un étudiant. 2. Débauché. 3. Se donner trop de licence (A). Ici prendre des libertés avec Manon. 4. Généreusement.

L'heure du souper étant venue, M. de G... M... ne se fit pas attendre longtemps. Lescaut était avec sa sœur, dans la salle. Le premier compliment du vieillard fut d'offrir à sa belle un collier, des bracelets et des pendants de perles [1], qui valaient au moins mille écus [a]. Il lui compta ensuite, en beaux louis d'or, la somme de deux mille quatre cents livres, qui faisaient la moitié de la pension. Il assaisonna son présent de quantité de douceurs dans le goût de la vieille Cour [2]. Manon ne put lui refuser quelques baisers ; c'était autant de droits qu'elle acquérait sur l'argent qu'il lui mettait entre les mains. J'étais à la porte, où je prêtais l'oreille, en attendant que Lescaut m'avertît d'entrer.

Il vint me prendre par la main, lorsque Manon eut serré l'argent et les bijoux, et me conduisant vers M. de G... M..., il m'ordonna de lui faire la révérence. J'en fis deux ou trois des plus profondes. Excusez, monsieur, lui dit Lescaut, c'est un enfant fort neuf [3]. Il est bien éloigné, comme vous voyez, d'avoir les airs de Paris ; mais nous espérons qu'un peu d'usage le façonnera. Vous aurez l'honneur de voir ici souvent monsieur, ajouta-t-il, en se tournant vers moi ; faites bien votre profit d'un si bon modèle. Le vieil amant parut prendre plaisir à me voir. Il me donna deux ou trois petits coups sur la joue, en me disant que j'étais un joli garçon, mais qu'il fallait être sur mes gardes à Paris, où les jeunes gens se laissent aller facilement à la débauche. Lescaut l'assura que j'étais naturellement

---

1. Ce sont des boucles d'oreilles.   **2.** Expression pour désigner une politesse surannée.   **3.** Au figuré, *simple*, *niais* (A).

si sage, que je ne parlais que de me faire prêtre, et que tout mon plaisir était à faire de petites chapelles[1]. Je lui trouve de l'air de Manon, reprit le vieillard en me haussant le menton avec la main. Je répondis d'un air niais : Monsieur, c'est que nos deux chairs se touchent de bien proche[2] ; aussi, j'aime ma sœur Manon comme un autre moi-même. L'entendez-vous ? dit-il à Lescaut, il a de l'esprit. C'est dommage que cet enfant-là n'ait pas un peu plus de monde[3]. Oh ! monsieur, repris-je, j'en ai vu beaucoup chez nous dans les églises, et je crois bien que j'en trouverai, à Paris, de plus sots que moi. Voyez, ajouta-t-il, cela est admirable pour un enfant de province. Toute notre conversation fut à peu près du même goût, pendant le souper. Manon, qui était badine, fut sur le point, plusieurs fois, de gâter tout par ses éclats de rire[a]. Je trouvai l'occasion, en soupant, de lui raconter sa propre histoire, et le mauvais sort qui le menaçait. Lescaut et Manon tremblaient pendant mon récit, surtout lorsque je faisais son portrait au naturel ; mais l'amour-propre l'empêcha de[b] s'y reconnaître, et je l'achevai si adroitement, qu'il fut le premier à le trouver fort risible. Vous verrez que ce n'est pas sans raison que je me suis étendu sur cette ridicule scène[4]. Enfin, l'heure du sommeil étant arrivée, il parla d'amour et d'impatience[c]. Nous nous retirâmes, Lescaut et moi ; on le conduisit

---

1. Construire de petits autels ornés de fleurs.   **2.** Les expressions sont évidemment à double sens.   **3.** « Avoir du monde » signifie savoir bien la manière de vivre dans la société (A). **4.** Une scène est ridicule quand elle est faite pour exciter la risée (A).

à sa chambre, et Manon, étant sortie sous prétexte d'un besoin, nous vint joindre à la porte. Le carrosse, qui nous attendait trois ou quatre maisons plus bas, s'avança pour nous recevoir. Nous nous éloignâmes en un instant du quartier.

Quoiqu'à mes propres yeux cette action fût une véritable friponnerie, ce n'était pas la plus injuste que je crusse avoir à me reprocher[a]. J'avais plus de scrupule sur l'argent que j'avais acquis au jeu. Cependant nous profitâmes aussi peu de l'un que de l'autre, et le Ciel permit que la plus légère de ces deux injustices fût la plus rigoureusement punie.

M. de G... M... ne tarda pas longtemps à s'apercevoir qu'il était dupé. Je ne sais s'il fit, dès le soir même, quelques démarches pour nous découvrir, mais il eut assez de crédit pour n'en pas faire longtemps d'inutiles, et nous assez d'imprudence pour compter trop sur la grandeur de Paris et sur l'éloignement qu'il y avait de notre quartier au sien. Non seulement il fut informé de notre demeure et de nos affaires présentes, mais il apprit aussi qui j'étais, la vie que j'avais menée à Paris, l'ancienne liaison de Manon avec B..., la tromperie qu'elle lui avait faite, en un mot, toutes les parties scandaleuses de notre histoire. Il prit là-dessus la résolution de nous faire arrêter, et de nous traiter moins comme des criminels que comme de fieffés libertins[1]. Nous étions encore au lit, lorsqu'un exempt[2] de police entra dans notre chambre avec une demi-douzaine de

---

1. *Fieffé* ne se dit qu'avec des substantifs qui marquent un vice ; et il signifie que ce vice est au suprême degré (A).   **2.** Officier de certaine compagnie de garde (A).

gardes. Ils se saisirent d'abord de notre argent, ou plutôt de celui de M. de G... M..., et nous ayant fait lever, brusquement, ils nous conduisirent à la porte, où nous trouvâmes deux carrosses, dans l'un desquels la pauvre Manon fut enlevée sans explication, et moi traîné dans l'autre à Saint-Lazare[1]. Il faut avoir éprouvé de tels revers, pour juger du désespoir qu'ils peuvent causer. Nos gardes eurent la dureté de ne me pas permettre d'embrasser Manon, ni de lui dire une parole. J'ignorai longtemps ce qu'elle était devenue. Ce fut sans doute un bonheur pour moi de ne l'avoir pas su d'abord, car une catastrophe si terrible m'aurait fait perdre le sens[2] et, peut-être, la vie.

Ma malheureuse maîtresse fut donc enlevée, à mes yeux, et menée dans une retraite[3] que j'ai horreur de nommer[a]. Quel sort pour une créature toute charmante, qui eût occupé le premier trône du monde, si tous les hommes eussent eu mes yeux et mon cœur ! On ne l'y traita pas barbarement ; mais elle fut resserrée dans une étroite prison, seule, et condamnée à remplir tous les jours une certaine tâche de travail, comme une condition nécessaire pour obtenir quelque dégoûtante

---

1. Ancienne léproserie concédée à des missionnaires pour accueillir des jeunes gens de famille internés à la demande de leurs parents pour mettre un terme à leurs désordres (dettes, mésalliances, débauches...) ou des prêtres dont la conduite ne correspondait pas à leur état. Saint-Lazare était situé hors Paris, au faubourg Saint-Denis. **2.** Perdre la raison. **3.** Le mot neutre dissimule une réalité plus sordide : l'hôpital de la Salpêtrière où l'on place les prostituées, tandis que les hommes débauchés sont internés à Bicêtre.

nourriture[1]. Je n'appris ce triste détail que longtemps
après, lorsque j'eus essuyé moi-même plusieurs mois
d'une rude et ennuyeuse pénitence. Mes gardes ne
m'ayant point averti non plus du lieu où ils avaient
ordre de me conduire, je ne connus mon destin qu'à
la porte de Saint-Lazare. J'aurais préféré la mort, dans
ce moment, à l'état où je me crus prêt[2] de tomber.
J'avais de terribles idées de cette maison. Ma frayeur
augmenta lorsqu'en entrant les gardes visitèrent une
seconde fois mes poches, pour s'assurer qu'il ne me
restait ni armes, ni moyen de défense. Le supérieur
parut à l'instant ; il était prévenu sur mon arrivée ; il
me salua avec beaucoup de douceur. Mon Père, lui
dis-je, point d'indignités[3]. Je perdrai mille vies avant
que d'en souffrir une. Non, non, monsieur, me
répondit-il ; vous prendrez une conduite sage, et nous
serons contents l'un de l'autre. Il me pria de monter
dans une chambre haute[4]. Je le suivis sans résistance.
Les archers nous accompagnèrent jusqu'à la porte, et
le supérieur, y étant entré avec moi, leur fit signe de
se retirer.

   Je suis donc votre prisonnier ! lui dis-je. Eh bien,

---

   1. Il y avait une dizaine de milliers de pensionnaires à la Salpêtrière : des pauvres, des malades, des aliénés placés là à la suite
du Grand Renfermement de la fin du XVIIe siècle (voir Michel
Foucault, *Histoire de la folie*), et des détenus à perpétuité ou pour
une peine à durée déterminée, enfin des femmes condamnées pour
prostitution ou libertinage. Ces détenues devaient travailler pour
obtenir leur nourriture.   **2.** Voir note 5, page 102.   **3.** Les châtiments corporels et plus spécialement le fouet.   **4.** Située dans la
partie supérieure du bâtiment.

mon Père, que prétendez-vous faire de moi ? Il me dit
qu'il était charmé de me voir prendre un ton raisonnable ; que son devoir serait de travailler à m'inspirer
le goût de la vertu et de la religion, et le mien, de
profiter de ses exhortations et de ses conseils ; que,
pour peu que je voulusse répondre aux attentions qu'il
aurait pour moi, je ne trouverais que du plaisir[a] dans
ma solitude. Ah ! du plaisir ! repris-je ; vous ne savez
pas, mon Père, l'unique chose qui est capable de m'en
faire goûter ! Je le sais, reprit-il ; mais j'espère que
votre inclination changera. Sa réponse me fit
comprendre qu'il était instruit de mes aventures, et
peut-être de mon nom. Je le priai de m'éclaircir[1]. Il
me dit naturellement qu'on l'avait informé de tout.

Cette connaissance fut le plus rude de tous mes châtiments. Je me mis à verser un ruisseau de larmes, avec
toutes les marques d'un affreux désespoir. Je ne pouvais me consoler d'une humiliation qui allait me rendre
la fable de toutes les personnes de ma connaissance,
et la honte de ma famille. Je passai ainsi huit jours
dans le plus profond abattement sans être capable de
rien entendre, ni de m'occuper d'autre chose que de
mon opprobre. Le souvenir même de Manon n'ajoutait
rien à ma douleur. Il n'y entrait, du moins, que comme
un sentiment qui avait précédé cette nouvelle peine, et
la passion dominante de mon âme était la honte et la
confusion. Il y a peu de personnes qui connaissent la
force de ces mouvements particuliers du cœur. Le

---

1. On dit éclaircir quelqu'un pour dire l'instruire d'une vérité,
d'une chose dont il doutait (R).

commun des hommes n'est sensible qu'à cinq ou six
passions, dans le cercle desquelles leur vie se passe,
et où toutes leurs agitations se réduisent. Ôtez-leur
l'amour et la haine, le plaisir et la douleur, l'espérance
et la crainte, ils ne sentent plus rien. Mais les personnes d'un caractère plus noble[1a] peuvent être
remuées de mille façons différentes ; il semble
qu'elles aient plus de cinq sens, et qu'elles puissent
recevoir des idées et des sensations qui passent les
bornes ordinaires de la nature ; et comme elles ont un
sentiment de cette grandeur qui les élève au-dessus du
vulgaire[2], il n'y a rien dont elles soient plus jalouses.
De là vient qu'elles souffrent si impatiemment le
mépris et la risée, et que la honte est une de leurs plus
violentes passions.

J'avais ce triste avantage à Saint-Lazare. Ma tristesse parut si excessive au supérieur, qu'en
appréhendant les suites[3], il crut devoir me traiter avec
beaucoup de douceur et d'indulgence. Il me visitait
deux ou trois fois le jour. Il me prenait souvent avec
lui, pour faire un tour de jardin, et son zèle s'épuisait[4]
en exhortations et en avis salutaires[5]. Je les recevais

---

1. Illustre, relevé au-dessus des autres choses du même genre.
Une âme noble et généreuse (A).   **2.** Le vulgaire est ici le peuple
ou ceux, de quelque état qu'ils soient, qui n'ont pas plus de
lumières que le peuple (A). Il existe une aristocratie du sentiment
pour des Grieux.   **3.** Suicide ou mélancolie excessive qui est alors
considérée comme une sorte de folie.   **4.** L'abondance excessive
de ses conseils et de ses exhortations est ici soulignée par l'emploi
du verbe « s'épuiser ».   **5.** Utiles, avantageux pour la conservation de la vie, des biens, de l'honneur, de la santé, pour le salut de
l'âme (A).

avec douceur ; je lui marquais même de la reconnaissance. Il en tirait l'espoir de ma conversion. Vous êtes
d'un naturel si doux et si aimable, me dit-il un jour,
que je ne puis comprendre les désordres dont on vous
accuse. Deux choses m'étonnent : l'une, comment,
avec de si bonnes qualités, vous avez pu vous livrer à
l'excès du libertinage ; et l'autre que j'admire encore
plus, comment vous recevez si volontiers mes conseils
et mes instructions, après avoir vécu plusieurs années
dans l'habitude du désordre. Si c'est repentir, vous
êtes un exemple signalé [1] des miséricordes du Ciel ; si
c'est bonté naturelle, vous avez du moins un excellent
fond de caractère [a], qui me fait espérer que nous
n'aurons pas besoin de vous retenir ici longtemps,
pour vous ramener à une vie honnête et réglée. Je fus
ravi de lui voir cette opinion de moi. Je résolus de
l'augmenter par une conduite qui pût le satisfaire
entièrement, persuadé que c'était le plus sûr moyen
d'abréger ma prison. Je lui demandai des livres. Il fut
surpris que, m'ayant laissé le choix de ceux que je
voulais lire, je me déterminai pour quelques auteurs
sérieux. Je feignis de m'appliquer à l'étude avec le
dernier [2] attachement, et je lui donnai ainsi, dans
toutes les occasions, des preuves du changement qu'il
désirait.

Cependant il n'était qu'extérieur. Je dois le confesser
à ma honte, je jouai, à Saint-Lazare, un personnage
d'hypocrite [3]. Au lieu d'étudier, quand j'étais seul, je

---

1. Remarquable (R). **2.** Se prend aussi quelquefois pour ce
qu'il y a d'extrême en chaque genre, ou en bien ou en mal (A).
3. Ce n'est pas une nouveauté. Hypocrite ou disposé à l'être avec

ne m'occupais qu'à gémir de ma destinée ; je maudis-
sais ma prison et la tyrannie qui m'y retenait. Je n'eus
pas plutôt quelque relâche du côté de cet accablement
où m'avait jeté la confusion, que je retombai dans les
tourments de l'amour. L'absence de Manon, l'incertitude de son sort, la crainte de ne la revoir jamais étaient
l'unique objet de mes tristes méditations. Je me la
figurais dans les bras de G... M..., car c'était la pensée
que j'avais eue d'abord ; et, loin de m'imaginer qu'il
lui eût fait le même traitement qu'à moi, j'étais persuadé qu'il ne m'avait fait éloigner que pour la posséder tranquillement. Je passais ainsi des jours et des
nuits dont la longueur me paraissait éternelle. Je
n'avais d'espérance que dans le succès[a] de mon hypocrisie. J'observais soigneusement le visage et les discours du supérieur, pour m'assurer de ce qu'il pensait
de moi, et je me faisais une étude de lui plaire, comme
à l'arbitre[1] de ma destinée. Il me fut aisé de reconnaître
que j'étais parfaitement dans ses bonnes grâces. Je ne
doutai plus qu'il ne fût disposé à me rendre service.
Je pris un jour la hardiesse de lui demander si c'était
de lui que mon élargissement dépendait. Il me dit qu'il
n'en était pas absolument le maître, mais que, sur son
témoignage, il espérait que M. de G... M..., à la solli-
citation duquel M. le Lieutenant général de Police
m'avait fait renfermer[2], consentirait à me rendre la

Tiberge, avec ses parents, avec G... M..., c'est un rôle auquel des
Grieux se plie facilement.

1. Maître absolu (A).   **2.** Des Grieux et Manon ont été internés
par lettre de cachet. Sans jugement, à la demande des familles ou d'un
plaignant, pour une durée indéterminée. Après enquête, la lettre était

liberté. Puis-je me flatter, repris-je doucement, que deux mois de prison, que j'ai déjà essuyés, lui paraîtront une expiation suffisante ? Il me promit de lui en parler, si je le souhaitais. Je le priai instamment de me rendre ce bon office. Il m'apprit, deux jours après, que G... M... avait été si touché du bien qu'il avait entendu de moi, que non seulement il paraissait être dans le dessein de me laisser voir le jour, mais qu'il avait même marqué beaucoup d'envie de me connaître plus particulièrement, et qu'il se proposait de me rendre une visite dans ma prison. Quoique sa présence ne pût m'être agréable, je la regardai comme un acheminement[1] prochain à ma liberté.

Il vint effectivement à Saint-Lazare. Je lui trouvai l'air plus grave et moins sot qu'il ne l'avait eu dans la maison de Manon. Il me tint quelques discours de bon sens sur ma mauvaise conduite. Il ajouta, pour justifier apparemment ses propres désordres, qu'il était permis à la faiblesse des hommes de se procurer certains plaisirs que la nature exige, mais que la friponnerie et les artifices honteux méritaient d'être punis. Je l'écoutai avec un air de soumission dont il parut satisfait. Je ne m'offensai pas même de lui entendre lâcher quelques railleries sur ma fraternité avec Lescaut et Manon, et sur les petites chapelles dont il supposait, me dit-il, que j'avais dû faire un grand nombre à Saint-Lazare, puisque je trouvais tant de plaisir à cette pieuse

signée par le Ministre de la Maison du Roi ou par procuration par le Lieutenant général de Police.

1. Ce qui est propre à faire parvenir à la fin qu'on se propose, disposition, préparation (A).

occupation. Mais il lui échappa, malheureusement pour lui et pour moi-même, de me dire que Manon en aurait fait aussi, sans doute, de fort jolies à l'Hôpital. Malgré le frémissement que le nom d'Hôpital me causa, j'eus encore le pouvoir de le prier, avec douceur, de s'expliquer. Hé oui ! reprit-il, il y a deux mois qu'elle apprend la sagesse à l'Hôpital Général, et je souhaite qu'elle en ait tiré autant de profit que vous à Saint-Lazare.

Quand j'aurais eu [1] une prison éternelle, ou la mort même présente à mes yeux, je n'aurais pas été le maître de mon transport [2], à cette affreuse nouvelle. Je me jetai sur lui avec une si furieuse rage que j'en perdis la moitié de mes forces. J'en eus assez néanmoins pour le renverser par terre, et pour le prendre [a] à la gorge. Je l'étranglais, lorsque le bruit de sa chute, et quelques cris aigus [b], que je lui laissais à peine la liberté de pousser, attirèrent le supérieur et plusieurs religieux dans ma chambre. On le délivra de mes mains. J'avais presque perdu moi-même la force et la respiration. Ô Dieu ! m'écriai-je, en poussant mille soupirs ; justice du Ciel ! faut-il que je vive un moment, après une telle infamie ? Je voulus me jeter encore sur le barbare qui venait de m'assassiner. On m'arrêta. Mon désespoir, mes cris et mes larmes passaient toute imagination. Je fis des choses si étonnantes, que tous les assistants, qui en ignoraient la cause, se regardaient les uns les autres avec autant de frayeur que de surprise. M. de G... M... rajustait pendant ce temps-là sa perruque et sa cravate [3],

---

1. Quand bien même j'aurais été condamné à la prison à perpétuité.   **2.** Voir note 4, page 91.   **3.** Linge qui se met autour du

et dans le dépit d'avoir été si maltraité, il ordonnait au supérieur de me resserrer plus étroitement que jamais, et de me punir par tous les châtiments qu'on sait être propres à Saint-Lazare. Non, monsieur, lui dit le supérieur ; ce n'est point avec une personne de la naissance de M. le Chevalier que nous en usons de cette manière. Il est si doux, d'ailleurs, et si honnête, que j'ai peine à comprendre qu'il se soit porté à cet excès sans de fortes raisons. Cette réponse acheva de déconcerter M. de G... M... Il sortit en disant qu'il saurait faire plier et le supérieur, et moi, et tous ceux qui oseraient lui résister.

Le supérieur, ayant ordonné à ses religieux de le conduire, demeura seul avec moi. Il me conjura de lui apprendre promptement d'où venait ce désordre. Ô mon Père, lui dis-je, en continuant de pleurer comme un enfant, figurez-vous la plus horrible cruauté, imaginez-vous la plus détestable de toutes les barbaries, c'est l'action que l'indigne G... M... a eu la lâcheté de commettre. Oh ! il m'a percé le cœur. Je n'en reviendrai jamais. Je veux vous raconter tout, ajoutai-je en sanglotant. Vous êtes bon, vous aurez pitié de moi. Je lui fis un récit abrégé de la longue et insurmontable passion que j'avais pour Manon, de la situation florissante de notre fortune avant que nous eussions été dépouillés par nos propres domestiques, des offres que G... M... avait faites à ma maîtresse, de la conclusion de leur marché, et de la manière dont il avait été rompu.

---

cou et qui se noue par-devant (A). Ancêtre de la cravate moderne, mais plus proche du foulard de cou.

Je lui représentai les choses, à la vérité, du côté le plus
favorable pour nous : Voilà, continuai-je, de quelle
source est venu le zèle de M. de G... M... pour ma
conversion. Il a eu le crédit de me faire ici renfermer,
par un pur motif de vengeance. Je lui pardonne, mais,
mon Père, ce n'est pas tout : il a fait enlever cruellement la plus chère moitié de moi-même, il l'a fait
mettre honteusement à l'Hôpital, il a eu l'impudence
de me l'annoncer aujourd'hui de sa propre bouche. À
l'Hôpital, mon Père ! Ô Ciel ! ma charmante maîtresse,
ma chère reine à l'Hôpital, comme la plus infâme de
toutes les créatures ! Où trouverai-je assez de force
pour ne pas mourir de douleur et de honte[a] ? Le bon
Père, me voyant dans cet excès d'affliction[1], entreprit
de me consoler. Il me dit qu'il n'avait jamais compris
mon aventure de la manière dont je la racontais ; qu'il
avait su, à la vérité, que je vivais dans le désordre, mais
qu'il s'était figuré que ce qui avait obligé M. de
G... M... d'y prendre intérêt, était quelque liaison
d'estime et d'amitié avec ma famille ; qu'il ne s'en
était expliqué à lui-même que sur ce pied[2] ; que ce que
je venais de lui apprendre mettait beaucoup de changement dans mes affaires, et qu'il ne doutait point que
le récit fidèle qu'il avait dessein d'en faire à M. le
Lieutenant général de Police ne pût contribuer à ma
liberté. Il me demanda ensuite pourquoi je n'avais pas
encore pensé à donner de mes nouvelles[b] à ma famille,
puisqu'elle n'avait point eu de part à ma captivité. Je

---

1. Déplaisir et abattement d'esprit (R).   **2.** Le Père supérieur
avait compris l'internement de des Grieux à partir de ces éléments,
dans cette perspective.

satisfis à cette objection par quelques raisons prises de
la douleur que j'avais appréhendé de causer à mon
père, et de la honte que j'en aurais ressentie moi-même.
Enfin il me promit d'aller de ce pas chez le Lieutenant
de Police, ne fût-ce, ajouta-t-il, que pour prévenir[1]
quelque chose de pis, de la part de M. de G... M..., qui
est sorti de cette maison fort mal satisfait, et qui est
assez considéré pour se faire redouter.

J'attendis le retour du Père avec toutes les agitations
d'un malheureux qui touche au moment de sa sentence.
C'était pour moi un supplice inexprimable de me représenter Manon à l'Hôpital. Outre l'infamie de cette
demeure, j'ignorais de quelle manière elle y était
traitée, et le souvenir de quelques particularités que
j'avais entendues de cette maison d'horreur renouvelait
à tous moments mes transports. J'étais tellement résolu
de la secourir, à quelque prix et par quelque moyen
que ce pût être, que j'aurais mis le feu à Saint-Lazare,
s'il m'eût été impossible d'en sortir autrement. Je réfléchis donc sur les voies que j'avais à prendre, s'il
arrivait que le Lieutenant général de Police continuât
de m'y retenir malgré moi. Je mis mon industrie[2] à
toutes les épreuves ; je parcourus toutes les possibilités.
Je ne vis rien qui pût m'assurer d'une évasion certaine,
et je craignis d'être renfermé plus étroitement si je
faisais une tentative malheureuse. Je me rappelai le
nom de quelques amis, de qui je pouvais espérer du

---

1. On dit prévenir le mal, prévenir les maladies, les dangers
pour dire les détourner, empêcher par ses précautions qu'ils n'arrivent (R).   **2.** Dextérité, adresse à faire quelque chose (A). Peut se
prendre en mauvaise part (filouterie). Voir page 146.

secours ; mais quel moyen de leur faire savoir ma situation[a] ? Enfin, je crus avoir formé un plan si adroit qu'il
pourrait réussir, et je remis[1] à l'arranger encore mieux
après le retour du Père supérieur, si l'inutilité de sa
démarche me le rendait nécessaire. Il ne tarda point à
revenir. Je ne vis pas, sur son visage, les marques de
joie qui accompagnent une bonne nouvelle. J'ai parlé,
me dit-il, à M. le Lieutenant général de Police, mais
je lui ai parlé trop tard. M. de G... M... l'est allé voir
en sortant d'ici, et l'a si fort prévenu contre vous, qu'il
était sur le point de m'envoyer de nouveaux ordres
pour vous resserrer davantage.

Cependant, lorsque je lui ai appris le fond de vos
affaires, il a paru s'adoucir beaucoup, et riant un peu
de l'incontinence[2] du vieux M. de G... M..., il m'a dit
qu'il fallait vous laisser ici six mois pour le satisfaire ;
d'autant mieux, a-t-il dit, que cette demeure ne saurait
vous être inutile. Il m'a recommandé de vous traiter
honnêtement, et je vous réponds que vous ne vous
plaindrez point de mes manières.

Cette explication du bon supérieur fut assez longue
pour me donner le temps de faire une sage réflexion.
Je conçus que je m'exposerais à renverser mes desseins
si je lui marquais trop d'empressement pour ma liberté.
Je lui témoignai, au contraire, que dans la nécessité de
demeurer, c'était une douce consolation pour moi
d'avoir quelque part à son estime. Je le priai ensuite,
sans affectation, de m'accorder une grâce, qui n'était

---

1. Voir note 4, page 127 et note 1, page 160.   **2.** Le contraire
de la chasteté (R).

de nulle importance pour personne, et qui servirait beaucoup à ma tranquillité ; c'était de faire avertir un de mes amis, un saint ecclésiastique qui demeurait à Saint-Sulpice, que j'étais à Saint-Lazare, et de permettre que je reçusse quelquefois sa visite[a]. Cette faveur me fut accordée sans délibérer. C'était mon ami Tiberge dont il était question ; non que j'espérasse de lui les secours nécessaires pour ma liberté, mais je voulais l'y faire servir comme un instrument éloigné, sans qu'il en eût même connaissance[1]. En un mot, voici mon projet : je voulais écrire à Lescaut et le charger, lui et nos amis communs, du soin de me délivrer. La première difficulté était de lui faire tenir ma lettre ; ce devait être l'office de Tiberge. Cependant, comme il le connaissait pour le frère de ma maîtresse, je craignais qu'il n'eût peine[2] à se charger de cette commission. Mon dessein était de renfermer ma lettre à Lescaut dans une autre lettre que je devais adresser à un honnête homme de ma connaissance, en le priant de rendre promptement la première[b] à son adresse, et comme il était nécessaire que je visse Lescaut pour nous accorder dans nos mesures[3], je voulais lui marquer de venir à Saint-Lazare, et de demander à me voir sous le nom de mon frère aîné, qui était venu exprès à Paris pour prendre connaissance de mes affaires. Je remettais à convenir avec lui des moyens qui nous paraîtraient les plus expéditifs et les plus sûrs. Le Père supérieur fit avertir Tiberge du[c] désir que j'avais de l'entretenir. Ce

---

1. Encore une ruse pour duper le malheureux Tiberge. **2.** Au sens de *scrupule à se charger* (A). **3.** Se mettre d'accord sur un plan.

fidèle ami ne m'avait pas tellement perdu de vue qu'il ignorât mon aventure ; il savait que j'étais à Saint-Lazare, et peut-être n'avait-il pas été fâché de cette disgrâce qu'il croyait capable de[a] me ramener au devoir. Il accourut aussitôt à ma chambre.

Notre entretien fut plein d'amitié. Il voulut être informé de mes dispositions. Je lui ouvris mon cœur sans réserve, excepté sur le dessein de ma fuite. Ce n'est pas à vos yeux, cher ami, lui dis-je, que je veux paraître ce que je ne suis point. Si vous avez cru trouver ici un ami sage et réglé dans ses désirs, un libertin réveillé par les châtiments du Ciel, en un mot un cœur dégagé de l'amour et revenu[1] des charmes de sa Manon, vous avez jugé trop favorablement de moi. Vous me revoyez tel que vous me laissâtes il y a quatre mois : toujours tendre, et toujours malheureux par cette fatale tendresse dans laquelle je ne me lasse point de chercher mon bonheur.

Il me répondit que l'aveu que je faisais me rendait inexcusable ; qu'on voyait bien des pécheurs qui s'enivraient[2] du faux bonheur du vice jusqu'à le préférer hautement à celui de la vertu ; mais que c'était, du moins, à des images de bonheur qu'ils s'attachaient, et qu'ils étaient les dupes de l'apparence ; mais que, de reconnaître, comme je le faisais, que l'objet de mes attachements n'était propre qu'à me rendre coupable et malheureux, et de continuer à me précipiter volon-

---

1. On dit qu'un homme revient de ses erreurs, de ses opinions, des impressions qu'il a reçues, pour dire qu'il s'en désabuse (A). On dirait aujourd'hui *guéri de Manon*.   **2.** S'emplissaient l'esprit (Fu).

tairement dans l'infortune et dans le crime, c'était une contradiction d'idées et de conduite qui ne faisait pas honneur à ma raison.

Tiberge, repris-je, qu'il vous est aisé de vaincre, lorsqu'on n'oppose rien à vos armes ! Laissez-moi raisonner à mon tour. Pouvez-vous prétendre que ce que vous appelez le bonheur de la vertu soit exempt de peines, de traverses[1] et d'inquiétudes ? Quel nom donnerez-vous à la prison, aux croix, aux supplices et aux tortures des tyrans ? Direz-vous, comme font les mystiques, que ce qui tourmente le corps est un bonheur pour l'âme ? Vous n'oseriez le dire ; c'est un paradoxe insoutenable. Ce bonheur, que vous relevez tant, est donc mêlé de mille peines, ou pour parler plus juste, ce n'est qu'un tissu de malheurs au travers desquels on tend à la félicité. Or si la force de l'imagination fait trouver du plaisir dans ces maux mêmes, parce qu'ils peuvent conduire à un terme heureux qu'on espère, pourquoi traitez-vous de contradictoire et d'insensée, dans ma conduite, une disposition toute semblable ? J'aime Manon ; je tends au travers de mille douleurs à vivre heureux et tranquille auprès d'elle. La voie par où je marche est malheureuse ; mais l'espérance d'arriver à mon terme y répand toujours de la douceur, et je me croirai trop bien payé, par un moment passé avec elle, de tous les chagrins que j'essuie pour l'obtenir. Toutes choses me paraissent donc égales de votre côté et du mien ; ou

---

1. Figurément, obstacle, empêchement, opposition, affliction (R).

s'il y a quelque différence, elle est encore à mon avantage, car le bonheur que j'espère est proche, et l'autre
est éloigné ; le mien est de la nature des peines, c'est-
à-dire sensible au corps, et l'autre est d'une nature
inconnue, qui n'est certaine que par la foi.

Tiberge parut effrayé de ce raisonnement. Il recula
de deux pas, en me disant, de l'air le plus sérieux, que,
non seulement ce que je venais de dire blessait le bon
sens, mais que c'était un malheureux sophisme[1]
d'impiété et d'irréligion : car cette comparaison,
ajouta-t-il, du terme de vos peines avec celui qui est
proposé par la religion, est une idée des plus libertines
et des plus monstrueuses.

J'avoue, repris-je, qu'elle n'est pas juste ; mais
prenez-y garde, ce n'est pas sur elle que porte mon
raisonnement. J'ai eu dessein d'expliquer ce que vous
regardez comme une contradiction, dans la persévé-
rance d'un amour malheureux, et je crois avoir fort
bien prouvé que, si c'en est une, vous ne sauriez vous
en sauver plus que moi[2]. C'est à cet égard seulement
que j'ai traité les choses d'égales, et je soutiens encore
qu'elles le sont. Répondrez-vous que le terme de la
vertu est infiniment supérieur à celui de l'amour ? Qui
refuse d'en convenir ? Mais est-ce de quoi il est question ? Ne s'agit-il pas de la force qu'ils ont, l'un et
l'autre, pour faire supporter les peines ? Jugeons-en
par l'effet. Combien trouve-t-on de déserteurs de la
sévère vertu, et combien en trouverez-vous peu de

---

1. Faux raisonnement, qui est celui des impies et des ennemis
de la religion (R). **2.** « Se sauver » s'emploie aussi pour
échapper à une objection ou à une contradiction (R).

l'amour ? Répondrez-vous encore que, s'il y a des peines dans l'exercice du bien, elles ne sont pas infaillibles et nécessaires ; qu'on ne trouve plus de tyrans ni de croix, et qu'on voit quantité de personnes vertueuses mener une vie douce et tranquille ? Je vous dirai de même qu'il y a des amours paisibles et fortunés [1], et, ce qui fait encore une différence qui m'est extrêmement avantageuse, j'ajouterai que l'amour, quoiqu'il trompe assez souvent, ne promet du moins que des satisfactions et des joies, au lieu que la religion veut qu'on s'attende à une pratique triste et mortifiante [2]. Ne vous alarmez pas, ajoutai-je en voyant son zèle prêt à se chagriner. L'unique chose que je veux conclure ici, c'est qu'il n'y a point de plus mauvaise méthode pour dégoûter un cœur de l'amour, que de lui en décrier les douceurs et de lui promettre plus de bonheur dans l'exercice de la vertu. De la manière dont nous sommes faits, il est certain que notre félicité consiste dans le plaisir ; je défie qu'on s'en forme une autre idée ; or le cœur n'a pas besoin de se consulter longtemps pour sentir que, de tous les plaisirs, les plus doux sont ceux de l'amour. Il s'aperçoit bientôt qu'on le trompe lorsqu'on lui en promet ailleurs de plus charmants, et cette tromperie le dispose à se défier des promesses les plus solides. Prédicateurs, qui voulez me ramener à la vertu, dites-moi qu'elle est indispensablement nécessaire, mais ne me déguisez pas qu'elle est sévère et pénible [3]. Établissez bien que les délices de

---

1. Au sens de qui sont heureux (R), qui sont favorisés par le destin.   **2.** Qui mortifie en causant de la peine, du chagrin (A). **3.** Qui donne de la peine (A). Le mot *peine* a un sens plus fort

l'amour sont passagères, qu'elles sont défendues, qu'elles seront suivies par d'éternelles peines, et ce qui fera peut-être encore plus d'impression sur moi, que, plus elles sont douces et charmantes, plus le Ciel sera magnifique à récompenser un si grand sacrifice, mais confessez qu'avec des cœurs tels que nous les avons, elles sont ici-bas nos plus parfaites félicités.

Cette fin de mon discours rendit sa bonne humeur à Tiberge. Il convint qu'il y avait quelque chose de raisonnable dans mes pensées. La seule objection qu'il ajouta fut de me demander pourquoi je n'entrais pas du moins dans mes propres principes, en sacrifiant mon amour à l'espérance de cette rémunération dont je me faisais une si grande idée. Ô cher ami ! lui répondis-je, c'est ici que je reconnais ma misère et ma faiblesse. Hélas ! oui, c'est mon devoir d'agir comme je raisonne ! mais l'action est-elle en mon pouvoir ? De quels secours n'aurais-je pas besoin pour oublier les charmes de Manon ? Dieu me pardonne, reprit Tiberge, je pense que voici encore un de nos jansénistes. Je ne sais ce que je suis, répliquai-je, et je ne vois pas trop clairement ce qu'il faut être ; mais je n'éprouve que trop la vérité de ce qu'ils disent.

Cette conversation servit du moins à renouveler la pitié de mon ami. Il comprit qu'il y avait plus de faiblesse que de malignité dans mes désordres. Son amitié en fut plus disposée, dans la suite, à me donner des secours, sans lesquels j'aurais péri infailliblement de

---

qu'aujourd'hui. Il signifie douleur, affliction, souffrance, sentiment de quelque mal dans le corps ou dans l'esprit (A).

misère. Cependant, je ne lui fis pas la moindre ouverture[1] du dessein que j'avais de m'échapper de Saint-
Lazare. Je le priai seulement de se charger de ma lettre.
Je l'avais préparée, avant qu'il fût venu, et je ne manquai point de prétextes pour colorer[2] la nécessité où
j'étais d'écrire. Il eut la fidélité[3] de la porter exactement, et Lescaut reçut, avant la fin du jour, celle qui
était pour lui[a].

Il me vint voir le lendemain, et il passa heureusement[4] sous le nom de mon frère. Ma joie fut extrême[b]
en l'apercevant dans ma chambre. J'en fermai la porte
avec soin. Ne perdons pas un seul moment, lui dis-je ;
apprenez-moi d'abord des nouvelles de Manon, et
donnez-moi ensuite un bon conseil pour rompre mes
fers. Il m'assura qu'il n'avait pas vu sa sœur depuis le
jour qui avait précédé mon emprisonnement, qu'il
n'avait appris son sort et le mien qu'à force d'informations et de soins ; que, s'étant présenté deux ou trois
fois à l'Hôpital, on lui avait refusé la liberté de lui
parler. Malheureux G... M... ! m'écriai-je, que tu me
le paieras cher !

Pour ce qui regarde votre délivrance, continua Lescaut, c'est une entreprise moins facile que vous ne
pensez. Nous passâmes hier la soirée, deux de mes
amis et moi, à observer toutes les parties extérieures
de cette maison, et nous jugeâmes que, vos fenêtres
étant[5] sur une cour entourée de bâtiments, comme vous

---

1. Au sens ici d'*aveu* ou de *confidence*.   **2.** Excuser, couvrir
de quelque prétexte (R).   **3.** Voir note 2, page 133 et note 1,
page 250.   **4.** Avec bonheur (A). Avec succès (Fu).   **5.** Au sens
de *donnant sur*.

nous l'aviez marqué, il y aurait bien de la difficulté à
vous tirer de là. Vous êtes d'ailleurs au troisième étage,
et nous ne pouvons introduire ici ni cordes ni échelles.
Je ne vois donc nulle ressource du côté du dehors.
C'est dans la maison même qu'il faudrait imaginer
quelque artifice[1]. Non, repris-je ; j'ai tout examiné,
surtout depuis que ma clôture est un peu moins rigou-
reuse, par l'indulgence du supérieur. La porte de ma
chambre ne se ferme plus avec la clef, j'ai la liberté
de me promener dans les galeries des religieux ; mais
tous les escaliers sont bouchés par des portes épaisses,
qu'on a soin de tenir fermées la nuit et le jour, de sorte
qu'il est impossible que la seule adresse puisse me
sauver. Attendez, repris-je, après avoir un peu réfléchi
sur une idée qui me parut excellente, pourriez-vous
m'apporter un pistolet ? Aisément, me dit Lescaut ;
mais voulez-vous tuer quelqu'un ? Je l'assurai que
j'avais si peu dessein de tuer qu'il n'était pas même
nécessaire que le pistolet fût chargé[2]. Apportez-le-moi
demain, ajoutai-je, et ne manquez pas de vous trouver
le soir, à onze heures, vis-à-vis de la porte de cette
maison, avec deux ou trois de nos amis. J'espère que
je pourrai vous y rejoindre. Il me pressa en vain de lui
en apprendre davantage. Je lui dis qu'une entreprise,
telle que je la méditais, ne pouvait paraître raisonnable
qu'après avoir réussi. Je le priai d'abréger sa visite,
afin qu'il trouvât plus de facilité à me revoir le lendemain. Il fut admis avec aussi peu de peine que la

---

1. Art, manière ingénieuse [...] ce mot se prend en bonne et en
mauvaise part (R).   2. Des Grieux, après le meurtre du domestique, rappellera cette recommandation à Lescaut.

première fois. Son air était grave, il n'y a personne qui
ne l'eût pris pour un homme d'honneur.

Lorsque je me trouvai muni de l'instrument de ma
liberté, je ne doutai presque plus du succès de mon
projet. Il était bizarre et hardi ; mais de quoi n'étais-je
pas capable, avec les motifs qui m'animaient ? J'avais
remarqué, depuis qu'il m'était permis de sortir de ma
chambre et de me promener dans les galeries, que le
portier apportait chaque jour au soir les clefs de toutes
les portes au supérieur, et qu'il régnait ensuite un profond silence dans la maison, qui marquait[1] que tout le
monde était retiré. Je pouvais aller sans obstacle, par
une galerie de communication, de ma chambre à celle
de ce Père. Ma résolution était de lui prendre ses clefs,
en l'épouvantant avec mon pistolet s'il faisait difficulté
de me les donner, et de m'en servir pour gagner la rue.
J'en attendis le temps avec impatience. Le portier vint
à l'heure ordinaire, c'est-à-dire un peu après neuf
heures. J'en laissai passer encore une, pour m'assurer
que tous les religieux et les domestiques étaient
endormis. Je partis enfin, avec mon arme et une chandelle allumée. Je frappai d'abord doucement à la porte
du Père, pour l'éveiller sans bruit. Il m'entendit au
second coup, et s'imaginant, sans doute, que c'était
quelque religieux qui se trouvait mal et qui avait besoin
de secours, il se leva pour m'ouvrir. Il eut, néanmoins,
la précaution de demander, au travers de la porte, qui
c'était et ce qu'on voulait de lui. Je fus obligé de me
nommer[a], mais j'affectai un ton plaintif, pour lui faire

---

1. Voir note 1, page 140.

comprendre que je ne me trouvais pas bien. Ah ! c'est vous, mon cher fils, me dit-il, en ouvrant la porte ; qu'est-ce donc[a] qui vous amène si tard ? J'entrai dans sa chambre, et l'ayant tiré à l'autre bout opposé à la porte, je lui déclarai qu'il m'était impossible de demeurer plus longtemps à Saint-Lazare ; que la nuit était un temps commode pour sortir sans être aperçu, et que j'attendais de son amitié qu'il consentirait à m'ouvrir les portes, ou à me prêter ses clefs pour les ouvrir moi-même.

Ce compliment[1] devait le surprendre. Il demeura quelque temps à me considérer, sans me répondre. Comme je n'en avais pas à perdre, je repris la parole pour lui dire que j'étais fort touché de toutes ses bontés, mais que, la liberté étant le plus cher de tous les biens, surtout pour moi à qui on la ravissait injustement, j'étais résolu de me la procurer cette nuit même, à quelque prix que ce fût ; et de peur qu'il ne lui prît envie d'élever la voix pour appeler du secours, je lui fis voir une honnête raison[2] de silence, que je tenais sous mon juste-au-corps. Un pistolet ! me dit-il. Quoi ! mon fils, vous voulez m'ôter la vie, pour reconnaître[3] la considération que j'ai eue pour vous ? À Dieu ne plaise, lui répondis-je. Vous avez trop d'esprit et de raison pour me mettre dans cette nécessité ; mais je veux être libre, et j'y suis si résolu que, si mon projet manque par votre faute, c'est fait de vous absolument. Mais, mon cher fils, reprit-il d'un air pâle et effrayé,

---

1. Emploi ironique du mot.   **2.** Une bonne raison. Mais ici l'emploi d'« honnête » est ironique.   **3.** Avoir de la gratitude, de la reconnaissance (R).

que vous ai-je fait ? quelle raison avez-vous de vouloir ma mort ? Eh non ! répliquai-je avec impatience. Je n'ai pas dessein de vous tuer, si vous voulez vivre. Ouvrez-moi la porte, et je suis le meilleur de vos amis. J'aperçus les clefs qui étaient sur sa table. Je les pris et je le priai de me suivre, en faisant le moins de bruit qu'il pourrait. Il fut obligé de s'y résoudre. À mesure que nous avancions et qu'il ouvrait une porte, il me répétait avec un soupir : Ah ! mon fils, ah ! qui l'aurait cru ? Point de bruit, mon Père, répétais-je de mon côté à tout moment. Enfin nous arrivâmes à une espèce de barrière, qui est avant la grande porte de la rue. Je me croyais déjà libre*ᵃ* et j'étais derrière le Père, avec ma chandelle dans une main et mon pistolet dans l'autre. Pendant qu'il s'empressait d'ouvrir, un domestique, qui couchait dans une petite chambre voisine, entendant le bruit de quelques verrous, se lève et met la tête à sa porte. Le bon Père le crut apparemment capable de m'arrêter. Il lui ordonna, avec beaucoup d'imprudence, de venir à son secours. C'était un puissant coquin[1], qui s'élança sur moi sans balancer. Je ne le marchandai[2] point ; je lui lâchai le coup au milieu de la poitrine. Voilà de quoi vous êtes cause, mon Père, dis-je assez fièrement à mon guide. Mais que cela ne vous empêche point d'achever, ajoutai-je en le pous-

---

1. Misérable, sans cœur et sans honneur (R). Le domestique qui ne fait que son devoir ne mérite pas d'être appelé coquin. Il s'agit d'une formule aristocratique de mépris pour un valet, mais plus sûrement encore des Grieux juge comme un coquin tout ce qui s'oppose à sa liberté et à sa prochaine réunion avec Manon. **2.** Ne pas marchander quelqu'un, ne pas l'épargner (Littré).

sant vers la dernière porte. Il n'osa refuser de l'ouvrir. Je sortis heureusement et je trouvai, à quatre pas, Lescaut qui m'attendait avec deux amis, suivant sa promesse.

Nous nous éloignâmes. Lescaut me demanda s'il n'avait pas entendu tirer un pistolet. C'est votre faute, lui dis-je ; pourquoi me l'apportiez-vous[1] chargé ? Cependant je le remerciai d'avoir eu cette précaution, sans laquelle j'étais sans doute à Saint-Lazare pour longtemps. Nous allâmes passer la nuit chez un traiteur[2], où je me remis un peu de la mauvaise chère que j'avais faite depuis près de trois mois. Je ne pus néanmoins m'y livrer au plaisir. Je souffrais mortellement dans Manon[3]. Il faut la délivrer, dis-je à mes trois amis. Je n'ai souhaité la liberté que dans cette vue. Je vous demande le secours de votre adresse[4] ; pour moi, j'y emploierai jusqu'à ma vie. Lescaut, qui ne manquait pas d'esprit et de prudence, me représenta qu'il fallait aller bride en main[5] ; que mon évasion de Saint-Lazare, et le malheur qui m'était arrivé en sortant, causeraient infailliblement du bruit ; que le Lieutenant général de Police me ferait chercher, et qu'il avait les bras longs[6] ; enfin, que si je ne voulais pas être exposé

---

1. On attendrait ici : *me l'avez-vous apporté chargé ?*   **2.** Celui qui apprête, qui donne habituellement à manger pour de l'argent (A).   **3.** L'amour est ici décrit comme fusion des êtres.   **4.** Subtilité, fourberie, quand on prend le mot en mauvaise part (R).   **5.** Terme d'équitation. À une allure modérée.   **6.** On dit figurément de quelqu'un qu'il a les bras longs pour dire que son pouvoir, son crédit s'étend bien loin, et qu'on ne l'offense pas impunément (A).

à quelque chose de pis que S[aint]-Lazare, il était à propos de me tenir couvert et renfermé [1] pendant quelques jours, pour laisser au premier feu de mes ennemis le temps de s'éteindre. Son conseil était sage, mais il aurait fallu l'être aussi pour le suivre. Tant de lenteur et de ménagement ne s'accordait pas avec ma passion. Toute ma complaisance se réduisit à lui promettre que je passerais le jour suivant à dormir. Il m'enferma dans sa chambre, où je demeurai jusqu'au soir.

J'employai une partie de ce temps à former des projets et des expédients [2] pour secourir Manon. J'étais bien persuadé que sa prison était encore plus impénétrable que n'avait été la mienne. Il n'était pas question de force et de violence, il fallait de l'artifice ; mais la déesse même de l'invention n'aurait pas su par où[a] commencer. J'y vis si peu de jour [3], que je remis à considérer mieux les choses lorsque j'aurais pris quelques informations sur l'arrangement intérieur de l'Hôpital.

Aussitôt que la nuit m'eut rendu la liberté[b], je priai Lescaut de m'accompagner. Nous liâmes conversation avec un des portiers, qui nous parut homme de bon sens. Je feignis d'être un étranger qui avait entendu parler avec admiration de l'Hôpital Général, et de l'ordre qui s'y observe. Je l'interrogeai sur les plus minces détails, et de circonstances en circonstances, nous tombâmes sur les administrateurs, dont je le priai

---

1. Couvert : dissimulé, caché (A). Renfermé : soigneusement caché. **2.** Par expédients on entend les moyens de terminer une affaire (A). **3.** Voir note 3, page 85.

de m'apprendre les noms et les qualités. Les réponses qu'il me fit sur ce dernier article me firent naître une pensée dont je m'applaudis [1] aussitôt, et que je ne tardai point à mettre en œuvre. Je lui demandai, comme une chose essentielle à mon dessein, si ces messieurs avaient des enfants. Il me dit qu'il ne pouvait pas m'en rendre un compte certain, mais que, pour M. de T..., qui était un des principaux [2], il lui connaissait un fils en âge d'être marié, qui était venu plusieurs fois à l'Hôpital avec son père. Cette assurance me suffisait. Je rompis presque aussitôt notre entretien, et je fis part à Lescaut, en retournant chez lui, du dessein que j'avais conçu [a]. Je m'imagine, lui dis-je, que M. de T... le fils, qui est riche et de bonne famille, est dans un certain goût de plaisirs, comme la plupart des jeunes gens de son âge. Il ne saurait être ennemi des femmes, ni ridicule au point de refuser ses services pour une affaire d'amour. J'ai formé le dessein de l'intéresser à la liberté de Manon. S'il est honnête homme, et qu'il ait des sentiments [3], il nous accordera son secours [4] par générosité. S'il n'est point capable d'être conduit par ce motif, il fera du moins quelque chose pour une fille aimable, ne fût-ce que par l'espérance d'avoir part à ses faveurs. Je ne veux pas différer de le voir, ajoutai-je, plus longtemps que jusqu'à demain. Je me sens si consolé par ce projet, que j'en tire un bon augure [5]. Lescaut convint lui-même qu'il y avait de la

---

1. Me félicitai (A).   **2.** Il s'agirait selon certains commentateurs du Prévôt des marchands, Trudaine.   **3.** Au sens d'avoir de l'honneur et de la générosité (R).   **4.** Voir note 2, page 136. **5.** Présage.

vraisemblance dans mes idées, et que nous pouvions espérer quelque chose par cette voie[a]. J'en passai la nuit moins tristement.

Le matin étant venu, je m'habillai le plus proprement qu'il me fut possible, dans l'état d'indigence où j'étais, et je me fis conduire dans un fiacre à la maison de M. de T... Il fut surpris de recevoir la visite d'un inconnu. J'augurai bien de sa physionomie et de ses civilités[1]. Je m'expliquai naturellement[2] avec lui, et pour échauffer ses sentiments naturels, je lui parlai de ma passion et du mérite de ma maîtresse comme de deux choses qui ne pouvaient être égalées que l'une par l'autre. Il me dit que, quoiqu'il n'eût jamais vu Manon, il avait entendu parler d'elle, du moins s'il s'agissait de celle qui avait été la maîtresse du vieux G... M... Je ne doutai point qu'il ne fût informé de la part que j'avais eue à cette aventure, et pour le gagner de plus en plus, en me faisant un mérite de ma confiance, je lui racontai le détail de tout ce qui était arrivé à Manon et à moi. Vous voyez, monsieur, continuai-je, que l'intérêt de ma vie et celui de mon cœur sont maintenant entre vos mains. L'un ne m'est pas plus cher que l'autre. Je n'ai point de réserve avec vous, parce que je suis informé de votre générosité, et que la ressemblance de nos âges me fait espérer qu'il s'en trouvera quelqu'une dans nos inclinations. Il parut fort sensible à cette marque d'ouverture et de candeur. Sa réponse fut celle d'un homme qui a du monde[3] et

---

1. Manière honnête de vivre et de converser dans le monde (A). Mot proche de politesse. **2.** Franchement. **3.** Voir note 3, page 163.

des sentiments ; ce que le monde ne donne pas toujours et qu'il fait perdre souvent. Il me dit qu'il mettait ma visite au rang de ses bonnes fortunes, qu'il regarderait mon amitié comme une de ses plus heureuses acquisitions, et qu'il s'efforcerait de la mériter par l'ardeur de ses services[a]. Il ne promit pas de me rendre Manon, parce qu'il n'avait, me dit-il, qu'un crédit médiocre et mal assuré ; mais il m'offrit de me procurer le plaisir de la voir, et de faire tout ce qui serait en sa puissance pour la remettre entre mes bras. Je fus plus satisfait de cette incertitude[b] de son crédit que je ne l'aurais été d'une pleine assurance de remplir tous mes désirs. Je trouvai, dans la modération de ses offres, une marque de franchise dont je fus charmé. En un mot, je me promis tout[c] de ses bons offices. La seule promesse de me faire voir Manon m'aurait fait tout entreprendre pour lui. Je lui marquai quelque chose de ces sentiments, d'une manière qui le persuada aussi que je n'étais pas d'un mauvais naturel. Nous nous embrassâmes avec tendresse, et nous devînmes amis, sans autre raison que la bonté de nos cœurs et une simple disposition qui porte un homme tendre et généreux à aimer un autre homme qui lui ressemble. Il poussa les marques de son estime bien plus loin, car, ayant combiné mes aventures[1], et jugeant qu'en sortant de S[aint]-Lazare je ne devais pas me trouver à mon aise, il m'offrit sa bourse, et il me pressa de l'accepter. Je ne l'acceptai point ; mais je lui dis : C'est trop, mon cher Monsieur. Si, avec tant de bonté et d'amitié, vous

---

1. Ayant réfléchi à mes aventures.

me faites revoir ma chère Manon, je vous suis attaché pour toute ma vie. Si vous me rendez tout à fait cette chère créature, je ne croirai pas être quitte en versant tout mon sang pour vous servir.

Nous ne nous séparâmes qu'après être convenus du temps et du lieu où nous devions nous retrouver. Il eut la complaisance de ne pas me remettre plus loin que l'après-midi du même jour. Je l'attendis dans un café, où il vint me rejoindre vers les quatre heures, et nous prîmes ensemble le chemin de l'Hôpital. Mes genoux étaient tremblants en traversant les cours. Puissance d'amour ! disais-je, je reverrai donc l'idole[a] de mon cœur, l'objet de tant de pleurs et d'inquiétudes ! Ciel ! conservez-moi assez de vie pour aller jusqu'à elle, et disposez après cela de ma fortune[1] et de mes jours ; je n'ai plus d'autre grâce à vous demander.

M. de T... parla à quelques concierges[2] de la maison qui s'empressèrent de lui offrir tout ce qui dépendait d'eux pour sa satisfaction. Il se fit montrer le quartier où Manon avait sa chambre, et l'on nous y conduisit avec une clef d'une grandeur effroyable, qui servit à ouvrir sa porte. Je demandai au valet qui nous menait, et qui était celui qu'on avait chargé du soin de la servir, de quelle manière elle avait passé le temps dans cette demeure. Il nous dit que c'était une douceur angélique[3] ; qu'il n'avait jamais reçu d'elle un mot de dureté ; qu'elle avait versé continuellement des larmes pendant les six premières semaines après son arrivée,

---

1. Destin, sort.   **2.** Geôlier qui a soin de la garde de la porte d'une prison (A).   **3.** La formulation « c'était une douceur... » est populaire.

mais que, depuis quelque temps, elle paraissait prendre
son malheur avec plus de patience, et qu'elle était
occupée à coudre du matin jusqu'au soir, à la réserve
de quelques heures qu'elle employait à la lecture. Je
lui demandai encore si elle avait été entretenue proprement[1]. Il m'assura que le nécessaire, du moins, ne
lui avait jamais manqué.

Nous approchâmes de sa porte. Mon cœur battait
violemment. Je dis à M. de T... : Entrez seul et pré-
venez-la sur[2] ma visite, car j'appréhende qu'elle ne
soit trop saisie[3] en me voyant tout d'un coup. La porte
nous fut ouverte. Je demeurai dans la galerie. J'entendis néanmoins leurs discours. Il lui dit qu'il venait
lui apporter un peu de consolation, qu'il était de mes
amis, et qu'il prenait beaucoup d'intérêt à notre bonheur. Elle lui demanda, avec le plus vif empressement,
si elle apprendrait de lui ce que j'étais devenu. Il lui
promit de m'amener à ses pieds, aussi tendre, aussi
fidèle qu'elle pouvait le désirer. Quand ? reprit-elle.
Aujourd'hui même, lui dit-il ; ce bienheureux moment
ne tardera point ; il va paraître à l'instant si vous le
souhaitez. Elle comprit que j'étais à la porte. J'entrai,
lorsqu'elle y accourait avec précipitation. Nous nous
embrassâmes avec cette effusion de tendresse qu'une
absence de trois mois fait trouver si charmante à de
parfaits amants. Nos soupirs, nos exclamations interrompues, mille noms d'amour répétés languissamment

---

1. Entretenir signifie fournir les choses nécessaires à la subsis-
tance (A). Proprement au sens de *correctement* (G). Voir note 2,
page 202.   2. Prévenir quelqu'un de quelque chose, sur quelque
chose (A).   3. « Être saisi » pour dire *être frappé subitement* (A).

de part et d'autre, formèrent, pendant un quart d'heure, une scène qui attendrissait M. de T... Je vous porte envie [1], me dit-il, en nous faisant asseoir ; il n'y a point de sort glorieux auquel je ne préférasse une maîtresse si belle et si passionnée. Aussi mépriserais-je tous les empires du monde, lui répondis-je, pour m'assurer le bonheur d'être aimé d'elle.

Tout le reste d'une conversation si désirée ne pouvait manquer d'être infiniment tendre. La pauvre Manon me raconta ses aventures, et je lui appris les miennes. Nous pleurâmes amèrement en nous entretenant de l'état où elle était, et de celui d'où je ne faisais que sortir. M. de T... nous consola par de nouvelles promesses de s'employer ardemment pour finir nos misères. Il nous conseilla de ne pas rendre cette première entrevue trop longue, pour lui donner plus de facilité à nous en procurer d'autres. Il eut beaucoup de peine à nous faire goûter ce conseil ; Manon, surtout, ne pouvait se résoudre à me laisser partir. Elle me fit remettre cent fois sur ma chaise ; elle me retenait par les habits et par les mains. Hélas ! dans quel lieu me laissez-vous ! disait-elle. Qui peut m'assurer de vous revoir ? M. de T... lui promit de [a] la venir voir souvent avec moi. Pour le lieu, ajouta-t-il agréablement, il ne faut plus l'appeler l'Hôpital ; c'est Versailles, depuis qu'une personne qui mérite l'empire de tous les cœurs [2] y est renfermée.

---

1. « Porter envie à quelqu'un » pour dire simplement *souhaiter un bonheur pareil au sien, sans en avoir de déplaisir* (A). **2.** Qui mérite d'exercer son empire sur tous les cœurs.

Je fis, en sortant, quelques libéralités[1] au valet qui
la servait pour l'engager à lui rendre ses soins avec
zèle. Ce garçon avait l'âme moins basse et moins dure
que ses pareils. Il avait été témoin de notre entrevue ;
ce tendre spectacle l'avait touché. Un louis d'or, dont
je lui fis présent, acheva de me l'attacher. Il me prit à
l'écart, en descendant dans les cours. Monsieur, me
dit-il, si vous me voulez prendre à votre service, ou
me donner une honnête récompense pour me dédom-
mager de la perte de l'emploi que j'occupe ici, je crois
qu'il me sera facile de délivrer Mademoiselle Manon.
J'ouvris l'oreille à cette proposition, et quoique je fusse
dépourvu de tout, je lui fis des promesses fort au-
dessus de ses désirs. Je comptais bien qu'il me serait
toujours aisé de récompenser un homme de cette
étoffe[2]. Sois persuadé, lui dis-je, mon ami, qu'il n'y a
rien que je ne fasse pour toi, et que ta fortune est aussi
assurée que la mienne. Je voulus savoir quels moyens
il avait dessein d'employer. Nul autre, me dit-il, que
de lui ouvrir le soir la porte de sa chambre, et de vous
la conduire jusqu'à celle de la rue, où il faudra que
vous soyez prêt à la recevoir. Je lui demandai s'il n'était
point à craindre qu'elle ne fût reconnue en traversant
les galeries et les cours. Il confessa qu'il y avait
quelque danger, mais il me dit qu'il fallait bien risquer
quelque chose. Quoique je fusse ravi de le voir si
résolu, j'appelai M. de T... pour lui communiquer ce
projet, et la seule raison qui semblait pouvoir le rendre

---

1. Don que fait une personne généreuse (A). Ici des Grieux
achète tout simplement les services du valet.   **2.** Condition. *Un
homme de petite, de basse étoffe* (A).

douteux. Il y trouva plus de difficulté que moi. Il convint qu'elle pouvait absolument s'échapper de cette manière ; mais, si elle est reconnue, continua-t-il, si elle est arrêtée en fuyant[a], c'est peut-être fait d'elle pour toujours[1]. D'ailleurs, il vous faudrait donc quitter Paris sur-le-champ, car vous ne seriez jamais assez caché aux recherches. On les redoublerait, autant par rapport à vous qu'à elle. Un homme s'échappe aisément, quand il est seul, mais il est presque impossible de demeurer inconnu avec une jolie femme. Quelque solide que me parût ce raisonnement, il ne put l'emporter, dans mon esprit, sur un espoir si proche de mettre Manon en liberté. Je le dis à M. de T..., et je le priai de pardonner un peu d'imprudence et de témérité à l'amour. J'ajoutai que mon dessein était, en effet, de quitter Paris, pour m'arrêter, comme je l'avais déjà fait, dans quelque village voisin[b]. Nous convînmes donc, avec le valet, de ne pas remettre son entreprise plus loin qu'au jour suivant, et pour la rendre aussi certaine qu'il était en notre pouvoir, nous résolûmes d'apporter des habits d'homme, dans la vue[2] de faciliter notre sortie. Il n'était pas aisé de les faire entrer, mais je ne manquai pas d'invention pour en trouver le moyen. Je priai seulement M. de T... de mettre le lendemain deux vestes légères l'une sur l'autre, et je me chargeai de tout le reste.

Nous retournâmes le matin à l'Hôpital. J'avais avec moi, pour Manon, du linge, des bas, etc., et par-dessus

---

1. Elle risquerait d'être condamnée à la déportation.
2. S'emploie au même titre que *en vue de* (R).

mon juste-au-corps, un surtout[1] qui ne laissait rien voir de trop enflé dans mes poches. Nous ne fûmes qu'un moment dans sa chambre. M. de T... lui laissa une de ses deux vestes ; je lui donnai mon justaucorps, le surtout me suffisant pour sortir. Il ne se trouva rien de manque à son ajustement, excepté la culotte[2] que j'avais malheureusement oubliée. L'oubli de cette pièce nécessaire nous eût, sans doute, apprêtés[3] à rire si l'embarras où il nous mettait eût été moins sérieux. J'étais au désespoir qu'une bagatelle de cette nature fût capable de nous arrêter. Cependant, je pris mon parti, qui fut de sortir moi-même sans culotte. Je laissai la mienne à Manon. Mon surtout était long, et je me mis, à l'aide de quelques épingles, en état de passer décemment à la porte. Le reste du jour me parut d'une longueur insupportable. Enfin, la nuit étant venue, nous nous rendîmes un peu au-dessous de la porte de l'Hôpital, dans un carrosse. Nous n'y fûmes pas long-temps sans voir Manon paraître avec son conducteur. Notre portière étant ouverte, ils montèrent tous deux à l'instant. Je reçus ma chère maîtresse dans mes bras. Elle tremblait comme une feuille. Le cocher me demanda où il fallait toucher[4]. Touche au bout du monde, lui dis-je, et mène-moi quelque part où je ne puisse jamais être séparé de Manon.

---

1. Le justaucorps est un vêtement à manches, sorte de redingote ajustée qui descend jusqu'aux genoux. Le surtout est une casaque que l'on met sur les autres habits (A).   **2.** La partie du vêtement qui couvre depuis la ceinture jusqu'aux genoux (A).   **3.** Disposé (A).   **4.** Frapper pour faire aller [...] *Touchez, cocher, allons plus vite* (A).

Ce transport, dont je ne fus pas le maître, faillit de m'attirer un fâcheux embarras. Le cocher fit réflexion à mon langage[a], et lorsque je lui dis ensuite le nom de la rue où nous voulions être conduits, il me répondit qu'il craignait que je ne l'engageasse dans une mauvaise affaire, qu'il voyait bien que ce beau jeune homme, qui s'appelait Manon, était une fille que j'enlevais de l'Hôpital, et qu'il n'était pas d'humeur à se perdre pour l'amour de moi. La délicatesse[1] de ce coquin n'était qu'une envie de me faire payer la voiture plus cher. Nous étions trop près de l'Hôpital pour ne pas filer doux. Tais-toi, lui dis-je, il y a un louis d'or à gagner pour toi. Il m'aurait aidé, après cela, à brûler l'Hôpital même. Nous gagnâmes la maison où demeurait Lescaut. Comme il était tard, M. de T... nous quitta en chemin, avec promesse de nous revoir le lendemain. Le valet demeura seul avec nous.

Je tenais Manon si étroitement serrée entre mes bras que nous n'occupions qu'une place dans le carrosse. Elle pleurait de joie, et je sentais ses larmes qui mouillaient mon visage mais, lorsqu'il fallut descendre pour entrer chez Lescaut, j'eus avec le cocher un nouveau démêlé, dont les suites furent funestes. Je me repentis de lui avoir promis un louis, non seulement parce que le présent était excessif, mais par une autre raison bien plus forte, qui était l'impuissance de le payer. Je fis appeler Lescaut. Il descendit de sa chambre pour venir à la porte. Je lui dis à l'oreille dans quel embarras je me trouvais. Comme il était d'une humeur brusque, et

---

1. Bizarrerie scrupuleuse et raffinée (R).

nullement accoutumé à ménager un fiacre[1], il me
répondit que je me moquais. Un louis d'or ! ajouta-t-il.
Vingt coups de canne à ce coquin-là ! J'eus beau lui
représenter doucement qu'il allait nous perdre, il
m'arracha ma canne, avec l'air d'en vouloir maltraiter
le cocher. Celui-ci, à qui il était peut-être arrivé de
tomber quelquefois sous la main d'un garde du corps
ou d'un mousquetaire[2], s'enfuit de peur, avec son carrosse, en criant que je l'avais trompé, mais que j'aurais
de ses nouvelles. Je lui répétai inutilement d'arrêter.
Sa fuite me causa une extrême inquiétude. Je ne doutai
point qu'il n'avertît le commissaire. Vous me perdez,
dis-je à Lescaut. Je ne serais pas en sûreté chez vous ;
il faut nous éloigner dans le moment. Je prêtai le bras
à Manon pour marcher, et nous sortîmes promptement
de cette dangereuse rue. Lescaut nous tint compagnie.
C'est quelque chose d'admirable[3] que la manière dont
la Providence enchaîne les événements. À peine
avions-nous marché cinq ou six minutes, qu'un
homme, dont je ne découvris point le visage, reconnut
Lescaut. Il le cherchait sans doute aux environs de chez
lui, avec le malheureux dessein qu'il exécuta. C'est
Lescaut, dit-il, en lui lâchant un coup de pistolet ; il
ira souper ce soir avec les anges. Il se déroba aussitôt.
Lescaut tomba, sans le moindre mouvement de vie. Je
pressai Manon de fuir, car nos secours étaient inutiles

---

1. Le mot désigne à la fois le véhicule et son conducteur. Voir
note 3, page 231.   **2.** Les gardes du corps : gardes du roi (A) ;
mousquetaire : soldat à pied qui portait le mousquet (A).
3. Digne de surprise et d'étonnement (R).

à un cadavre, et je craignais d'être arrêté par le guet[1], qui ne pouvait tarder à paraître. J'enfilai, avec elle et le valet, la première petite rue qui croisait. Elle était si éperdue que j'avais de la peine à la soutenir. Enfin j'aperçus un fiacre au bout de la rue[a]. Nous y montâmes, mais lorsque le cocher me demanda où il fallait nous conduire, je fus embarrassé à lui répondre. Je n'avais point d'asile assuré ni d'ami de confiance à qui j'osasse avoir recours. J'étais sans argent, n'ayant guère plus d'une demi-pistole dans ma bourse. La frayeur et la fatigue avaient tellement incommodé Manon qu'elle était à demi pâmée près de moi. J'avais, d'ailleurs, l'imagination remplie du meurtre de Lescaut, et je n'étais pas encore sans appréhension de la part du guet. Quel parti prendre ? Je me souvins heureusement de l'auberge de Chaillot, où j'avais passé quelques jours avec Manon, lorsque nous étions allés dans ce village pour y demeurer. J'espérai non seulement d'y être en sûreté, mais d'y pouvoir vivre quelque temps sans être pressé de payer. Mène-nous à Chaillot, dis-je au cocher. Il refusa d'y aller si tard, à moins d'une pistole : autre sujet d'embarras. Enfin nous convînmes de six francs ; c'était toute la somme qui restait dans ma bourse.

Je consolais Manon, en avançant ; mais, au fond, j'avais le désespoir dans le cœur. Je me serais donné mille fois la mort, si je n'eusse pas eu, dans mes bras, le seul bien qui m'attachait à la vie. Cette seule pensée me remettait. Je la tiens du moins, disais-je ; elle

---

1. Corps de police urbaine chargé de la surveillance de nuit.

m'aime, elle est à moi. Tiberge a beau dire, ce n'est pas là un fantôme de bonheur. Je verrais périr tout l'univers sans y prendre intérêt. Pourquoi ? Parce que je n'ai plus d'affection de reste. Ce sentiment était vrai ; cependant, dans le temps que je faisais si peu de cas des biens du monde, je sentais que j'aurais eu besoin d'en avoir du moins une petite partie, pour mépriser encore plus souverainement tout le reste. L'amour est plus fort que l'abondance [1], plus fort que les trésors et les richesses, mais il a besoin de leur secours ; et rien n'est plus désespérant, pour un amant délicat, que de se voir ramené par là, malgré lui, à la grossièreté des âmes les plus basses.

Il était onze heures quand nous arrivâmes à Chaillot. Nous fûmes reçus à l'auberge comme des personnes de connaissance ; on ne fut pas surpris de voir Manon en habit d'homme, parce qu'on est accoutumé, à Paris et aux environs, de voir prendre aux femmes toutes sortes de formes. Je la fis servir aussi proprement [2] que si j'eusse été dans la meilleure fortune. Elle ignorait que je fusse mal en argent ; je me gardai bien de lui en rien apprendre, étant résolu de retourner seul à Paris, le lendemain, pour chercher quelque remède à cette fâcheuse [3] [a] espèce de maladie.

Elle me parut pâle et maigrie, en soupant. Je ne m'en étais point aperçu à l'Hôpital, parce que la chambre où je l'avais vue n'était pas des plus claires. Je lui demandai si ce n'était point encore un effet de la

_____

1. Grande quantité (A). Ici de richesses, comme dans l'expression *vivre dans l'abondance*.   **2.** D'une manière agréable et convenable (A). Voir note 1, page 194.   **3.** Mauvaise, dangereuse.

frayeur qu'elle avait eue en voyant assassiner son frère. Elle m'assura que, quelque touchée qu'elle fût de cet accident, sa pâleur ne venait que d'avoir essuyé pendant trois mois mon absence. Tu m'aimes donc extrêmement ? lui répondis-je. Mille fois plus que je ne puis dire, reprit-elle. Tu ne me quitteras donc plus jamais ? ajoutai-je. Non, jamais, répliqua-t-elle ; et cette assurance fut confirmée par tant de caresses et de serments, qu'il me parut impossible, en effet, qu'elle pût jamais les oublier. J'ai toujours été persuadé qu'elle était sincère ; quelle raison aurait-elle eue de se contrefaire jusqu'à ce point ? Mais elle était encore plus volage, ou plutôt elle n'était plus rien, et elle ne se reconnaissait pas elle-même, lorsque, ayant devant les yeux des femmes qui vivaient dans l'abondance, elle se trouvait dans la pauvreté et dans le besoin [1]. J'étais à la veille d'en avoir une dernière preuve qui a surpassé toutes les autres, et qui a produit la plus étrange aventure qui soit jamais arrivée à un homme de ma naissance et de ma fortune.

Comme je la connaissais de cette humeur, je me hâtai le lendemain d'aller à Paris. La mort de son frère et la nécessité d'avoir du linge et des habits pour elle et pour moi étaient de si bonnes raisons que je n'eus pas besoin de prétextes. Je sortis de l'auberge, avec le dessein, dis-je à Manon et à mon hôte, de prendre un carrosse de louage ; mais c'était une gasconnade [2]. La nécessité m'obligeant d'aller à pied, je marchai fort

---

1. Force d'expression pour dépeindre la dépendance matérielle à laquelle est soumise la moralité de Manon. **2.** Fanfaronnade (R).

vite jusqu'au Cours-la-Reine[1], où j'avais dessein de m'arrêter. Il fallait bien prendre un moment de solitude et de tranquillité pour m'arranger et prévoir ce que j'allais faire à Paris.

Je m'assis sur l'herbe. J'entrai dans une mer de raisonnements et de réflexions, qui se réduisirent peu à peu à trois principaux articles. J'avais besoin d'un secours[2] présent, pour un nombre infini de nécessités présentes. J'avais à chercher quelque voie qui pût, du moins, m'ouvrir des espérances pour l'avenir[a], et ce qui n'était pas de moindre importance, j'avais des informations et des mesures à prendre pour la sûreté de Manon et pour la mienne. Après m'être épuisé en projets et en combinaisons sur ces trois chefs[3], je jugeai encore à propos d'en retrancher les deux derniers. Nous n'étions pas mal à couvert, dans une chambre de Chaillot, et pour les besoins futurs, je crus qu'il serait temps d'y penser lorsque j'aurais satisfait aux présents.

Il était donc question de remplir actuellement ma bourse. M. de T... m'avait offert généreusement la sienne, mais j'avais une extrême répugnance à le remettre moi-même sur cette matière. Quel personnage, que d'aller exposer sa misère à un étranger, et de le prier de nous faire part de son bien[4] ! Il n'y a qu'une âme lâche qui en soit capable, par une bassesse

---

1. Avenue qui longeait la Seine en aval des Tuileries, et conduisait à Chaillot. Promenade à la mode au XVIIIᵉ siècle. 2. Aide, assistance dans le besoin (A). Voir note 2, page 136. 3. Articles (A). 4. Ici « nous faire part » signifie *nous donner une part de son bien*.

qui l'empêche d'en sentir l'indignité, ou un chrétien humble, par un excès de générosité qui le rend supérieur à cette honte. Je n'étais ni un homme lâche, ni un bon chrétien ; j'aurais donné la moitié de mon sang pour éviter cette humiliation [1]. Tiberge, disais-je, le bon Tiberge, me refusera-t-il ce qu'il aura le pouvoir de[a] me donner ? Non, il sera touché de ma misère ; mais il m'assassinera par sa morale. Il faudra essuyer ses reproches, ses exhortations, ses menaces ; il me fera acheter ses secours si cher, que je donnerais encore une partie de mon sang plutôt que de m'exposer à cette scène fâcheuse qui me laissera du trouble et des remords. Bon ! reprenais-je, il faut donc renoncer à tout espoir, puisqu'il ne me reste point d'autre voie, et que je suis si éloigné de m'arrêter à ces deux-là, que je verserais plus volontiers la moitié de mon sang que d'en prendre une, c'est-à-dire tout mon sang plutôt que de les prendre toutes deux ? Oui, mon sang tout entier, ajoutai-je, après une réflexion d'un moment ; je le donnerais plus volontiers, sans doute, que de me réduire à de basses supplications[b]. Mais il s'agit bien ici de mon sang ! Il s'agit de la vie et de l'entretien [2] de Manon, il s'agit de son amour et de sa fidélité. Qu'ai-je à mettre en balance avec elle ? Je n'y ai rien mis jusqu'à présent. Elle me tient lieu de gloire, de bonheur et de fortune. Il y a bien des choses, sans doute, que je donnerais ma vie pour obtenir ou pour éviter, mais estimer une chose plus que ma vie n'est pas une raison pour l'estimer

---

1. Une fois encore des Grieux rappelle des principes pour mieux ensuite les bafouer.   **2.** Ce que l'on donne à quelqu'un pour vivre et pour s'habiller (A). Ce que cette personne coûte pour cela.

autant que Manon. Je ne fus pas longtemps à me déterminer, après ce raisonnement. Je continuai mon
chemin, résolu d'aller d'abord chez Tiberge, et de là
chez M. de T...

En entrant à Paris, je pris un fiacre, quoique je
n'eusse pas de quoi le payer ; je comptais sur les
secours que j'allais solliciter. Je me fis conduire au
Luxembourg, d'où j'envoyai avertir Tiberge que j'étais
à l'attendre. Il satisfit mon impatience par sa promptitude. Je lui appris l'extrémité de mes besoins, sans
nul détour. Il me demanda si les cent pistoles que je
lui avais rendues me suffiraient, et, sans m'opposer un
seul mot de difficulté, il me les alla chercher[a] dans le
moment, avec cet air ouvert[1] et ce plaisir à donner qui
n'est connu que de l'amour et de la véritable amitié.
Quoique je n'eusse pas eu le moindre doute du succès
de ma demande, je fus surpris de l'avoir obtenue à si
bon marché, c'est-à-dire sans qu'il m'eût querellé sur
mon impénitence[2]. Mais je me trompais, en me croyant
tout à fait quitte de ses reproches, car lorsqu'il eut
achevé de me compter son argent et que je me préparais
à le quitter, il me pria de faire avec lui un tour d'allée.
Je ne lui avais point parlé de Manon ; il ignorait qu'elle
fût en liberté ; ainsi sa morale ne tomba que sur la fuite
téméraire de Saint-Lazare et sur la crainte où il était
qu'au lieu de profiter des leçons de sagesse que j'y
avais reçues, je ne reprisse le train du désordre. Il me
dit qu'étant allé pour me visiter à Saint-Lazare, le

---

1. On dit qu'un homme a le visage ouvert, qu'il a la physionomie
ouverte, pour dire qu'il a l'air franc et sincère (A).   **2.** Endurcissement dans le péché (R).

lendemain de mon évasion, il avait été frappé au-delà de toute expression en apprenant la manière dont j'en étais sorti ; qu'il avait eu là-dessus un entretien avec le Supérieur ; que ce bon Père n'était pas encore remis de son effroi ; qu'il avait eu néanmoins la générosité de déguiser à M. le Lieutenant général de Police les circonstances de mon départ[a], et qu'il avait empêché que la mort du portier[1] ne fût connue au-dehors ; que je n'avais donc, de ce côté-là, nul sujet d'alarme, mais que, s'il me restait le moindre sentiment de sagesse, je profiterais de cet heureux tour que le Ciel donnait à mes affaires ; que je devais commencer par écrire à mon père, et me remettre bien avec lui ; et que, si je voulais suivre une fois son conseil, il était d'avis que je quittasse Paris, pour retourner dans le sein de ma famille.

J'écoutai son discours jusqu'à la fin. Il y avait là bien des choses satisfaisantes. Je fus ravi, première-ment, de n'avoir rien à craindre du côté de Saint-Lazare. Les rues de Paris me redevenaient un pays libre. En second lieu, je m'applaudis de ce que Tiberge n'avait pas la moindre idée de la délivrance de Manon et de son retour avec moi. Je remarquais même qu'il avait évité de me parler d'elle, dans l'opinion, appa-remment, qu'elle me tenait moins au cœur, puisque je paraissais si tranquille sur son sujet. Je résolus, sinon de retourner dans ma famille, du moins d'écrire à mon père, comme il me le conseillait, et de lui témoigner

---

1. Celui qui est chargé d'ouvrir les grilles (A). Sorte de concierge.

que j'étais disposé à rentrer dans l'ordre de mes devoirs
et de ses volontés. Mon espérance était de l'engager à
m'envoyer de l'argent, sous prétexte de faire mes exercices à l'Académie [1], car j'aurais eu peine à lui persuader que je fusse dans la disposition de retourner à
l'état ecclésiastique. Et dans le fond, je n'avais nul
éloignement [2] pour ce que je voulais lui promettre.
J'étais bien aise, au contraire, de m'appliquer à quelque
chose d'honnête et de raisonnable, autant que ce dessein pourrait s'accorder avec mon amour. Je faisais
mon compte [3] de vivre avec ma maîtresse, et de faire
en même temps mes exercices ; cela était fort compa-
tible. Je fus si satisfait de toutes ces idées que je promis
à Tiberge de faire partir, le jour même, une lettre pour
mon père. J'entrai effectivement dans un bureau d'écriture [4], en le quittant, et j'écrivis d'une manière si tendre
et si soumise, qu'en relisant ma lettre, je me flattai
d'obtenir quelque chose du cœur paternel.

Quoique je fusse en état de prendre et de payer un
fiacre après avoir quitté Tiberge, je me fis un plaisir
de marcher fièrement [5] à pied en allant chez M. de T...
Je trouvais de la joie dans cet exercice de ma liberté,
pour laquelle mon ami m'avait assuré qu'il ne me

---

1. Voir note 2, page 90.   **2.** On dit qu'une personne ne
s'éloigne pas de quelque chose, pour dire qu'elle n'y témoigne pas
de répugnance, ou même qu'elle y a de la disposition (A).
3. *Faire son compte*, pour dire se proposer, s'attendre à, espérer
que (A).   **4.** Lieu dans lequel on trouvait table, papier, encre et
plumes, tout le nécessaire pour écrire, mais aussi des écrivains
publics, qui rédigeaient des lettres pour les illettrés.   **5.** D'une
manière hautaine et altière. *Il marche fièrement* (A).

restait rien à craindre. Cependant il me revint tout d'un coup à l'esprit que ses assurances ne regardaient que Saint-Lazare, et que j'avais, outre cela, l'affaire de l'Hôpital sur les bras, sans compter la mort de Lescaut, dans laquelle j'étais mêlé, du moins comme témoin. Ce souvenir m'effraya si vivement que je me retirai dans la première allée [1], d'où je fis appeler un carrosse. J'allai droit chez M. de T..., que je fis rire de ma frayeur. Elle me parut risible à moi-même, lorsqu'il m'eut appris que je n'avais rien à craindre du côté de l'Hôpital, ni de celui de Lescaut. Il me dit que, dans la pensée qu'on pourrait le soupçonner d'avoir eu part à l'enlèvement de Manon, il était allé le matin à l'Hôpital, et qu'il avait demandé à la voir en feignant d'ignorer ce qui était arrivé ; qu'on était si éloigné de nous accuser, ou lui, ou moi, qu'on s'était empressé, au contraire, de lui apprendre cette aventure comme une étrange nouvelle, et qu'on admirait [2] qu'une fille aussi jolie que Manon eût pris le parti de fuir avec un valet : qu'il s'était contenté de répondre froidement qu'il n'en était pas surpris, et qu'on fait tout pour la liberté. Il continua de me raconter qu'il était allé de là chez Lescaut, dans l'espérance de m'y trouver avec ma charmante maîtresse ; que l'hôte de la maison, qui était un carrossier [3], lui avait protesté qu'il n'avait vu ni elle ni moi ; mais qu'il n'était pas étonnant que nous n'eussions point paru chez lui, si c'était pour Lescaut que nous devions y venir, parce que nous aurions sans

---

1. Passage pour entrer dans un corps de logis (R). **2.** Qu'on s'étonnait. **3.** Faiseur de carrosse, sellier carrossier (A).

doute appris qu'il venait d'être tué à peu près dans le
même temps. Sur quoi, il n'avait pas refusé d'expliquer
ce qu'il savait de la cause et des circonstances de cette
mort. Environ deux heures auparavant[a], un garde du
corps, des amis de Lescaut, l'était venu voir et lui avait
proposé de jouer. Lescaut avait gagné si rapidement
que l'autre s'était trouvé cent écus de moins en une
heure, c'est-à-dire tout son argent. Ce malheureux, qui
se voyait sans un sou, avait prié Lescaut de lui prêter
la moitié de la somme qu'il avait perdue ; et sur quelques difficultés nées à cette occasion, ils s'étaient
querellés avec une animosité extrême. Lescaut avait
refusé de sortir pour mettre l'épée à la main, et l'autre
avait juré, en le quittant, de lui casser la tête : ce qu'il
avait exécuté le soir même. M. de T... eut l'honnêteté
d'ajouter qu'il avait été fort inquiet par rapport à nous
et qu'il continuait de m'offrir ses services. Je ne
balançai point à lui apprendre le lieu de notre retraite.
Il me pria de trouver bon qu'il allât souper avec nous.

Comme il ne me restait qu'à prendre du linge et des
habits pour Manon, je lui dis que nous pouvions partir
à l'heure même, s'il voulait avoir la complaisance[1] de
s'arrêter un moment avec moi chez quelques marchands. Je ne sais s'il crut que je lui faisais cette
proposition dans la vue d'intéresser sa générosité, ou
si ce fut par le simple mouvement d'une belle âme[b],
mais ayant consenti à partir aussitôt, il me mena chez
les marchands qui fournissaient sa maison ; il me fit

---

1. Douceur, et facilité d'esprit, qui fait qu'on se conforme, qu'on
acquiesce aux sentiments, aux volontés d'autrui (A). Ici : l'amabi-
lité de s'arrêter...

choisir plusieurs étoffes d'un prix plus considérable que je ne me l'étais proposé, et lorsque je me disposais à les payer, il défendit absolument aux marchands de recevoir un sou de moi. Cette galanterie [1] se fit de si bonne grâce que je crus pouvoir en profiter sans honte. Nous prîmes ensemble le chemin de Chaillot, où j'arrivai avec moins d'inquiétude que je n'en étais parti.

Le chevalier des Grieux ayant employé plus d'une heure à ce récit, je le priai de prendre un peu de relâche [2], et de nous tenir compagnie à souper. Notre attention lui fit juger que nous l'avions écouté avec plaisir. Il[a] nous assura que nous trouverions quelque chose encore de plus intéressant dans la suite de son histoire, et lorsque nous eûmes fini de souper, il continua dans ces termes[b].

FIN DE LA PREMIÈRE PARTIE.

---

1. Manière civile et agréable de dire et de faire les choses (R).
2. Signifie aussi repos (A).

DEUXIÈME PARTIE

Ma présence et les politesses de M. de T... dissipèrent tout ce qui pouvait rester de chagrin à Manon.
Oublions nos terreurs passées, ma chère âme, lui dis-je
en arrivant, et recommençons à vivre plus heureux que
jamais. Après tout, l'amour est un bon maître ; la fortune ne saurait nous causer autant de peines qu'il nous
fait goûter de plaisirs. Notre souper fut une vraie scène
de joie. J'étais plus fier et plus content, avec Manon
et mes cent pistoles, que le plus riche partisan [1] de Paris
avec ses trésors entassés. Il faut compter ses richesses
par les moyens qu'on a de satisfaire ses désirs. Je n'en
avais pas un seul à remplir ; l'avenir même me causait
peu d'embarras. J'étais presque sûr que mon père ne
ferait pas difficulté de me donner de quoi vivre honorablement à Paris, parce qu'étant dans ma vingtième
année, j'entrais en droit [2] d'exiger ma part du bien de
ma mère. Je ne cachai point à Manon que le fond de

---

1. Financiers qui passaient des parties ou traités par lesquels ils
prenaient à ferme la perception des impôts, moyennant le versement anticipé d'une somme forfaitaire. Ils étaient unanimement
détestés de l'opinion. **2.** Au sens d'être en droit d'exiger.

mes richesses n'était que de cent pistoles. C'était assez pour attendre tranquillement une meilleure fortune, qui semblait ne me pouvoir manquer soit par mes droits naturels[1] ou par les ressources du jeu[a].

Ainsi, pendant les premières semaines, je ne pensai qu'à jouir de ma situation ; et la force de l'honneur, autant qu'un reste de ménagement[2] pour la police, me faisait remettre de jour en jour à renouer avec les associés de l'hôtel de T... ; je me réduisis à jouer dans quelques assemblées moins décriées, où la faveur du sort m'épargna l'humiliation d'avoir recours à l'industrie[3]. J'allais passer à la ville une partie de l'après-midi, et je revenais souper à Chaillot, accompagné fort souvent de M. de T..., dont l'amitié croissait de jour en jour pour nous. Manon trouva des ressources contre l'ennui. Elle se lia, dans le voisinage, avec quelques jeunes personnes que le printemps y avait ramenées. La promenade et les petits exercices de leur sexe faisaient alternativement leur occupation. Une partie de jeu, dont elles avaient réglé les bornes, fournissait aux frais de la voiture. Elles allaient prendre l'air au bois de Boulogne[4], et le soir, à mon retour, je retrouvais Manon plus belle, plus contente, et plus passionnée que jamais.

Il s'éleva néanmoins quelques nuages, qui semblè-

---

1. Les droits qui lui permettent à sa majorité d'entrer en possession de l'héritage de sa mère, dont le père de des Grieux avait l'usufruit.   **2.** Égard que l'on a pour quelqu'un (A). Méfiance, respect envers la police.   **3.** Voir page 146 (« la Ligue de l'Industrie »), et note 2, page 175.   **4.** Forêt sise autour des villages d'Auteuil et de Boulogne et qui s'étendait jusqu'à Chaillot. Elle servait de promenade aux cavaliers et aux carrosses.

rent menacer l'édifice de mon bonheur. Mais ils furent
nettement dissipés, et l'humeur folâtre de Manon rendit
le dénouement si comique, que je trouve encore de la
douceur dans un souvenir qui me représente sa tendresse et les agréments de son esprit.

Le seul valet qui composait notre domestique [1] me
prit un jour à l'écart pour me dire, avec beaucoup
d'embarras, qu'il avait un secret d'importance à me
communiquer. Je l'encourageai à parler librement.
Après quelques détours, il me fit entendre qu'un seigneur étranger semblait avoir pris beaucoup d'amour
pour Mademoiselle Manon. Le trouble de mon sang se
fit sentir dans toutes mes veines. En a-t-elle pour lui ?
interrompis-je plus brusquement que la prudence ne
permettait pour m'éclaircir. Ma vivacité l'effraya. Il
me répondit, d'un air inquiet, que sa pénétration n'avait
pas été si loin, mais qu'ayant observé, depuis plusieurs
jours, que cet étranger venait assidûment au bois de
Boulogne, qu'il y descendait de son carrosse, et que,
s'engageant seul dans les contre-allées [2], il paraissait
chercher l'occasion de voir ou de rencontrer mademoiselle, il lui était venu à l'esprit de faire quelque liaison
avec ses gens, pour apprendre le nom de leur maître ;
qu'ils le traitaient de prince italien, et qu'ils le soup-
çonnaient eux-mêmes de quelque aventure galante ;
qu'il n'avait pu se procurer d'autres lumières, ajouta-
t-il en tremblant, parce que le Prince, étant alors sorti
du Bois, s'était approché familièrement de lui, et lui

---

1. La domesticité.   **2.** Allée latérale et parallèle à une allée
principale (A).

avait demandé son nom ; après quoi, comme s'il eût deviné qu'il était à notre service, il l'avait félicité d'appartenir à la plus charmante personne du monde.

J'attendais impatiemment la suite de ce récit. Il le finit par des excuses timides, que je n'attribuai qu'à mes imprudentes agitations. Je le pressai en vain de continuer sans déguisement. Il me protesta qu'il ne savait rien de plus, et que, ce qu'il venait de me raconter étant arrivé le jour précédent, il n'avait pas revu les gens du Prince. Je le rassurai, non seulement par des éloges, mais par une honnête [1] récompense, et sans lui marquer la moindre défiance de Manon, je lui recommandai, d'un ton plus tranquille, de veiller sur toutes les démarches de l'étranger.

Au fond, sa frayeur me laissa de cruels doutes. Elle pouvait lui avoir fait supprimer une partie de la vérité. Cependant, après quelques réflexions, je revins de mes alarmes, jusqu'à regretter d'avoir donné cette marque de faiblesse. Je ne pouvais faire un crime à Manon d'être aimée. Il y avait beaucoup d'apparence qu'elle ignorait sa conquête ; et quelle vie allais-je mener si j'étais capable d'ouvrir si facilement l'entrée de mon cœur à la jalousie ? Je retournai à Paris le jour suivant, sans avoir formé d'autre dessein que de hâter le progrès de ma fortune en jouant plus gros jeu, pour me mettre en état de quitter Chaillot au premier sujet d'inquiétude. Le soir, je n'appris rien de nuisible à mon repos. L'étranger avait reparu au bois de Boulogne, et prenant

---

1. Ce mot est chez Prévost d'un emploi complexe. Voir la note du Glossaire établi par D. P.

droit [1] de ce qui s'y était passé la veille pour se rapprocher de mon confident, il lui avait parlé de son
amour, mais dans des termes qui ne supposaient aucune
intelligence avec Manon. Il l'avait interrogé sur mille
détails. Enfin, il avait tenté de le mettre dans ses intérêts par des promesses considérables, et tirant une lettre
qu'il tenait prête, il lui avait offert inutilement quelques
louis d'or pour la rendre à sa maîtresse.

Deux jours se passèrent sans aucun autre incident.
Le troisième fut plus orageux. J'appris, en arrivant de
la ville assez tard, que Manon, pendant sa promenade,
s'était écartée un moment de ses compagnes, et que
l'étranger, qui la suivait à peu de distance, s'étant
approché d'elle au signe qu'elle lui en avait fait, elle
lui avait remis une lettre qu'il avait reçue avec des
transports de joie. Il n'avait eu le temps de les exprimer
qu'en baisant amoureusement les caractères, parce
qu'elle s'était aussitôt dérobée. Mais elle avait paru
d'une gaieté extraordinaire pendant le reste du jour, et
depuis qu'elle était rentrée au logis, cette humeur ne
l'avait pas abandonnée. Je frémis, sans doute [2], à
chaque mot. Es-tu bien sûr, dis-je tristement à mon
valet, que tes yeux ne t'aient pas trompé ? Il prit le
Ciel à témoin de sa bonne foi. Je ne sais à quoi les
tourments de mon cœur m'auraient porté si Manon,
qui m'avait entendu rentrer, ne fût venue au-devant de
moi avec un air d'impatience et des plaintes de ma
lenteur. Elle n'attendit point ma réponse pour m'accabler de caresses, et lorsqu'elle se vit seule avec moi,

---

1. Prenant prétexte de ce qui s'était passé.　　**2.** Assurément (A).

elle me fit des reproches fort vifs de l'habitude que je
prenais de revenir si tard. Mon silence lui laissant la
liberté de continuer, elle me dit que, depuis trois
semaines, je n'avais pas passé une journée entière avec
elle ; qu'elle ne pouvait soutenir de si longues
absences ; qu'elle me demandait du moins un jour, par
intervalles [1] ; et que, dès le lendemain, elle voulait me
voir près d'elle du matin au soir. J'y serai, n'en doutez
pas, lui répondis-je d'un ton assez brusque. Elle
marqua peu d'attention pour mon chagrin, et dans le
mouvement [2] de sa joie, qui me parut en effet d'une
vivacité singulière, elle me fit mille peintures plai-
santes de la manière dont elle avait passé le jour.
Étrange fille ! me disais-je à moi-même ; que dois-je
attendre de ce prélude ? L'aventure de notre première
séparation me revint à l'esprit. Cependant je croyais
voir, dans le fond de sa joie et de ses caresses, un air
de vérité qui s'accordait avec les apparences.

Il ne me fut pas difficile de rejeter la tristesse, dont
je ne pus me défendre pendant notre souper, sur une
perte que je me plaignis d'avoir faite au jeu. J'avais
regardé comme un extrême avantage que l'idée de ne
pas quitter Chaillot le jour suivant fût venue d'elle-
même. C'était gagner du temps pour mes délibéra-
tions [3]. Ma présence éloignait toutes sortes de craintes
pour le lendemain, et si je ne remarquais rien qui
m'obligeât de faire éclater mes découvertes, j'étais déjà
résolu de transporter, le jour d'après, mon établisse-

---

1. De temps en temps.   **2.** Voir note 3, page 154.   **3.** Consul-
tations (A).

ment à la ville, dans un quartier où je n'eusse rien à démêler avec les princes. Cet arrangement me fit passer une nuit plus tranquille, mais il ne m'ôtait pas la douleur d'avoir à trembler pour une nouvelle infidélité.

À mon réveil, Manon me déclara que, pour passer le jour dans notre appartement, elle ne prétendait pas que j'en eusse l'air plus négligé, et qu'elle voulait que mes cheveux fussent accommodés de ses propres mains. Je les avais fort beaux. C'était un amusement qu'elle s'était donné plusieurs fois ; mais elle y apporta plus de soin que je ne lui en avais jamais vu prendre. Je fus obligé, pour la satisfaire, de m'asseoir devant sa toilette, et d'essuyer toutes les petites recherches qu'elle imagina pour ma parure. Dans le cours de son travail, elle me faisait tourner souvent le visage vers elle, et s'appuyant des deux mains sur mes épaules, elle me regardait avec une curiosité avide. Ensuite, exprimant sa satisfaction par un ou deux baisers, elle me faisait reprendre ma situation pour continuer son ouvrage. Ce badinage nous occupa jusqu'à l'heure du dîner[1]. Le goût qu'elle y avait pris m'avait paru si naturel, et sa gaieté sentait si peu l'artifice, que ne pouvant concilier des apparences si constantes[2] avec le projet d'une noire trahison, je fus tenté plusieurs fois de lui ouvrir mon cœur, et de me décharger d'un fardeau qui commençait à me peser. Mais je me flattais, à chaque instant, que l'ouverture viendrait d'elle, et je m'en faisais d'avance un délicieux triomphe.

Nous rentrâmes dans son cabinet. Elle se mit à rajuster

---

1. Au sens actuel de déjeuner.   2. Certaines et sûres (Fé).

mes cheveux, et ma complaisance me faisait céder à toutes ses volontés, lorsqu'on vint l'avertir que le prince de... demandait à la voir. Ce nom m'échauffa jusqu'au transport. Quoi donc ? m'écriai-je en la repoussant. Qui ? Quel prince ? Elle ne répondit point à mes questions. Faites-le monter, dit-elle froidement au valet ; et se tournant vers moi : Cher amant, toi que j'adore, reprit-elle d'un ton enchanteur, je te demande un moment de complaisance, un moment, un seul moment. Je t'en aimerai mille fois plus. Je t'en saurai gré toute ma vie.

L'indignation et la surprise me lièrent la langue. Elle répétait ses instances [1], et je cherchais des expressions pour les rejeter avec mépris. Mais, entendant ouvrir la porte de l'antichambre, elle empoigna d'une main mes cheveux, qui étaient flottants sur mes épaules, elle prit de l'autre son miroir de toilette ; elle employa toute sa force pour me traîner dans cet état jusqu'à la porte du cabinet, et l'ouvrant du genou, elle offrit à l'étranger, que le bruit semblait avoir arrêté au milieu de la chambre, un spectacle qui ne dut pas lui causer peu d'étonnement. Je vis un homme fort bien mis, mais d'assez mauvaise mine [2]. Dans l'embarras où le jetait cette scène, il ne laissa pas de faire une profonde révérence. Manon ne lui donna pas le temps d'ouvrir la bouche. Elle lui présenta son miroir : Voyez, monsieur, lui dit-elle, regardez-vous bien, et rendez-moi justice. Vous me demandez de l'amour. Voici l'homme que j'aime, et que j'ai juré d'aimer toute ma vie. Faites la

---

1. L'instance est une sollicitude pressante (A).   **2.** La « mauvaise mine » signifie ici la laideur.

comparaison vous-même. Si vous croyez lui pouvoir disputer mon cœur, apprenez-moi donc sur quel fondement, car je vous déclare qu'aux yeux de votre servante très humble, tous les princes d'Italie ne valent pas un des cheveux que je tiens.

Pendant cette folle harangue, qu'elle avait apparemment méditée, je faisais des efforts inutiles pour me dégager, et prenant pitié d'un homme de considération, je me sentais porté à réparer ce petit outrage par mes politesses. Mais, s'étant remis assez facilement, sa réponse, que je trouvai un peu grossière, me fit perdre cette disposition. Mademoiselle, mademoiselle, lui dit-il avec un sourire forcé, j'ouvre en effet les yeux, et je vous trouve bien moins novice que je ne me l'étais figuré. Il se retira aussitôt sans jeter les yeux sur elle, en ajoutant, d'une voix plus basse, que les femmes de France ne valaient pas mieux que celles d'Italie. Rien ne m'invitait, dans cette occasion, à lui faire prendre une meilleure idée du beau sexe.

Manon quitta mes cheveux, se jeta dans un fauteuil, et fit retentir la chambre de longs éclats de rire. Je ne dissimulerai pas que je fus touché, jusqu'au fond du cœur, d'un sacrifice que je ne pouvais attribuer qu'à l'amour. Cependant la plaisanterie me parut excessive. Je lui en fis des reproches. Elle me raconta que mon rival, après l'avoir obsédée [1] pendant plusieurs jours au bois de Boulogne, et lui avoir fait deviner ses sentiments par des grimaces, avait pris le parti de lui en faire une

---

1. Être assidûment autour de quelqu'un, pour empêcher que d'autres s'en approchent, et pour se rendre maître de son esprit (A).

déclaration ouverte, accompagnée de son nom et de tous ses titres, dans une lettre qu'il lui avait fait remettre par le cocher qui la conduisait avec ses compagnes ; qu'il lui promettait, au-delà des monts [1], une brillante fortune et des adorations éternelles ; qu'elle était revenue à Chaillot dans la résolution de me communiquer cette aventure, mais qu'ayant conçu que nous en pouvions tirer de l'amusement, elle n'avait pu résister à son imagination ; qu'elle avait offert au Prince italien, par une réponse flatteuse, la liberté de la voir chez elle, et qu'elle s'était fait un second plaisir de me faire entrer dans son plan, sans m'en avoir fait naître le moindre soupçon. Je ne lui dis pas un mot des lumières qui m'étaient venues par une autre voie, et l'ivresse de l'amour triomphant me fit tout approuver.

J'ai remarqué, dans toute ma vie, que le Ciel a toujours choisi, pour me frapper de ses plus rudes châtiments, le temps où ma fortune me semblait le mieux établie. Je me croyais si heureux, avec l'amitié de M. de T... et la tendresse de Manon, qu'on n'aurait pu me faire comprendre que j'eusse à craindre quelque nouveau malheur [a]. Cependant, il s'en préparait un si funeste, qu'il m'a réduit à l'état où vous m'avez vu à Pacy, et par degrés [2] à des extrémités si déplorables que vous aurez peine à croire mon récit fidèle.

Un jour que nous avions M. de T... à souper, nous entendîmes le bruit d'un carrosse qui s'arrêtait à la porte de l'hôtellerie. La curiosité nous fit désirer de savoir qui pouvait arriver à cette heure. On nous dit

---

1. Au-delà des Alpes, en Italie.   2. Voir note 3, page 126.

que c'était le jeune G... M..., c'est-à-dire le fils de notre plus cruel ennemi, de ce vieux débauché qui m'avait mis à Saint-Lazare et Manon à l'Hôpital. Son nom me fit monter la rougeur au visage. C'est le Ciel qui me l'amène, dis-je à M. de T..., pour le punir de la lâcheté de son père. Il ne m'échappera pas que nous n'ayons mesuré nos épées. M. de T..., qui le connaissait et qui était même de ses meilleurs amis, s'efforça de me faire prendre d'autres sentiments pour lui. Il m'assura que c'était un jeune homme très aimable, et si peu capable d'avoir eu part à l'action de son père que je ne le verrais pas moi-même un moment sans lui accorder mon estime et sans désirer la sienne. Après avoir ajouté mille choses à son avantage, il me pria de consentir qu'il allât lui proposer de venir prendre place avec nous, et de s'accommoder du reste de notre souper. Il prévint l'objection du péril où c'était exposer Manon que de découvrir sa demeure au fils de notre ennemi, en protestant, sur son honneur et sur sa foi, que, lorsqu'il nous connaîtrait, nous n'aurions point de plus zélé défenseur. Je ne fis difficulté de rien, après de telles assurances. M. de T... ne nous l'amena point sans avoir pris un moment pour l'informer qui nous étions. Il entra d'un air qui nous prévint effectivement en sa faveur. Il m'embrassa. Nous nous assîmes. Il admira Manon, moi, tout ce qui nous appartenait, et il mangea d'un appétit qui fit honneur à notre souper. Lorsqu'on eut desservi, la conversation devint plus sérieuse. Il baissa les yeux pour nous parler de l'excès où son père s'était porté contre nous[a]. Il nous fit les excuses les plus soumises. Je les abrège, nous dit-il, pour ne pas renouveler un souvenir qui me cause trop de honte. Si elles étaient sincères dès le commencement, elles le devinrent bien plus dans la suite, car il n'eut pas passé une demi-heure dans cet entretien, que je m'aperçus de l'impression que les charmes de Manon faisaient sur lui. Ses regards et ses manières s'attendrirent par degrés. Il ne laissa rien échapper néanmoins dans ses discours, mais, sans être aidé de la jalousie, j'avais trop d'expérience en amour pour ne pas discerner ce qui venait de cette source. Il nous tint compagnie pendant une partie de la nuit, et il ne nous quitta qu'après s'être félicité de notre connaissance, et nous avoir demandé la permission de venir nous renouveler quelquefois l'offre de ses services. Il partit le matin avec M. de T..., qui se mit avec lui dans son carrosse.

Je ne me sentais, comme j'ai dit, aucun penchant à la jalousie. J'avais plus de crédulité que jamais pour les serments de Manon. Cette charmante créature était si absolument maîtresse de mon âme que je n'avais pas un seul petit sentiment qui ne fût de l'estime et de l'amour. Loin de lui faire un crime d'avoir plu au jeune G... M..., j'étais ravi de l'effet de ses charmes, et je m'applaudissais d'être aimé d'une fille que tout le monde trouvait aimable. Je ne jugeai pas même à propos de lui communiquer mes soupçons. Nous fûmes occupés, pendant quelques jours, du soin de faire ajuster [1] ses habits, et à délibérer si nous pouvions aller à la comédie sans appréhender d'être reconnus. M. de T... revint nous voir avant la fin de la semaine. Nous

---

1. Les mettre à la mesure, les retoucher.

le consultâmes là-dessus. Il vit bien qu'il fallait dire oui, pour faire plaisir à Manon. Nous résolûmes d'y aller le même soir avec lui.

Cependant cette résolution ne put s'exécuter, car m'ayant tiré aussitôt en particulier : Je suis, me dit-il[a], dans le dernier embarras depuis que je ne vous ai vu, et la visite que je vous fais aujourd'hui en est une suite. G... M... aime votre maîtresse. Il m'en a fait confidence. Je suis son intime ami, et disposé en tout à le servir ; mais je ne suis pas moins le vôtre. J'ai considéré que ses intentions sont injustes et je les ai condamnées. J'aurais gardé son secret s'il n'avait dessein d'employer, pour plaire, que les voies communes, mais il est bien informé de l'humeur de Manon. Il a su, je ne sais d'où, qu'elle aime l'abondance et les plaisirs, et comme il jouit déjà d'un bien considérable, il m'a déclaré qu'il veut la tenter d'abord par un très gros présent et par l'offre de dix mille livres de pension. Toutes choses égales, j'aurais peut-être eu beaucoup plus de violence à me faire pour le trahir, mais la justice s'est jointe en votre faveur à l'amitié ; d'autant plus qu'ayant été la cause imprudente de sa passion, en l'introduisant ici, je suis obligé de prévenir les effets du mal que j'ai causé.

Je remerciai M. de T... d'un service de cette importance, et je lui avouai, avec un parfait retour de confiance, que le caractère de Manon était tel que G... M... se le figurait, c'est-à-dire qu'elle ne pouvait supporter le nom de la pauvreté. Cependant, lui dis-je, lorsqu'il n'est question que du plus ou du moins, je ne la crois pas capable de m'abandonner pour un autre. Je suis en état de ne la laisser manquer de rien, et je compte que ma fortune va croître de jour en jour. Je ne crains qu'une chose, ajoutai-je, c'est que G... M... ne se serve de la connaissance qu'il a de notre demeure pour nous rendre quelque mauvais office[1]. M. de T... m'assura que je devais être sans appréhension de ce côté-là ; que G... M... était capable d'une folie amoureuse, mais qu'il ne l'était point d'une bassesse ; que s'il avait la lâcheté d'en commettre une, il serait le premier, lui qui parlait, à l'en punir et à réparer par là le malheur qu'il avait eu d'y donner occasion. Je vous suis obligé de ce sentiment, repris-je, mais le mal serait fait et le remède fort incertain. Ainsi le parti le plus sage est de le prévenir, en quittant Chaillot pour prendre une autre demeure. Oui, reprit M. de T... Mais vous aurez peine à le faire aussi promptement qu'il faudrait, car G... M... doit être ici à midi ; il me le dit hier, et c'est ce qui m'a porté à venir si matin, pour vous informer de ses vues. Il peut arriver à tout moment.

Un avis si pressant me fit regarder[a] cette affaire d'un œil plus sérieux. Comme il me semblait impossible d'éviter la visite de G... M..., et qu'il me le serait aussi, sans doute, d'empêcher qu'il ne s'ouvrît à Manon, je pris le parti de la prévenir moi-même sur le dessein de ce nouveau rival. Je m'imaginai que, me sachant instruit des propositions qu'il lui ferait, et les recevant à mes yeux, elle aurait assez de force pour les rejeter. Je découvris ma pensée à M. de T..., qui me répondit que cela était extrêmement délicat. Je l'avoue, lui dis-je, mais

---

1. On dit rendre de mauvais offices à un homme, pour dire le desservir auprès de quelqu'un (A).

toutes les raisons qu'on peut avoir d'être sûr d'une maîtresse, je les ai de compter sur l'affection de la mienne.
Il n'y aurait que la grandeur des offres qui pût l'éblouir,
et je vous ai dit qu'elle ne connaît point l'intérêt. Elle
aime ses aises, mais elle m'aime aussi, et, dans la situation où sont mes affaires, je ne saurais croire qu'elle me
préfère le fils d'un homme qui l'a mise à l'Hôpital. En
un mot, je persistai dans mon dessein, et m'étant retiré
à l'écart avec Manon, je lui déclarai naturellement[1] tout
ce que je venais d'apprendre.

Elle me remercia de la bonne opinion que j'avais
d'elle, et elle me promit de recevoir les offres de G... M...
d'une manière qui lui ôterait l'envie de les renouveler.
Non, lui dis-je, il ne faut pas l'irriter par une brusquerie.
Il peut nous nuire. Mais tu sais assez, toi, friponne,
ajoutai-je en riant, comment te défaire d'un amant désa-
gréable ou incommode[2]. Elle reprit, après avoir un peu
rêvé : Il me vient un dessein admirable, s'écria-t-elle, et
je suis toute glorieuse[3] de l'invention. G... M... est le fils
de notre plus cruel ennemi ; il faut nous venger du père,
non pas sur le fils, mais sur sa bourse. Je veux l'écouter,
accepter ses présents, et me moquer de lui. Le projet est
joli, lui dis-je, mais tu ne songes pas, mon pauvre enfant,
que c'est le chemin qui nous a conduits droit à l'Hôpital.
J'eus beau lui représenter le péril de cette entreprise, elle
me dit qu'il ne s'agissait que de bien prendre nos
mesures[4], et elle répondit à toutes mes objections.

---

1. D'une manière naïve et naturelle (A).   2. Fâcheux, qui cause
quelque peine (R).   3. Fière, orgueilleuse de (R).   4. Précautions et moyens qu'on prend pour arriver au but qu'on s'est fixé
(A).

Donnez-moi un amant qui n'entre point aveuglément dans tous les caprices d'une maîtresse adorée, et je conviendrai que j'eus tort de céder si facilement. La résolution fut prise de faire une dupe de G... M..., et par un tour bizarre de mon sort, il arriva que je devins la sienne.

Nous vîmes paraître son carrosse vers les onze heures. Il nous fit des compliments fort recherchés sur la liberté qu'il prenait de venir dîner avec nous. Il ne fut pas surpris de trouver M. de T..., qui lui avait promis la veille de s'y rendre aussi, et qui avait feint quelques affaires pour se dispenser de venir dans la même voiture. Quoiqu'il n'y eût pas un seul de nous qui ne portât la trahison dans le cœur, nous nous mîmes à table avec un air de confiance et d'amitié. G... M... trouva aisément l'occasion de déclarer ses sentiments à Manon. Je ne dus pas lui paraître gênant, car je m'absentai exprès pendant quelques minutes. Je m'aperçus, à mon retour, qu'on ne l'avait pas désespéré par un excès de rigueur. Il était de la meilleure humeur du monde. J'affectai de le paraître aussi. Il riait intérieurement de ma simplicité[1], et moi de la sienne. Pendant tout l'après-midi, nous fûmes l'un pour l'autre une scène fort agréable[a]. Je lui ménageai encore, avant son départ, un moment d'entretien particulier avec Manon, de sorte qu'il eut lieu de s'applaudir de ma complaisance autant que de la bonne chère.

Aussitôt qu'il fut monté en carrosse avec M. de T..., Manon accourut à moi, les bras ouverts, et m'embrassa

---

1. Naïveté, ingénuité (R). Voir note 7, page 101.

en éclatant de rire. Elle me répéta ses discours et ses propositions, sans y changer un mot. Ils se réduisaient à ceci : il l'adorait. Il voulait partager avec elle quarante mille livres de rente dont il jouissait déjà, sans compter ce qu'il attendait après la mort de son père. Elle allait être maîtresse de son cœur et de sa fortune, et, pour gage de ses bienfaits *a*, il était prêt à lui donner un carrosse, un hôtel meublé [1], une femme de chambre, trois laquais et un cuisinier. Voilà un fils, dis-je à Manon, bien autrement généreux que son père. Parlons de bonne foi, ajoutai-je ; cette offre ne vous tente-t-elle point ? Moi ? répondit-elle, en ajustant à sa pensée deux vers de Racine :

Moi ! vous me soupçonnez de cette perfidie ?
Moi ! je pourrais souffrir un visage odieux,
Qui rappelle toujours l'Hôpital à mes yeux ?

  Non, repris-je, en continuant la parodie :

J'aurais peine à penser que l'Hôpital, Madame,
Fût un trait dont l'Amour l'eût gravé dans votre âme[2].

---

1. Un hôtel est une maison de quelque seigneur de qualité (A). « Meublé », voir note 2, page 156.   **2.** C'est une parodie – le genre est très à la mode au XVIIIᵉ siècle – de l'*Athalie* de Racine (acte II, scène 5). Dans cette scène Iphigénie démasque sa rivale Ériphile. Celle-ci proteste (les vers « Moi... »), Iphigénie maintient ses soupçons. Qui peut croire que Manon connaisse aussi parfaitement une tragédie de Racine et qu'elle puisse improviser si brillamment des vers parodiques ? Des Grieux et elle n'ont pas habitué le lecteur à des jeux aussi raffinés.

Mais c'en est un bien séduisant qu'un hôtel meublé avec un carrosse et trois laquais ; et l'amour en a peu d'aussi forts. Elle me protesta que son cœur était à moi pour toujours, et qu'il ne recevrait jamais d'autres traits[1] que les miens. Les promesses qu'il m'a faites, me dit-elle, sont un aiguillon de vengeance, plutôt qu'un trait d'amour. Je lui demandai si elle était dans le dessein d'accepter l'hôtel et le carrosse. Elle me répondit qu'elle n'en voulait qu'à son argent. La difficulté était d'obtenir l'un sans l'autre. Nous résolûmes d'attendre l'entière explication du projet de G... M..., dans une lettre qu'il avait promis de lui écrire. Elle la reçut en effet le lendemain, par un laquais sans livrée, qui se procura[2] fort adroitement l'occasion de lui parler sans témoins. Elle lui dit d'attendre sa réponse, et elle vint m'apporter aussitôt sa lettre. Nous l'ouvrîmes ensemble. Outre les lieux communs de tendresse, elle contenait le détail des promesses de mon rival. Il ne bornait point sa dépense. Il s'engageait à lui compter dix mille francs, en prenant possession de l'hôtel, et à réparer tellement les diminutions de cette somme, qu'elle l'eût toujours devant elle en argent comptant[3]. Le jour de l'inauguration n'était pas reculé trop loin : il ne lui en demandait que deux pour les préparatifs, et il lui marquait le nom de la rue et de l'hôtel, où il lui promettait de l'attendre l'après-midi du second jour, si elle pouvait se dérober de mes mains. C'était

---

1. Au sens de flèches (celles de Cupidon, dieu de l'Amour). Manon prétend qu'elle n'aimera jamais que des Grieux.   **2.** Au sens de *parvenir à*, *obtenir l'occasion de*.   **3.** En argent que l'on peut compter. En liquide.

l'unique point sur lequel il la conjurait de le tirer d'inquiétude ; il paraissait sûr de tout le reste, mais il ajoutait que, si elle prévoyait de la difficulté à m'échapper, il trouverait le moyen de rendre sa fuite aisée.

G... M... était plus fin [1] que son père ; il voulait tenir sa proie avant que de compter ses espèces. Nous délibérâmes sur la conduite que Manon avait à tenir. Je fis encore des efforts pour lui ôter cette entreprise de la tête et je lui en représentai tous les dangers. Rien ne fut capable d'ébranler sa résolution.

Elle fit une courte réponse à G... M..., pour l'assurer qu'elle ne trouverait pas de difficulté à se rendre à Paris le jour marqué, et qu'il pouvait l'attendre avec certitude. Nous réglâmes ensuite que je partirais sur-le-champ pour aller louer un nouveau logement dans quelque village, de l'autre côté de Paris, et que je transporterais avec moi notre petit équipage [2] ; que le lendemain après-midi, qui était le temps de son assignation [3], elle se rendrait de bonne heure à Paris ; qu'après avoir reçu les présents de G... M..., elle le prierait instamment de la conduire à la Comédie ; qu'elle prendrait avec elle tout ce qu'elle pourrait porter de la somme, et qu'elle chargerait du reste mon valet, qu'elle voulait mener avec elle. C'était toujours le même qui l'avait délivrée de l'Hôpital, et qui nous était infiniment attaché. Je devais me trouver, avec un fiacre, à l'entrée de la rue Saint-André-des-Arcs, et l'y

---

1. Subtil, délicat (A).   **2.** Voir note 1, page 96.   **3.** Voir note 2, page 140.

laisser vers les sept heures, pour m'avancer dans l'obscurité à la porte de la Comédie. Manon me promettait d'inventer des prétextes pour sortir un instant de sa loge, et de l'employer à descendre pour me rejoindre. L'exécution du reste était facile. Nous aurions regagné mon fiacre en un moment, et nous serions sortis de Paris par le faubourg Saint-Antoine, qui était le chemin de notre nouvelle demeure.

Ce dessein, tout extravagant qu'il était, nous parut assez bien arrangé. Mais il y avait, dans le fond, une folle imprudence à s'imaginer que, quand il eût réussi le plus heureusement du monde, nous eussions jamais pu nous mettre à couvert des suites. Cependant, nous nous exposâmes avec la plus téméraire confiance. Manon partit avec Marcel : c'est ainsi que se nommait notre valet. Je la vis partir avec douleur. Je lui dis en l'embrassant : Manon, ne me trompez point ; me serez-vous fidèle ? Elle se plaignit tendrement de ma défiance, et elle me renouvela tous ses serments.

Son compte [1] était d'arriver à Paris sur les trois heures. Je partis après elle. J'allais me morfondre, le reste de l'après-midi, dans le café de Féré, au pont Saint-Michel [2] ; j'y demeurai jusqu'à la nuit. J'en sortis alors pour prendre un fiacre [3], que je postai, suivant notre projet, à l'entrée de la rue Saint-André-des-Arcs ; ensuite je gagnai à pied la porte de la Comédie. Je fus

---

1. Au sens de *projet*, de ce que l'on compte faire. **2.** Les commentateurs n'ont pas trouvé en ce lieu un café Féré. **3.** C'est le nom qu'on donne tant au cocher qu'au carrosse de louage, et il ne se dit que de ceux qui sont tout le jour sur la place et en de certains endroits de Paris (A). Voir note 1, page 200.

surpris de n'y pas trouver Marcel, qui devait être à
m'attendre. Je pris patience pendant une heure,
confondu dans une foule de laquais, et l'œil ouvert sur
tous les passants. Enfin, sept heures étant sonnées, sans
que j'eusse rien aperçu qui eût rapport à nos desseins, je
pris un billet de parterre pour aller voir si je découvrirais
Manon et G... M... dans les loges. Ils n'y étaient ni l'un
ni l'autre. Je retournai à la porte, où je passai encore un
quart d'heure, transporté d'impatience et d'inquiétude.
N'ayant rien vu paraître, je rejoignis mon fiacre, sans
pouvoir m'arrêter à la moindre résolution. Le cocher,
m'ayant aperçu, vint quelques pas au-devant de moi
pour me dire, d'un air mystérieux, qu'une jolie demoiselle m'attendait depuis une heure dans le carrosse ;
qu'elle m'avait demandé, à des signes qu'il avait bien
reconnus, et qu'ayant appris que je devais revenir, elle
avait dit qu'elle ne s'impatienterait point à m'attendre.
Je me figurai aussitôt que c'était Manon. J'approchai ;
mais je vis un joli petit visage, qui n'était pas le sien.
C'était une étrangère, qui me demanda d'abord si elle
n'avait pas l'honneur de parler à M. le chevalier des
Grieux. Je lui dis que c'était mon nom. J'ai une lettre à
vous rendre, reprit-elle, qui vous instruira du sujet qui
m'amène, et par quel rapport[1] j'ai l'avantage de
connaître votre nom. Je la priai de me donner le temps
de la lire dans un cabaret voisin. Elle voulut me suivre,
et elle me conseilla de demander une chambre à part[2].

---

1. Espèce de liaison, et de relation que certaines choses ont entre
elles (A).   **2.** Qui soit isolée. Dans le même sens qu'un cabinet
particulier. Cette demande indique que des Grieux et cette jeune
femme vont passer la nuit ensemble.

De qui vient cette lettre ? lui dis-je en montant : elle me remit à la lecture.

Je reconnus la main[a] de Manon. Voici à peu près ce qu'elle me marquait : G... M... l'avait reçue avec une politesse[1] et une magnificence au-delà de toutes ses idées. Il l'avait comblée de présents ; il lui faisait envisager un sort de reine. Elle m'assurait néanmoins qu'elle ne m'oubliait pas dans cette nouvelle splendeur ; mais que, n'ayant pu faire consentir G... M... à la mener ce soir à la Comédie, elle remettait à un autre jour le plaisir de me voir ; et que, pour me consoler un peu de la peine qu'elle prévoyait que cette nouvelle pouvait me causer, elle avait trouvé le moyen de me procurer une des plus jolies filles de Paris, qui serait la porteuse de son billet. *Signé*, votre fidèle amante, MANON LESCAUT.

Il y avait quelque chose de si cruel et de si insultant pour moi dans cette lettre, que demeurant suspendu quelque temps entre la colère et la douleur, j'entrepris de faire un effort pour oublier éternellement mon ingrate et parjure maîtresse. Je jetai les yeux sur la fille qui était devant moi : elle était extrêmement jolie, et j'aurais souhaité qu'elle l'eût été assez pour me rendre parjure et infidèle à mon tour. Mais je n'y trouvai point ces yeux fins[2] et languissants, ce port divin, ce teint de la composition de l'Amour, enfin ce fonds inépuisable de charmes que la nature avait prodigués à la perfide Manon. Non, non, lui dis-je en cessant de la regarder, l'ingrate qui vous envoie savait fort bien qu'elle vous faisait faire une démarche inutile.

---

1. Avec des égards.   **2.** Vifs et intelligents.

Retournez à elle, et dites-lui de ma part qu'elle jouisse[a] de son crime, et qu'elle en jouisse, s'il se peut, sans remords. Je l'abandonne sans retour, et je renonce en même temps à toutes les femmes, qui ne sauraient être aussi aimables qu'elle, et qui sont, sans doute, aussi lâches et d'aussi mauvaise foi. Je fus alors sur le point de descendre et de me retirer, sans prétendre davantage à Manon, et la jalousie mortelle qui me déchirait le cœur se déguisant en une morne et sombre tranquillité, je me crus d'autant plus proche de ma guérison que je ne sentais nul de ces mouvements violents dont j'avais été agité dans les mêmes occasions. Hélas ! j'étais la dupe de l'amour autant que je croyais l'être de G... M... et de Manon.

Cette fille qui m'avait apporté la lettre, me voyant prêt à descendre l'escalier, me demanda ce que je voulais donc qu'elle rapportât à M. de G... M... et à la dame qui était avec lui. Je rentrai dans la chambre à cette question[b], et par un changement incroyable à ceux qui n'ont jamais senti de passions violentes, je me trouvai, tout d'un coup, de la tranquillité où je croyais être, dans un transport terrible de fureur. Va, lui dis-je, rapporte au traître G... M... et à sa perfide maîtresse le désespoir où ta maudite lettre m'a jeté, mais apprends-leur qu'ils n'en riront pas longtemps, et que je les poignarderai tous deux de ma propre main. Je me jetai sur une chaise. Mon chapeau tomba d'un côté, et ma canne de l'autre[1]. Deux ruisseaux de larmes

---

1. La scène est théâtrale à souhait. On passe assez vite par ce détail de la tragédie à la comédie.

amères commencèrent à couler de mes yeux. L'accès de rage que je venais de sentir se changea dans une profonde douleur ; je ne fis plus que pleurer, en poussant des gémissements et des soupirs. Approche, mon enfant, approche, m'écriai-je en parlant à la jeune fille ; approche, puisque c'est toi qu'on envoie pour me consoler. Dis-moi si tu sais des consolations contre la rage et le désespoir, contre l'envie de se donner la mort à soi-même, après avoir tué deux perfides qui ne méritent pas de vivre. Oui, approche, continuai-je, en voyant qu'elle faisait vers moi quelques pas timides et incertains. Viens essuyer mes larmes, viens rendre la paix à mon cœur, viens me dire que tu m'aimes, afin que je m'accoutume à l'être d'une autre que de mon infidèle. Tu es jolie, je pourrai peut-être t'aimer à mon tour. Cette pauvre enfant, qui n'avait pas seize ou dix-sept ans, et qui paraissait avoir plus de pudeur que ses pareilles, était extraordinairement surprise d'une si étrange scène. Elle s'approcha néanmoins pour me faire quelques caresses, mais je l'écartai aussitôt, en la repoussant de mes mains. Que veux-tu de moi ? lui dis-je. Ah ! tu es une femme, tu es d'un sexe que je déteste et que je ne puis plus souffrir. La douceur de ton visage me menace encore de quelque trahison. Va-t'en et laisse-moi seul ici. Elle me fit une révérence, sans oser rien dire, et elle se tourna pour sortir. Je lui criai de s'arrêter. Mais apprends-moi du moins, repris-je, pourquoi, comment, à quel dessein[1] tu as été

---

1. On dirait aujourd'hui *dans quel dessein*. La rubrique « dessein » (A) renvoie à *projet, but*.

envoyée ici. Comment as-tu découvert mon nom et le lieu où tu pouvais me trouver ?

Elle me dit qu'elle connaissait de longue main M. de G... M... ; qu'il l'avait envoyé chercher à cinq heures, et qu'ayant suivi le laquais qui l'avait avertie, elle était allée dans une grande maison, où elle l'avait trouvé qui jouait au piquet [1] avec une jolie dame, et qu'ils l'avaient chargée tous deux de me rendre la lettre qu'elle m'avait apportée, après lui avoir appris qu'elle me trouverait dans un carrosse au bout de la rue Saint-André. Je lui demandai s'ils ne lui avaient rien dit de plus. Elle me répondit, en rougissant, qu'ils lui avaient fait espérer que je la prendrais pour me tenir compagnie. On t'a trompée, lui dis-je ; ma pauvre fille, on t'a trompée. Tu es une femme, il te faut un homme ; mais il t'en faut un qui soit riche et heureux, et ce n'est pas ici que tu le peux trouver. Retourne, retourne à M. de G... M... Il a tout ce qu'il faut pour être aimé des belles ; il a des hôtels meublés et des équipages à donner. Pour moi, qui n'ai que de l'amour et de la constance à offrir, les femmes méprisent ma misère et font leur jouet de ma simplicité.

J'ajoutai mille choses, ou tristes ou violentes, suivant que les passions qui m'agitaient tour à tour cédaient ou emportaient le dessus. Cependant, à force de me tourmenter, mes transports diminuèrent assez pour faire place à quelques réflexions [a]. Je comparai cette dernière infortune à celles que [b] j'avais déjà essuyées dans le même genre, et je ne trouvai pas qu'il y eût plus à désespérer que dans les premières. Je

---

1. Jeu de cartes très connu à l'époque.

connaissais Manon ; pourquoi m'affliger tant d'un malheur que j'avais dû prévoir[1] ? Pourquoi ne pas m'employer plutôt à chercher du remède ? Il était encore temps. Je devais du moins n'y pas épargner mes soins, si je ne voulais avoir à me reprocher d'avoir contribué, par ma négligence, à mes propres peines. Je me mis là-dessus à considérer tous les moyens qui pouvaient m'ouvrir un chemin à l'espérance.

Entreprendre de l'arracher avec violence des mains de G... M..., c'était un parti désespéré, qui n'était propre qu'à me perdre, et qui n'avait pas la moindre apparence de succès. Mais il me semblait que si j'eusse pu me procurer le moindre entretien avec elle, j'aurais gagné infailliblement quelque chose sur son cœur. J'en connaissais si bien tous les endroits sensibles ! J'étais si sûr d'être aimé d'elle[2] ! Cette bizarrerie même de m'avoir envoyé une jolie fille pour me consoler, j'aurais parié qu'elle venait de son invention, et que c'était un effet de sa[a] compassion pour mes peines. Je résolus d'employer toute mon industrie pour la voir. Parmi quantité de voies que j'examinai l'une après l'autre, je m'arrêtai à celle-ci. M. de T... avait commencé à me rendre service avec trop d'affection pour me laisser le moindre doute de sa sincérité et de son zèle. Je me proposai d'aller chez lui sur-le-champ, et de l'engager à faire appeler G... M..., sous le prétexte d'une affaire importante. Il ne me fallait qu'une demi-heure pour parler à Manon.

---

1. Que j'aurais dû prévoir.   **2.** Effet étrange d'une telle affirmation au moment où des Grieux apprend qu'il va être trahi.

Mon dessein était de me faire introduire dans sa
chambre même, et je crus que cela me serait aisé dans
l'absence de G... M... Cette résolution m'ayant rendu
plus tranquille, je payai libéralement la jeune fille, qui
était encore avec moi, et pour lui ôter l'envie de
retourner chez ceux qui me l'avaient envoyée, je pris son
adresse, en lui faisant espérer que j'irais passer la nuit
avec elle. Je montai dans mon fiacre, et je me fis
conduire à grand train chez M. de T... Je fus assez heureux pour l'y trouver. J'avais eu, là-dessus, de l'inquiétude en chemin. Un mot le mit au fait de mes peines et
du service que je venais lui demander. Il fut si étonné
d'apprendre que G... M... avait pu séduire Manon,
qu'ignorant que j'avais eu part moi-même à mon malheur, il m'offrit généreusement de rassembler[a] tous ses
amis, pour employer leurs bras et leurs épées à la délivrance de ma maîtresse. Je lui fis comprendre que cet
éclat pouvait être pernicieux à Manon et à moi. Réser-
vons notre sang, lui dis-je, pour l'extrémité[1]. Je médite
une voie plus douce et dont je n'espère pas moins de
succès. Il s'engagea, sans exception, à faire tout ce que
je demanderais de lui[b] ; et lui ayant répété qu'il ne
s'agissait que de faire avertir G... M... qu'il avait à lui
parler, et de le tenir dehors une heure ou deux, il partit
aussitôt avec moi pour me satisfaire.

Nous cherchâmes de quel expédient il pourrait se
servir pour l'arrêter si longtemps. Je lui conseillai de
lui écrire d'abord un billet simple, daté d'un cabaret[c],

---

1. Le plus triste état où l'on puisse être réduit (A). Au sens d'un
ultime recours quand tout devient impossible, si ce n'est la mort.

par lequel il le prierait de s'y rendre aussitôt, pour une affaire si importante qu'elle ne pouvait souffrir de délai. J'observerai, ajoutai-je, le moment de sa sortie, et je m'introduirai sans peine dans la maison, n'y étant connu que de Manon et de Marcel, qui est mon valet. Pour vous, qui serez pendant ce temps-là avec G... M..., vous pourrez lui dire que cette affaire importante, pour laquelle vous souhaitez de lui parler [1], est un besoin d'argent, que vous venez de perdre le vôtre au jeu, et que vous avez joué beaucoup plus sur votre parole, avec le même malheur. Il lui faudra du temps pour vous mener à son coffre-fort, et j'en aurai suffisamment pour exécuter mon dessein.

M. de T... suivit cet arrangement de point en point. Je le laissai dans un cabaret[a], où il écrivit promptement sa lettre. J'allai me placer à quelques pas de la maison de Manon. Je vis arriver le porteur du message, et G... M... sortir à pied, un moment après, suivi d'un laquais. Lui ayant laissé le temps de s'éloigner de la rue, je m'avançai à la porte de mon infidèle, et malgré toute ma colère, je frappai avec le respect qu'on a pour un temple. Heureusement, ce fut Marcel qui vint m'ouvrir. Je lui fis signe de se taire. Quoique je n'eusse rien à craindre des autres domestiques, je lui demandai tout bas s'il pouvait me conduire dans la chambre où était Manon, sans que je fusse aperçu. Il me dit que cela était aisé en montant doucement par le grand escalier. Allons donc promptement, lui dis-je, et tâche d'empêcher, pendant que j'y

---

1. La forme « souhaiter de » est attestée par (A).

serai, qu'il n'y monte personne. Je pénétrai sans obstacle jusqu'à l'appartement.

Manon était occupée à lire. Ce fut là que j'eus lieu
d'admirer le caractère de cette étrange fille. Loin d'être
effrayée et de paraître timide en m'apercevant, elle ne
donna que ces marques légères de surprise dont on n'est
pas le maître à la vue d'une personne qu'on croit éloignée. Ah ! c'est vous, mon amour, me dit-elle en venant
m'embrasser avec sa tendresse ordinaire. Bon Dieu !
que vous êtes hardi ! Qui vous aurait attendu
aujourd'hui dans ce lieu ? Je me dégageai de ses bras, et
loin de répondre à ses caresses, je la repoussai avec
dédain, et je fis deux ou trois pas en arrière pour m'éloigner d'elle. Ce mouvement ne laissa pas de la déconcerter. Elle demeura dans la situation où elle était et elle
jeta les yeux sur moi en changeant de couleur. J'étais,
dans le fond, si charmé de la revoir, qu'avec tant de
justes sujets de colère, j'avais à peine la force d'ouvrir
la bouche pour la quereller. Cependant mon cœur sai-
gnait du cruel outrage qu'elle m'avait fait. Je le rappelais
vivement à ma mémoire, pour exciter mon dépit, et je
tâchais de faire briller dans mes yeux un autre feu que
celui de l'amour. Comme je demeurai quelque temps en
silence, et qu'elle remarqua mon agitation, je la vis
trembler, apparemment par un effet de sa crainte.

Je ne pus soutenir ce spectacle. Ah ! Manon, lui
dis-je d'un ton tendre, infidèle et parjure Manon ! par
où commencerai-je à me plaindre ? Je vous vois pâle
et tremblante, et je suis encore si sensible à vos moindres peines, que je crains de vous affliger trop par mes
reproches. Mais, Manon, je vous le dis, j'ai le cœur
percé de la douleur de votre trahison. Ce sont là des

coups qu'on ne porte point à un amant, quand on n'a pas résolu sa mort. Voici la troisième fois, Manon, je les ai bien comptées ; il est impossible que cela s'oublie. C'est à vous de considérer, à l'heure même [1], quel parti vous voulez prendre, car mon triste cœur n'est plus à l'épreuve d'un si cruel traitement. Je sens qu'il succombe et qu'il est prêt à se fendre de douleur. Je n'en puis plus, ajoutai-je en m'asseyant sur une chaise ; j'ai à peine la force de parler et de me soutenir.

Elle ne me répondit point, mais, lorsque je fus assis, elle se laissa tomber à genoux et elle appuya sa tête sur les miens, en cachant son visage de mes mains. Je sentis en un instant qu'elle les mouillait de ses larmes. Dieux ! de quels mouvements n'étais-je point agité ! Ah ! Manon, Manon, repris-je avec un soupir, il est bien tard de me donner des larmes, lorsque vous avez causé ma mort. Vous affectez une tristesse que vous ne sauriez sentir. Le plus grand de vos maux est sans doute ma présence, qui a toujours été importune à vos plaisirs. Ouvrez les yeux, voyez qui je suis ; on ne verse pas des pleurs si tendres pour un malheureux qu'on a trahi, et qu'on abandonne cruellement. Elle baisait mes mains sans changer de posture. Inconstante Manon, repris-je encore, fille ingrate et sans foi [2], où sont vos promesses et vos serments ? Amante mille fois volage et cruelle, qu'as-tu fait de cet amour que tu me jurais encore aujourd'hui ? Juste Ciel, ajoutai-je, est-ce ainsi qu'une infidèle se rit de vous, après vous

---

1. Sur-le-champ (R). **2.** La foi ici est l'assurance donnée de garder sa parole, sa promesse (A).

avoir attesté si saintement [1] ? C'est donc le parjure qui
est récompensé ! Le désespoir et l'abandon sont pour
la constance et la fidélité.

Ces paroles furent accompagnées d'une réflexion si
amère, que j'en laissai échapper malgré moi quelques
larmes. Manon s'en aperçut au changement de ma
voix. Elle rompit enfin le silence. Il faut bien que je
sois coupable, me dit-elle tristement, puisque j'ai pu
vous causer tant de douleur et d'émotion ; mais que le
Ciel me punisse si j'ai cru l'être, ou si j'ai eu la pensée
de le devenir ! Ce discours me parut si dépourvu de
sens et de bonne foi, que je ne pus me défendre d'un
vif mouvement de colère. Horrible dissimulation !
m'écriai-je. Je vois mieux que jamais que tu n'es
qu'une coquine et une perfide. C'est à présent que je
connais ton misérable [a] caractère. Adieu, lâche créature, continuai-je en me levant ; j'aime mieux mourir
mille fois que d'avoir désormais le moindre commerce
avec toi. Que le Ciel me punisse moi-même si je
t'honore jamais du moindre regard ! Demeure avec ton
nouvel amant, aime-le, déteste-moi, renonce à l'honneur, au bon sens ; je m'en ris, tout m'est égal.

Elle fut si épouvantée de ce transport, que, demeurant à genoux près de la chaise d'où je m'étais levé,
elle me regardait en tremblant et sans oser respirer. Je
fis encore quelques pas vers la porte, en tournant la
tête, et tenant les yeux fixés sur elle. Mais il aurait
fallu que j'eusse perdu tous sentiments d'humanité

---

1. D'une manière sainte (A). Elle a juré en prenant le Ciel à
témoin d'être fidèle.

pour m'endurcir contre tant de charmes. J'étais si éloigné d'avoir cette force barbare que, passant tout d'un coup[a] à l'extrémité opposée, je retournai vers elle, ou plutôt, je m'y précipitai sans réflexion. Je la pris entre mes bras, je lui donnai mille tendres baisers. Je lui demandai pardon de mon emportement. Je confessai que j'étais un brutal, et que je ne méritais pas le bonheur d'être aimé d'une fille comme elle. Je la fis asseoir, et, m'étant mis à genoux à mon tour, je la conjurai de m'écouter en cet état. Là, tout ce qu'un amant soumis et passionné peut imaginer de plus respectueux et de plus tendre, je le renfermai en peu de mots dans mes excuses. Je lui demandai en grâce de prononcer qu'elle me pardonnait. Elle laissa tomber ses bras sur mon cou, en disant que c'était elle-même qui avait besoin de ma bonté pour me faire oublier les chagrins qu'elle me causait, et qu'elle commençait à craindre avec raison que je ne goûtasse point ce qu'elle avait à me dire pour se justifier. Moi ! interrompis-je aussitôt, ah ! je ne vous demande point de justification. J'approuve tout ce que vous avez fait. Ce n'est point à moi d'exiger des raisons de votre conduite ; trop content, trop heureux, si ma chère Manon ne m'ôte point la tendresse de son cœur ! Mais, continuai-je, en réfléchissant sur l'état de mon sort, toute-puissante Manon ! vous qui faites à votre gré mes joies et mes douleurs, après vous avoir satisfait par mes humiliations et par les marques de mon repentir, ne me sera-t-il point permis de vous parler de ma tristesse et de mes peines ? Apprendrai-je de vous ce qu'il faut que je devienne aujourd'hui, et si c'est sans retour que vous allez signer ma mort[1], en passant la nuit avec mon rival ?

Elle fut quelque temps à méditer sa réponse : Mon Chevalier, me dit-elle, en reprenant un air tranquille, si vous vous étiez d'abord expliqué si nettement, vous vous seriez épargné bien du trouble et à moi une scène bien affligeante. Puisque votre peine ne vient que de votre jalousie, je l'aurais guérie en m'offrant à vous suivre sur-le-champ au bout du monde. Mais je me suis figuré que c'était la lettre que je vous ai écrite sous les yeux de M. de G... M... et la fille que nous vous avons envoyée qui causaient votre chagrin. J'ai cru que vous auriez pu regarder ma lettre comme une raillerie et cette fille, en vous imaginant qu'elle était allée vous trouver de ma part, comme une déclaration que je renonçais à vous pour m'attacher à G... M... C'est cette pensée qui m'a jetée tout d'un coup dans la consternation, car, quelque innocente que je fusse, je trouvais, en y pensant, que les apparences ne m'étaient pas favorables. Cependant, continua-t-elle, je veux que vous soyez mon juge, après que je vous aurai expliqué la vérité du fait.

Elle m'apprit alors tout ce qui lui était arrivé depuis qu'elle avait trouvé G... M..., qui l'attendait dans le lieu où nous étions. Il l'avait reçue effectivement comme la première princesse du monde. Il lui avait montré tous les appartements, qui étaient d'un goût et d'une propreté[2] admirables. Il lui avait compté dix

---

1. Signer mon arrêt de mort.   **2.** Se dit aussi de la manière honnête, convenable et bienséante dans les habits et dans les meubles (A).

mille livres dans son cabinet, et il y avait ajouté quelques bijoux, parmi lesquels étaient le collier et les bracelets de perles qu'elle avait déjà eus de son père. Il l'avait menée de là dans un salon qu'elle n'avait pas encore vu, où elle avait trouvé une collation exquise. Il l'avait fait servir par les nouveaux domestiques qu'il avait pris pour elle, en leur ordonnant de la regarder désormais comme leur maîtresse. Enfin, il lui avait fait voir le carrosse, les chevaux et tout le reste de ses présents ; après quoi, il lui avait proposé une partie de jeu, pour attendre le souper. Je vous avoue, continuat-elle, que j'ai été frappée de cette magnificence. J'ai fait réflexion que ce serait dommage de nous priver tout d'un coup de tant de biens, en me contentant d'emporter les dix mille francs et les bijoux, que c'était une fortune toute faite pour vous et pour moi, et que nous pourrions vivre agréablement aux dépens de G... M... Au lieu de lui proposer la Comédie, je me suis mis dans la tête de le sonder sur votre sujet, pour pressentir quelles facilités nous aurions à nous voir, en supposant l'exécution de mon système. Je l'ai trouvé d'un caractère fort traitable. Il m'a demandé ce que je pensais de vous, et si je n'avais pas eu quelque regret à vous quitter. Je lui ai dit que vous étiez si aimable et que vous en aviez toujours usé si honnêtement avec moi, qu'il n'était pas naturel que je puisse vous haïr. Il a confessé que vous aviez du mérite, et qu'il s'était senti porté à désirer votre amitié. Il a voulu savoir de quelle manière je croyais que vous prendriez mon départ, surtout lorsque vous viendriez à savoir que j'étais entre ses mains. Je lui ai répondu que la date de notre amour était déjà si ancienne qu'il avait eu le

temps de se refroidir un peu, que vous n'étiez pas
d'ailleurs fort à votre aise, et que vous ne regarderiez
peut-être pas ma perte comme un grand malheur, parce
qu'elle vous déchargerait d'un fardeau qui vous pesait
sur les bras. J'ai ajouté qu'étant tout à fait convaincue
que vous agiriez pacifiquement[1], je[a] n'avais pas fait
difficulté de vous dire que je venais à Paris pour quelques affaires, que vous y aviez consenti et qu'y étant
venu vous-même, vous n'aviez pas paru extrêmement
inquiet, lorsque je vous avais quitté. Si je croyais, m'a-
t-il dit, qu'il fût d'humeur à bien vivre avec moi, je
serais le premier à lui offrir mes services et mes civilités. Je l'ai assuré que, du caractère dont je vous
connaissais, je ne doutais point que vous n'y répon-
dissiez honnêtement, surtout, lui ai-je dit, s'il pouvait
vous servir dans vos affaires, qui étaient fort dérangées
depuis que vous étiez mal avec votre famille. Il m'a
interrompue, pour me protester qu'il vous rendrait tous
les services qui dépendraient de lui, et que, si vous
vouliez même vous embarquer dans un autre amour, il
vous procurerait une jolie maîtresse, qu'il avait quittée
pour s'attacher à moi. J'ai applaudi à son idée, ajouta-
t-elle, pour prévenir plus parfaitement tous ses soupçons, et me confirmant de plus en plus dans mon projet,
je ne souhaitais que de pouvoir trouver le moyen de
vous en informer, de peur que vous ne fussiez trop
alarmé lorsque vous me verriez manquer à notre assignation[2]. C'est dans cette vue que je lui ai proposé de
vous envoyer cette nouvelle maîtresse dès le soir

---

1. Tranquillement (A).   **2.** Voir note 2, page 140.

même, afin d'avoir une occasion de vous écrire ; j'étais obligée d'avoir recours à cette adresse [1], parce que je ne pouvais espérer qu'il me laissât libre un moment. Il a ri de ma proposition. Il a appelé son laquais, et lui ayant demandé s'il pourrait retrouver sur-le-champ son ancienne maîtresse, il l'a envoyé de côté et d'autre pour la chercher. Il s'imaginait que c'était à Chaillot qu'il fallait qu'elle allât vous trouver, mais je lui ai appris qu'en vous quittant je vous avais promis de vous rejoindre à la Comédie, ou que, si quelque raison m'empêchait d'y aller, vous vous étiez engagé à m'attendre dans un carrosse au bout de la rue S[aint]-André ; qu'il valait mieux, par conséquent, vous envoyer là votre nouvelle amante, ne fût-ce que pour vous empêcher de vous y morfondre pendant toute la nuit. Je lui ai dit encore qu'il était à propos de vous écrire un mot pour vous avertir de cet échange, que vous auriez peine à comprendre sans cela. Il y a consenti, mais j'ai été obligée d'écrire en sa présence, et je me suis bien gardée de m'expliquer trop ouvertement dans ma lettre. Voilà, ajouta Manon, de quelle manière les choses se sont passées. Je ne vous déguise rien, ni de ma conduite, ni de mes desseins. La jeune fille est venue, je l'ai trouvée jolie, et comme je ne doutais point que mon absence ne vous causât de la peine, c'était sincèrement que je souhaitais qu'elle pût servir à vous désennuyer quelques moments, car la fidélité que je souhaite de vous est celle du cœur. J'aurais été ravie de pouvoir vous envoyer Marcel, mais

---

1. Habileté, ruse (A).

je n'ai pu me procurer un moment pour l'instruire de
ce que j'avais à vous faire savoir. Elle conclut enfin
son récit, en m'apprenant l'embarras où G... M... s'était
trouvé en recevant le billet de M. de T... Il a balancé,
me dit-elle, s'il devait me quitter, et il m'a assuré que
son retour ne tarderait point. C'est ce qui fait que je
ne vous vois point ici sans inquiétude, et que j'ai
marqué de la surprise à votre arrivée.

J'écoutai ce discours avec beaucoup de patience. J'y
trouvais assurément quantité de traits cruels et morti-
fiants pour moi, car le dessein de son infidélité était si
clair qu'elle n'avait pas même eu le soin de me le
déguiser. Elle ne pouvait espérer que G... M... la laissât,
toute la nuit, comme une vestale. C'était donc avec lui
qu'elle comptait de la passer. Quel aveu pour un
amant ! Cependant, je considérai que j'étais cause en
partie de sa faute, par la connaissance que je lui avais
donnée d'abord des sentiments que G... M... avait pour
elle, et par la complaisance que j'avais eue d'entrer
aveuglément dans le plan téméraire de son aventure.
D'ailleurs, par un tour naturel de génie[1] qui m'est
particulier, je fus touché de l'ingénuité[2] de son récit,
et de cette manière bonne et ouverte avec laquelle elle
me racontait jusqu'aux circonstances dont j'étais le
plus offensé. Elle pèche sans malice[3], disais-je en moi-
même ; elle est légère et imprudente, mais elle est
droite et sincère. Ajoutez que l'amour suffisait seul
pour me fermer les yeux sur toutes ses fautes. J'étais

---

1. Talent, inclination ou disposition naturelle pour quelque
chose d'estimable... (A).   **2.** Naïveté, simplicité, sincérité (A).
3. Inclination à nuire, à mal faire (A).

trop satisfait de l'espérance de l'enlever le soir même à mon rival. Je lui dis néanmoins : Et la nuit, avec qui l'auriez-vous passée ? Cette question, que je lui fis tristement, l'embarrassa. Elle ne me répondit que par des mais et des si interrompus. J'eus pitié de sa peine, et rompant ce discours, je lui déclarai naturellement que j'attendais d'elle qu'elle me suivît à l'heure même. Je le veux bien, me dit-elle ; mais vous n'approuvez donc pas mon projet ? Ah ! n'est-ce pas assez, repartis-je, que j'approuve tout ce que vous avez fait jusqu'à présent ? Quoi ! nous n'emporterons pas même les dix mille francs ? répliqua-t-elle. Il me les a donnés. Ils sont à moi. Je lui conseillai d'abandonner tout, et de ne penser qu'à nous éloigner promptement, car, quoiqu'il y eût à peine une demi-heure que j'étais avec elle, je craignais le retour de G... M... Cependant, elle me fit de si pressantes instances pour me faire consentir à ne pas sortir les mains vides, que je crus lui devoir accorder quelque chose après avoir tant obtenu d'elle.

Dans le temps que nous nous préparions au départ, j'entendis frapper à la porte de la rue. Je ne doutai nullement que ce ne fût G... M..., et dans le trouble où cette pensée me jeta, je dis à Manon que c'était un homme mort s'il paraissait. Effectivement, je n'étais pas assez revenu [1] de mes transports pour me modérer à sa vue. Marcel finit ma peine en m'apportant un billet qu'il avait reçu pour moi à la porte. Il était de M. de T... Il me marquait que, G... M... étant allé lui chercher [a] de l'argent à sa maison, il profitait de son absence pour

---

1. Remis de.

me communiquer une pensée fort plaisante : qu'il lui semblait que je ne pouvais me venger plus agréablement de mon rival qu'en mangeant son souper et en couchant, cette nuit même, dans le lit qu'il espérait d'occuper avec ma maîtresse ; que cela lui paraissait assez facile, si je pouvais m'assurer de trois ou quatre hommes qui eussent assez de résolution pour l'arrêter dans la rue, et de fidélité [1] pour le garder à vue jusqu'au lendemain ; que, pour lui, il promettait de l'amuser encore une heure pour le moins, par des raisons qu'il tenait prêtes pour son retour. Je montrai ce billet à Manon, et je lui appris de quelle ruse je m'étais servi pour m'introduire librement chez elle. Mon invention et celle de M. de T... lui parurent admirables. Nous en rîmes à notre aise pendant quelques moments. Mais, lorsque je lui parlai de la dernière comme d'un badinage, je fus surpris qu'elle insistât sérieusement à me la proposer comme une chose dont l'idée la ravissait. En vain lui demandai-je où elle[a] voulait que je trouvasse, tout d'un coup, des gens propres à arrêter G... M... et à le garder fidèlement. Elle me dit qu'il fallait du moins tenter, puisque M. de T... nous garantissait encore une heure, et pour réponse à mes autres objections, elle me dit que je faisais le tyran et que je n'avais pas de complaisance pour elle. Elle ne trouvait rien de si joli [2] que ce projet. Vous aurez son couvert à souper, me répétait-elle, vous coucherez dans ses draps, et,

---

1. Voir note 2, page 133, et note 3, page 183. L'emploi est largement ironique. **2.** Au sens de plaisant, amusant, drôle.

demain, de grand matin, vous enlèverez sa maîtresse et son argent. Vous serez bien vengé du père et du fils.

Je cédai à ses instances, malgré les mouvements secrets de mon cœur qui semblaient me présager une catastrophe [1] malheureuse. Je sortis, dans le dessein de prier deux ou trois gardes du corps, avec lesquels Lescaut m'avait mis en liaison, de se charger du soin d'arrêter G... M... Je n'en trouvai qu'un au logis, mais c'était un homme entreprenant, qui n'eut pas plutôt su de quoi il était question qu'il m'assura du succès. Il me demanda seulement dix pistoles, pour récompenser trois soldats aux gardes, qu'il prit la résolution d'employer, en se mettant à leur tête. Je le priai de ne pas perdre de temps. Il les assembla en moins d'un quart d'heure. Je l'attendais à sa maison, et lorsqu'il fut de retour avec ses associés, je le conduisis moi-même au coin d'une rue par laquelle G... M... devait nécessairement rentrer dans celle de Manon. Je lui recommandai de ne le pas maltraiter, mais de le garder si étroitement jusqu'à sept heures du matin, que je pusse être assuré qu'il ne lui échapperait pas. Il me dit que son dessein était de le conduire à sa chambre et de l'obliger à se déshabiller, ou même à se coucher dans son lit, tandis que lui et ses trois braves [2] passeraient la nuit à boire et à jouer [a]. Je demeurai avec eux jusqu'au moment où je vis paraître

---

1. Conclusion d'une pièce de théâtre, où l'intrigue se dénoue et s'explique ouvertement. De là vient qu'on nomme aussi catastrophe la fin ou le dénouement de toutes sortes d'aventures, surtout des aventures tragiques (Prévost, *Manuel lexique*). **2.** En mauvaise part, se dit d'un bretteur, d'un assassin, d'un homme qu'on emploie à tout (Fu).

G... M..., et je me retirai alors quelques pas au-dessous, dans un endroit obscur, pour être témoin d'une scène si extraordinaire. Le garde du corps l'aborda, le pistolet au poing, et lui expliqua civilement qu'il n'en voulait ni à sa vie ni à son argent, mais que, s'il faisait la moindre difficulté de le suivre, ou s'il jetait le moindre cri, il allait lui brûler la cervelle. G... M..., le voyant soutenu par trois soldats, et craignant sans doute la bourre du pistolet [1], ne fit pas de résistance. Je le vis emmener comme un mouton.

Je retournai aussitôt chez Manon, et pour ôter tout soupçon aux domestiques, je lui dis, en entrant, qu'il ne fallait pas attendre M. de G... M... pour souper, qu'il lui était survenu des affaires qui le retenaient malgré lui, et qu'il m'avait prié de venir lui en faire ses excuses et souper avec elle, ce que je regardais comme une grande faveur auprès d'une si belle dame. Elle seconda fort adroitement mon dessein. Nous nous mîmes à table. Nous y prîmes un air grave, pendant que les laquais demeurèrent à nous servir. Enfin, les ayant congédiés [a], nous passâmes une des plus charmantes soirées de notre vie. J'ordonnai en secret à Marcel de chercher un fiacre et de l'avertir de se trouver le lendemain à la porte, avant six heures du matin. Je feignis de quitter Manon vers minuit ; mais étant rentré doucement, par le secours de Marcel, je me préparai à occuper le lit de G... M..., comme j'avais rempli sa place à table. Pendant ce temps-là, notre mauvais génie

---

1. On appelle bourre la matière qui se met à feu après la poudre et après le plomb (A).

travaillait à nous perdre. Nous étions dans le délire du plaisir[a], et le glaive était suspendu sur nos têtes[1]. Le fil qui le soutenait allait se rompre. Mais, pour faire mieux entendre toutes les circonstances de notre ruine, il faut en éclaircir la cause.

G... M... était suivi d'un laquais, lorsqu'il avait été arrêté par le garde du corps. Ce garçon, effrayé de l'aventure de son maître, retourna en fuyant sur ses pas, et la première démarche qu'il fit, pour le secourir, fut d'aller avertir le vieux G... M... de ce qui venait d'arriver. Une si fâcheuse nouvelle ne pouvait manquer de l'alarmer beaucoup : il n'avait que ce fils, et sa vivacité[2] était extrême pour son âge. Il voulut savoir d'abord du laquais tout ce que son fils avait fait l'après-midi, s'il s'était querellé avec quelqu'un, s'il avait pris part au démêlé d'un autre, s'il s'était trouvé dans quelque maison suspecte. Celui-ci, qui croyait son maître dans le dernier danger et qui s'imaginait ne devoir plus rien ménager pour lui procurer du secours[b], découvrit tout ce qu'il savait de son amour pour Manon et la dépense qu'il avait faite pour elle, la manière dont il avait passé l'après-midi dans sa maison jusqu'aux environs de neuf heures, sa sortie et le malheur de son retour. C'en fut assez pour faire soupçonner au vieillard que l'affaire de son fils était une querelle d'amour. Quoiqu'il fût au moins dix heures et demie du soir, il ne balança point à se rendre aussitôt chez M. le Lieutenant de Police. Il le pria de faire donner des ordres

---

1. Le glaive allégorique de la Justice.   **2.** Activité, promptitude à agir, à se mouvoir (A).

particuliers à toutes les escouades du guet, et lui en ayant demandé une pour se faire accompagner, il courut lui-même vers la rue où son fils avait été arrêté. Il visita tous les endroits de la ville où il espérait de le pouvoir trouver, et n'ayant pu découvrir ses traces, il se fit conduire enfin à la maison de sa maîtresse, où il se figura qu'il pouvait être retourné.

J'allais me mettre au lit, lorsqu'il arriva. La porte de la chambre étant fermée, je n'entendis point frapper à celle de la rue ; mais il entra suivi de deux archers, et s'étant informé inutilement de ce qu'était devenu son fils, il lui prit envie de voir sa maîtresse, pour tirer d'elle quelque lumière. Il monte à l'appartement, toujours accompagné de ses archers. Nous étions prêts à nous mettre au lit. Il ouvre la porte, et il nous glace le sang par sa vue. Ô Dieu ! c'est le vieux G... M..., dis-je à Manon. Je saute sur mon épée ; elle était malheureusement embarrassée[1] dans mon ceinturon. Les archers[2], qui virent mon mouvement, s'approchèrent aussitôt pour me saisir. Un homme en chemise est sans résistance. Ils m'ôtèrent tous les moyens de me défendre.

G... M..., quoique troublé par ce spectacle, ne tarda point à me reconnaître. Il remit encore plus aisément Manon. Est-ce une illusion ? nous dit-il gravement ; ne vois-je point le chevalier des Grieux et Manon Lescaut ? J'étais si enragé de honte et de douleur, que je ne lui fis

---

1. Selon (A), empêchée de la liberté de mouvement.   **2.** Se dit de certains petits officiers de justice ou de police, qui étaient armés d'épées, de hallebardes, d'armes à feu, soit pour prendre des voleurs, soit pour faire la garde dans les villes, soit pour exécuter quelque ordre de justice ou de police (A).

pas de réponse. Il parut rouler, pendant quelque temps, diverses pensées dans sa tête, et comme si elles eussent allumé tout d'un coup sa colère, il s'écria en s'adressant à moi : Ah ! malheureux, je suis sûr que tu as tué mon fils ! Cette injure me piqua vivement. Vieux scélérat, lui répondis-je avec fierté, si j'avais eu à tuer quelqu'un de ta famille, c'est par toi que j'aurais commencé. Tenez-le bien, dit-il aux archers. Il faut qu'il me dise des nouvelles de mon fils ; je le ferai pendre demain, s'il ne m'apprend tout à l'heure ce qu'il en a fait. Tu me feras pendre ? repris-je. Infâme ! ce sont tes pareils qu'il faut chercher au gibet[1]. Apprends que je suis d'un sang plus noble et plus pur que le tien. Oui, ajoutai-je, je sais ce qui est arrivé à ton fils, et si tu m'irrites davantage, je le ferai étrangler avant qu'il soit demain, et je te promets le même sort après lui.

Je commis une imprudence en lui confessant que je savais où était son fils ; mais l'excès de ma colère me fit faire cette indiscrétion. Il appela aussitôt cinq ou six autres archers, qui l'attendaient à la porte, et il leur ordonna de s'assurer de tous les domestiques de la maison. Ah ! monsieur le chevalier, reprit-il d'un ton railleur, vous savez où est mon fils et vous le ferez étrangler, dites-vous ? Comptez que nous y mettrons bon ordre. Je sentis aussitôt la faute que j'avais commise. Il s'approcha de Manon, qui était assise sur le lit en

---

1. Le gibet désigne la potence où le bourreau exécute ceux qui sont condamnés à être pendus (A). Par ailleurs les répliques de des Grieux, qui est noble, rappellent que les nobles condamnés ont le privilège d'avoir la tête tranchée, tandis que les roturiers sont condamnés à la pendaison.

pleurant ; il lui dit quelques galanteries ironiques sur
l'empire qu'elle avait sur le père et sur le fils, et sur le
bon usage qu'elle en faisait. Ce vieux monstre d'incontinence voulut prendre quelques familiarités avec elle.
Garde-toi de la toucher ! m'écriai-je, il n'y aurait rien
de sacré qui te pût sauver de mes mains. Il sortit en laissant trois archers dans la chambre, auxquels il ordonna
de nous faire prendre promptement nos habits.

Je ne sais quels étaient alors ses desseins sur nous.
Peut-être eussions-nous obtenu la liberté en lui apprenant où était son fils. Je méditais, en m'habillant, si ce
n'était pas le meilleur parti. Mais, s'il était dans cette
disposition en quittant notre chambre, elle était bien
changée lorsqu'il y revint. Il était allé interroger les
domestiques de Manon, que les archers avaient arrêtés.
Il ne put rien apprendre de ceux qu'elle avait reçus de
son fils, mais, lorsqu'il sut que Marcel nous avait servis
auparavant, il résolut de le faire parler en l'intimidant
par des menaces.

C'était un garçon fidèle, mais simple[1] et grossier[2].
Le souvenir de ce qu'il avait fait à l'Hôpital, pour
délivrer Manon, joint à la terreur que G... M... lui
inspirait, fit tant d'impression sur son esprit faible qu'il
s'imagina qu'on allait le conduire à la potence ou sur
la roue[3]. Il promit de découvrir tout ce qui était venu
à sa connaissance, si l'on voulait lui sauver la vie.
G... M... se persuada là-dessus qu'il y avait quelque

---

1. Niais, qui se laisse facilement tromper (A).   **2.** Qui n'est
pas fin, pas délié (A).   **3.** La roue se dit aussi d'un supplice où,
après avoir rompu les bras, les jambes et les reins au criminel, on
l'attache sur une roue posée sur un poteau (A).

chose, dans nos affaires, de plus sérieux et de plus criminel qu'il n'avait eu lieu jusque-là de se le figurer. Il offrit à Marcel, non seulement la vie, mais des récompenses pour sa confession. Ce malheureux lui apprit une partie de notre dessein, sur lequel nous n'avions pas fait difficulté de nous entretenir devant lui, parce qu'il devait y entrer pour quelque chose. Il est vrai qu'il ignorait entièrement les changements que nous y avions faits à Paris ; mais il avait été informé, en partant de Chaillot, du plan de l'entreprise et du rôle qu'il y devait jouer. Il lui déclara donc que notre vue était de duper son fils, et que Manon devait recevoir, ou avait déjà reçu, dix mille francs, qui, selon notre projet, ne retourneraient jamais aux héritiers de la maison de G... M...

Après cette découverte, le vieillard emporté remonta brusquement dans notre chambre. Il passa, sans parler, dans le cabinet, où il n'eut pas de peine à trouver la somme et les bijoux. Il revint à nous avec un visage enflammé, et, nous montrant ce qu'il lui plut de nommer notre larcin [1], il nous accabla de reproches outrageants. Il fit voir de près, à Manon, le collier de perles et les bracelets. Les reconnaissez-vous ? lui dit-il avec un souris moqueur. Ce n'était pas la première fois que vous les eussiez vus. Les mêmes, sur ma foi. Ils étaient de votre goût, ma belle ; je me le persuade aisément. Les pauvres enfants ! ajouta-t-il. Ils sont bien aimables, en effet, l'un et l'autre ; mais ils sont un peu

---

1. Action de celui qui dérobe furtivement (A). Le mot indique aussi un vol de peu d'importance. Et c'est une étrange façon de qualifier le vol contre G... M...

fripons. Mon cœur crevait de rage à ce discours insultant. J'aurais donné, pour être libre un moment... Juste
Ciel ! que n'aurais-je pas donné ! Enfin, je me fis violence pour lui dire, avec une modération qui n'était
qu'un raffinement de fureur : Finissons, monsieur, ces
insolentes railleries. De quoi est-il question ? Voyons,
que prétendez-vous faire de nous ? Il est question,
monsieur le chevalier, me répondit-il, d'aller de ce pas
au Châtelet. Il fera jour demain ; nous verrons plus
clair dans nos affaires, et j'espère que vous me ferez
la grâce, à la fin, de m'apprendre où est mon fils.

Je compris, sans beaucoup de réflexions, que c'était
une chose d'une terrible conséquence pour nous d'être
une fois renfermés au Châtelet. J'en prévis, en tremblant, tous les dangers. Malgré toute ma fierté, je
reconnus qu'il fallait plier sous le poids de ma fortune[1]
et flatter mon plus cruel ennemi, pour en obtenir quelque
chose par la soumission. Je le priai, d'un ton honnête,
de m'écouter un moment. Je me rends justice, monsieur,
lui dis-je. Je confesse que la jeunesse m'a fait commettre
de grandes fautes, et que vous en êtes assez blessé pour
vous plaindre. Mais, si vous connaissez la force de
l'amour, si vous pouvez juger de ce que souffre un malheureux jeune homme à qui l'on enlève tout ce qu'il
aime, vous me trouverez peut-être pardonnable d'avoir
cherché le plaisir d'une petite vengeance, ou du moins,
vous me croirez assez puni par l'affront que je viens de
recevoir. Il n'est besoin ni de prison ni de supplice pour
me forcer de vous découvrir où est Monsieur votre fils.

---

1. Voir note 1, page 193.

Il est en sûreté. Mon dessein n'a pas été de lui nuire ni de vous offenser. Je suis prêt à vous nommer le lieu où il passe tranquillement la nuit, si vous me faites la grâce de nous accorder la liberté. Ce vieux tigre, loin d'être touché de ma prière, me tourna le dos en riant. Il lâcha seulement quelques mots, pour me faire comprendre qu'il savait notre dessein jusqu'à l'origine. Pour ce qui regardait son fils, il ajouta brutalement qu'il se retrouverait assez, puisque je ne l'avais pas assassiné. Conduisez-les au Petit-Châtelet [1], dit-il aux archers, et prenez garde que le Chevalier ne vous échappe. C'est un rusé, qui s'est déjà sauvé de Saint-Lazare.

Il sortit, et me laissa dans l'état que vous pouvez vous imaginer. Ô Ciel ! m'écriai-je, je recevrai avec soumission tous les coups qui viennent de ta main, mais qu'un malheureux coquin ait le pouvoir de me traiter avec cette tyrannie, c'est ce qui me réduit au dernier [2] désespoir. Les archers nous prièrent de ne pas les faire attendre plus longtemps. Ils avaient un carrosse [a] à la porte. Je tendis la main à Manon pour descendre. Venez, ma chère reine, lui dis-je, venez vous soumettre à toute la rigueur de notre sort. Il plaira peut-être au Ciel de nous rendre quelque jour plus heureux.

Nous partîmes dans le même carrosse. Elle se mit dans mes bras. Je ne lui avais pas entendu prononcer un mot [b] depuis le premier moment de l'arrivée de G... M... ; mais, se trouvant seule alors avec moi, elle me dit mille tendresses en se reprochant d'être la cause

---

1. Forteresse parisienne qui servait à l'époque de prison et de dépôt.   **2.** Voir note 2, page 169.

de mon malheur. Je l'assurai que je ne me plaindrais jamais de mon sort, tant qu'elle ne cesserait pas de m'aimer[a]. Ce n'est pas moi qui suis à plaindre, continuai-je. Quelques mois de prison ne m'effraient nullement, et je préférerai toujours le Châtelet à Saint-Lazare. Mais c'est pour toi, ma chère âme, que mon cœur s'intéresse. Quel sort pour une créature si charmante ! Ciel, comment traitez-vous avec tant de rigueur le plus parfait de vos ouvrages ? Pourquoi ne sommes-nous pas nés, l'un et l'autre, avec des qualités conformes à notre misère ? Nous avons reçu de l'esprit, du goût, des sentiments. Hélas ! quel triste usage en faisons-nous, tandis que tant d'âmes basses et dignes de notre sort jouissent de toutes les faveurs de la fortune ! Ces réflexions me pénétraient de douleur ; mais ce n'était rien en comparaison de celles qui regardaient l'avenir, car je séchais de crainte[1] pour Manon. Elle avait déjà été à l'Hôpital, et, quand elle en fût sortie par la bonne porte[2], je savais que les rechutes en ce genre étaient d'une conséquence extrêmement dangereuse. J'aurais voulu lui exprimer mes frayeurs ; j'appréhendais de lui en causer trop. Je tremblais pour elle, sans oser l'avertir du danger, et je l'embrassais en soupirant, pour l'assurer, du moins, de mon amour, qui était presque le seul sentiment que j'osasse exprimer. Manon, lui dis-je, parlez sincèrement ; m'aimerez-vous toujours ? Elle me répondit qu'elle était bien

---

1. L'expression « sécher de crainte » semble être construite sur le modèle *sécher d'ennui, de langueur, de tristesse...* pour dire qu'on se consume d'ennui, de langueur, de tristesse...   **2.** Au sens de « quand bien même elle en fût sortie... ».

malheureuse que j'en pusse douter. Hé bien, repris-je, je n'en doute point, et je veux braver tous nos ennemis avec cette assurance. J'emploierai ma famille pour sortir du Châtelet ; et tout mon sang ne sera utile à rien si je ne vous en tire pas aussitôt que je serai libre.

Nous arrivâmes à la prison. On nous mit chacun dans un lieu séparé. Ce coup me fut moins rude, parce que je l'avais prévu. Je recommandai Manon au concierge, en lui apprenant que j'étais un homme de quelque distinction, et lui promettant une récompense considérable. J'embrassai ma chère maîtresse, avant que de la quitter. Je la conjurai de ne pas s'affliger excessivement et de ne rien craindre tant que je serais au monde. Je n'étais pas sans argent ; je lui en donnai une partie et je payai au concierge, sur ce qui me restait, un mois de grosse pension d'avance [1], pour elle et pour moi.

Mon argent eut un fort bon effet. On me mit dans une chambre proprement meublée, et l'on m'assura que Manon en avait une pareille. Je m'occupai aussitôt des moyens de hâter ma liberté. Il était clair qu'il n'y avait rien d'absolument criminel dans mon affaire, et supposant même que le dessein de notre vol fût prouvé par la déposition de Marcel, je savais fort bien qu'on ne punit point les simples volontés. Je résolus d'écrire promptement à mon père, pour le prier de venir en personne à Paris. J'avais bien moins de honte, comme je l'ai dit, d'être au Châtelet qu'à Saint-Lazare ; d'ailleurs, quoique je conservasse tout le respect dû à

---

1. La grosse pension est vraisemblablement la pension la plus élevée et qui donne le plus de confort et d'avantages au prisonnier.

l'autorité paternelle, l'âge et l'expérience avaient diminué beaucoup ma timidité. J'écrivis donc, et l'on ne fit pas difficulté, au Châtelet, de laisser sortir ma lettre ; mais c'était une peine que j'aurais pu m'épargner, si j'avais su que mon père devait arriver le lendemain à Paris.

Il avait reçu celle que je lui avais écrite huit jours auparavant. Il en avait ressenti une joie extrême ; mais, de quelque espérance que je l'eusse flatté au sujet de ma conversion, il n'avait pas cru devoir s'arrêter tout à fait à mes promesses. Il avait pris le parti de venir s'assurer de mon changement par ses yeux, et de régler sa conduite sur la sincérité de mon repentir. Il arriva le lendemain de mon emprisonnement. Sa première visite fut celle qu'il rendit à Tiberge, à qui je l'avais prié d'adresser sa réponse. Il ne put savoir de lui ni ma demeure ni ma condition présente ; il en apprit seulement mes principales aventures, depuis que je m'étais échappé de Saint-Sulpice. Tiberge lui parla fort avantageusement des dispositions que je lui avais marquées pour le bien, dans notre dernière entrevue. Il ajouta qu'il me croyait entièrement dégagé de Manon, mais qu'il était surpris, néanmoins, que je ne lui eusse pas donné de mes nouvelles depuis huit jours. Mon père n'était pas dupe ; il comprit qu'il y avait quelque chose qui échappait à la pénétration de Tiberge, dans le silence dont il se plaignait, et il employa tant de soins pour découvrir mes traces que, deux jours après son arrivée, il apprit que j'étais au Châtelet.

Avant que de recevoir sa visite, à laquelle j'étais fort éloigné de m'attendre si tôt, je reçus celle de M. le

Lieutenant général de Police, ou pour expliquer les choses par leur nom, je subis l'interrogatoire[1]. Il me fit quelques reproches, mais ils n'étaient ni durs ni désobligeants. Il me dit, avec douceur, qu'il plaignait ma mauvaise conduite ; que j'avais manqué de sagesse en me faisant un ennemi tel que M. de G... M... ; qu'à la vérité il était aisé de remarquer qu'il y avait, dans mon affaire, plus d'imprudence et de légèreté que de malice ; mais que c'était néanmoins la seconde fois que je me trouvais sujet à son tribunal, et qu'il avait espéré que je fusse devenu plus sage, après avoir pris deux ou trois mois de leçons à Saint-Lazare. Charmé d'avoir affaire à un juge raisonnable, je m'expliquai avec lui d'une manière si respectueuse et si modérée, qu'il parut extrêmement satisfait de mes réponses. Il me dit que je ne devais pas me livrer trop au chagrin, et qu'il se sentait disposé à me rendre service, en faveur de ma naissance et de ma jeunesse. Je me hasardai à lui recommander Manon, et à lui faire l'éloge de sa douceur et de son bon naturel. Il me répondit, en riant, qu'il ne l'avait point encore vue, mais qu'on la représentait comme une dangereuse personne. Ce mot excita tellement ma tendresse que je lui dis mille choses passionnées pour la défense de ma pauvre maîtresse, et je ne pus m'empêcher de répandre quelques larmes. Il ordonna qu'on me reconduisît à ma chambre. Amour, amour ! s'écria ce grave magistrat en me voyant sortir, ne te réconcilieras-tu jamais avec la sagesse[2] ?

---

1. C'était une des fonctions du Lieutenant général de Police que de procéder à l'interrogatoire des détenus.   **2.** Certains commentateurs, comme Paul Vernière, ont cru voir ici une allusion à un

J'étais à m'entretenir tristement de mes idées, et à réfléchir sur la conversation que j'avais eue avec M. le Lieutenant général de Police, lorsque j'entendis ouvrir la porte de ma chambre : c'était mon père. Quoique je dusse être à demi préparé à cette vue, puisque je m'y attendais quelques jours plus tard, je ne laissai pas d'en être frappé si vivement que je me serais précipité au fond de la terre, si elle s'était entrouverte à mes pieds. J'allai l'embrasser, avec toutes les marques d'une extrême confusion. Il s'assit sans que ni lui ni moi eussions encore ouvert la bouche.

Comme je demeurais debout, les yeux baissés et la tête découverte : Asseyez-vous, monsieur, me dit-il gravement, asseyez-vous. Grâce au scandale de votre libertinage et de vos friponneries, j'ai découvert le lieu de votre demeure. C'est l'avantage d'un mérite tel que le vôtre de ne pouvoir demeurer caché. Vous allez à la renommée par un chemin infaillible. J'espère que le terme en sera bientôt la Grève[1], et que vous aurez, effectivement, la gloire d'y être exposé à l'admiration de tout le monde.

Je ne répondis rien. Il continua : Qu'un père est malheureux, lorsque, après avoir aimé tendrement un fils et n'avoir rien épargné pour en faire un honnête homme, il n'y trouve, à la fin, qu'un fripon qui le déshonore ! On se console d'un malheur de fortune :

---

magistrat précis, Hérault, qui fut Lieutenant général de 1725 à 1739. Rien ne le confirme et rien ne l'infirme.

1. Actuelle place de l'Hôtel-de-Ville de Paris, dont le nom provenait de la plage (*grève*) qui la constituait avant la construction des quais. Les exécutions publiques y avaient lieu.

le temps l'efface, et le chagrin diminue ; mais quel remède contre un mal qui augmente tous les jours, tel que les désordres [1] d'un fils vicieux qui a perdu tous sentiments d'honneur ? Tu ne dis rien, malheureux, ajouta-t-il ; voyez cette modestie contrefaite et cet air de douceur hypocrite ; ne le prendrait-on pas pour le plus honnête homme de sa race [2] ?

Quoique je fusse obligé de reconnaître que je méritais une partie de ces outrages, il me parut néanmoins que c'était les porter à l'excès. Je crus qu'il m'était permis d'expliquer naturellement [3] ma pensée. Je vous assure, monsieur, lui dis-je, que la modestie où vous me voyez devant vous n'est nullement affectée ; c'est la situation naturelle d'un fils bien né, qui respecte infiniment son père, et surtout un père irrité. Je ne prétends pas non plus passer pour l'homme le plus réglé [4] de notre race. Je me connais digne de vos reproches, mais je vous conjure d'y mettre un peu plus de bonté et de ne pas me traiter comme le plus infâme de tous les hommes. Je ne mérite pas des noms si durs. C'est l'amour, vous le savez, qui a causé toutes mes fautes. Fatale passion ! Hélas ! n'en connaissez-vous pas la force, et se peut-il que votre sang, qui est la source du mien, n'ait jamais ressenti les mêmes ardeurs ? L'amour m'a rendu trop tendre, trop passionné, trop fidèle et, peut-être, trop complaisant pour les désirs d'une maîtresse toute charmante ; voilà mes crimes. En voyez-vous là quelqu'un qui vous déshonore ? Allons, mon cher père, ajoutai-je tendrement,

---

1. Voir note 1, page 110. **2.** Lignée. **3.** Voir note 2, page 191. **4.** Voir note 2, page 89.

un peu de pitié pour un fils qui a toujours été plein de respect et d'affection pour vous, qui n'a pas renoncé, comme vous pensez, à l'honneur et au devoir, et qui est mille fois plus à plaindre que vous ne sauriez vous l'imaginer. Je laissai tomber quelques larmes en finissant ces paroles.

Un cœur de père est le chef-d'œuvre de la nature ; elle y règne, pour ainsi parler, avec complaisance, et elle en règle elle-même tous les ressorts. Le mien, qui était avec cela homme d'esprit et de goût *[a]*, fut si touché du tour que j'avais donné à mes excuses qu'il ne fut pas le maître de me cacher ce changement. Viens, mon pauvre chevalier, me dit-il, viens m'embrasser ; tu me fais pitié. Je l'embrassai ; il me serra d'une manière qui me fit juger de ce qui se passait dans son cœur. Mais quel moyen prendrons-nous donc, reprit-il, pour te tirer d'ici ? Explique-moi toutes tes affaires sans déguisement[1]. Comme il n'y avait rien, après tout, dans le gros de ma conduite, qui pût me déshonorer absolument, du moins en la mesurant sur celle des jeunes gens d'un certain monde, et qu'une maîtresse *[b]* ne passe point pour une infamie dans le siècle où nous sommes, non plus qu'un peu d'adresse à s'attirer la fortune du jeu[2], je fis sincèrement à mon père le détail de la vie que j'avais menée. À chaque faute dont je lui faisais l'aveu, j'avais soin de joindre des exemples célèbres, pour en diminuer la honte. Je vis avec une maîtresse,

---

1. Voir note 5, page 96.   2. Plus directement à tricher. Il est exact qu'il existe au XVIIIᵉ siècle une certaine acceptation de la tricherie, qui est parfois le fait de grands personnages, comme, semble-t-il, Mazarin lui-même au siècle précédent.

lui disais-je, sans être lié par les cérémonies du mariage : M. le duc de... en entretient deux, aux yeux de tout Paris ; M. de... en a une depuis dix ans, qu'il aime avec une fidélité qu'il n'a jamais eue pour sa femme ; les deux tiers des honnêtes gens[1] de France se font honneur d'en avoir. J'ai usé de quelque supercherie au jeu : M. le marquis de... et le comte de... n'ont point d'autres revenus ; M. le prince de... et M. le duc de... sont les chefs d'une bande de chevaliers du même Ordre[2]. Pour ce qui regardait mes desseins sur la bourse des deux G... M..., j'aurais pu prouver aussi facilement que je n'étais pas sans modèles ; mais il me restait trop d'honneur pour ne pas me condamner moi-même, avec tous ceux dont j'aurais pu me proposer l'exemple, de sorte que je priai mon père de pardonner cette faiblesse aux deux violentes passions qui m'avaient agité, la vengeance et l'amour. Il me demanda si je pouvais lui donner quelques ouvertures[3] sur les plus courts moyens d'obtenir ma liberté, et d'une[a] manière qui pût lui faire éviter l'éclat. Je lui appris les sentiments de bonté que le Lieutenant général de Police avait pour moi. Si vous trouvez quelques difficultés, lui dis-je, elles ne peuvent venir que de la part des G... M... ; ainsi, je crois qu'il serait à propos que vous prissiez la peine de les voir. Il me le promit. Je n'osai le prier de solliciter pour Manon. Ce ne fut point un défaut de hardiesse, mais un effet de la crainte où j'étais de le révolter par cette proposition,

---

1. Ici, les gens ayant acquis une certaine considération.
2. Ordre ou confrérie de voleurs, bien sûr.   **3.** Voir note 3, page 113.

et de lui faire naître quelque dessein funeste à elle et à moi. Je suis encore à savoir si cette crainte n'a pas causé mes plus grandes infortunes en m'empêchant de tenter les dispositions de mon père, et de faire des efforts pour lui en inspirer de favorables à ma malheureuse maîtresse. J'aurais peut-être excité encore une fois sa pitié. Je l'aurais mis en garde contre les impressions qu'il allait recevoir trop facilement du vieux G... M... Que sais-je ? Ma mauvaise destinée l'aurait peut-être emporté sur tous mes efforts, mais je n'aurais eu qu'elle, du moins, et la cruauté de mes ennemis, à accuser de mon malheur.

En me quittant, mon père alla faire une visite à M. de G... M... Il le trouva avec son fils, à qui le garde du corps avait honnêtement rendu la liberté. Je n'ai jamais su les particularités de leur conversation, mais il ne m'a été que trop facile d'en juger par ses mortels effets. Ils allèrent ensemble, je dis les deux pères, chez M. le Lieutenant général de Police, auquel ils demandèrent deux grâces : l'une, de me faire sortir sur-le-champ du Châtelet ; l'autre, d'enfermer Manon pour le reste de ses jours, ou de l'envoyer en Amérique [1]. On commençait, dans le même temps, à embarquer quantité de gens sans aveu pour le Mississippi [2]. M. le Lieutenant général de Police leur donna sa parole de faire partir Manon par le premier vaisseau. M. de G... M... et mon père vinrent

---

[1]. Dans une perspective de peuplement, on envoya en Amérique (Mississippi et Canada) des filles, des escrocs. Divers témoignages (voir D. P.) ont été conservés sur ces convois.   [2]. Une Compagnie du Mississippi avait été créée lors de la spéculation liée aux opérations de Law.

aussitôt m'apporter ensemble la nouvelle de ma liberté. M. de G... M... me fit un compliment civil[1] sur le passé, et m'ayant félicité sur le bonheur que j'avais d'avoir un tel père, il m'exhorta à profiter désormais de ses leçons et de ses exemples. Mon père m'ordonna de lui faire des excuses de l'injure prétendue que j'avais faite[a] à sa famille, et de le remercier de s'être employé avec lui pour mon élargissement. Nous sortîmes ensemble, sans avoir dit un mot de ma maîtresse. Je n'osai même parler d'elle aux guichetiers en leur présence. Hélas ! mes tristes recommandations eussent été bien inutiles ! L'ordre cruel était venu en même temps que celui de ma délivrance. Cette fille infortunée fut conduite, une heure après, à l'Hôpital, pour y être associée à quelques malheureuses qui étaient condamnées à subir le même sort. Mon père m'ayant obligé de le suivre à la maison où il avait pris sa demeure[2], il était presque six heures du soir lorsque je trouvai le moment de me dérober de ses yeux pour retourner au Châtelet. Je n'avais dessein que de faire tenir quelques rafraîchissements[3] à Manon, et de la recommander au concierge, car je ne me promettais pas que la liberté de la voir me fût accordée. Je n'avais point encore eu le temps, non plus, de réfléchir aux moyens de la délivrer.

Je demandai à parler au concierge. Il avait été content de ma libéralité et de ma douceur de sorte qu'ayant quelque disposition à me rendre service[b], il me parla du sort de Manon comme d'un malheur dont

---

1. Signifie aussi *courtois*, *honnête* (A).   **2.** Domicile (A). **3.** Au pluriel se dit des liqueurs, des fruits, et autres choses semblables qu'on sert dans l'intervalle des repas (A).

il avait beaucoup de regret parce qu'il pouvait m'affliger. Je ne compris point ce langage. Nous nous entretînmes quelques moments sans nous entendre. À la fin, s'apercevant que j'avais besoin d'une explication, il me la donna, telle que j'ai déjà eu horreur de vous la dire, et que j'ai encore de la répéter. Jamais apoplexie violente ne causa d'effet plus subit et plus terrible. Je tombai, avec une palpitation de cœur si douloureuse, qu'à l'instant que je perdis la connaissance, je me crus délivré de la vie pour toujours. Il me resta même quelque chose de cette pensée lorsque je revins à moi. Je tournai mes regards vers toutes les parties de la chambre et sur moi-même, pour m'assurer si je portais encore la malheureuse qualité d'homme vivant. Il est certain qu'en ne suivant que le mouvement naturel qui fait chercher à se délivrer de ses peines, rien ne pouvait me paraître plus doux que la mort, dans ce moment de désespoir et de consternation. La religion même ne pouvait me faire envisager rien de plus insupportable, après la vie, que les convulsions cruelles dont j'étais tourmenté. Cependant, par un miracle propre à l'amour, je retrouvai bientôt assez de force pour remercier le Ciel de m'avoir rendu la connaissance et la raison. Ma mort n'eût été utile qu'à moi. Manon avait besoin de ma vie pour la délivrer, pour la secourir, pour la venger. Je jurai de m'y employer sans ménagement.

Le concierge me donna toute l'assistance que j'eusse pu attendre du meilleur de mes amis. Je reçus ses services avec une vive reconnaissance. Hélas ! lui dis-je, vous êtes donc touché de mes peines ? Tout le monde m'abandonne. Mon père même est sans doute un de mes plus cruels persécuteurs. Personne n'a pitié de moi. Vous seul, dans le séjour de la dureté et de la barbarie, vous marquez de la compassion pour le plus misérable de tous les hommes ! Il me conseillait de ne point paraître dans la rue sans être un peu remis du trouble où j'étais. Laissez, laissez, répondis-je en sortant ; je vous reverrai plus tôt que vous ne pensez. Préparez-moi le plus noir de vos cachots ; je vais travailler à le mériter. En effet, mes premières résolutions n'allaient à rien moins qu'à me défaire des deux G... M... et du Lieutenant général de Police, et fondre[1] ensuite à main armée sur l'Hôpital, avec tous ceux que je pourrais engager dans ma querelle. Mon père lui-même eût à peine été respecté, dans une vengeance qui me paraissait si juste, car le concierge ne m'avait pas caché que lui et G... M... étaient les auteurs de ma perte. Mais, lorsque j'eus fait quelques pas dans les rues, et que l'air eut un peu rafraîchi mon sang et mes humeurs, ma fureur fit place peu à peu à des sentiments plus raisonnables. La mort de nos ennemis eût été d'une faible utilité pour Manon, et elle m'eût exposé sans doute à me voir ôter tous les moyens de la secourir. D'ailleurs, aurais-je eu recours à un lâche assassinat ? Quelle autre voie pouvais-je m'ouvrir à la vengeance ? Je recueillis toutes mes forces et tous mes esprits pour travailler d'abord à la délivrance de Manon, remettant tout le reste après le succès de cette importante entreprise. Il me restait peu d'argent. C'était, néanmoins, un fondement nécessaire, par lequel il fallait commencer. Je ne voyais que trois personnes de qui j'en pusse attendre : M. de T..., mon

---

1. Attaquer impétueusement et tout à coup (A).

père et Tiberge. Il y avait peu d'apparence d'obtenir quelque chose des deux derniers, et j'avais honte de fatiguer l'autre par mes importunités. Mais ce n'est point dans le désespoir qu'on garde des ménagements. J'allai sur-le-champ au séminaire de Saint-Sulpice, sans m'embarrasser si j'y serais reconnu. Je fis appeler Tiberge. Ses premières paroles me firent comprendre qu'il ignorait encore mes dernières aventures. Cette idée me fit changer le dessein que j'avais, de l'attendrir par la compassion. Je lui parlai, en général, du plaisir que j'avais eu de revoir mon père, et je le priai ensuite de me prêter quelque argent, sous prétexte de payer, avant mon départ de Paris, quelques dettes que je souhaitais de tenir inconnues. Il me présenta aussitôt sa bourse. Je pris cinq cents francs sur six cents que j'y trouvai. Je lui offris mon billet[1] ; il était trop généreux pour l'accepter.

Je tournai[2] de là chez M. de T... Je n'eus point de réserve avec lui. Je lui fis l'exposition de mes malheurs et de mes peines : il en savait déjà jusqu'aux moindres circonstances, par le soin qu'il avait eu de suivre l'aventure du jeune G... M... ; il m'écouta néanmoins, et il me plaignit beaucoup. Lorsque je lui demandai ses conseils sur les moyens de délivrer Manon, il me répondit tristement qu'il y voyait si peu de jour, qu'à moins d'un secours extraordinaire du Ciel, il fallait renoncer à l'espérance, qu'il avait passé exprès à l'Hôpital, depuis qu'elle y était renfermée, qu'il n'avait pu obtenir lui-même la liberté de la voir ; que les ordres

---

1. Billet à ordre. Voir note 2, page 144. **2.** Au sens de *retournai* (R).

du Lieutenant général de Police étaient de la dernière rigueur, et que, pour comble d'infortune, la malheureuse bande où elle devait entrer était destinée à partir le surlendemain du jour où nous étions. J'étais si consterné de son discours qu'il eût pu parler une heure sans que j'eusse pensé à l'interrompre. Il continua de me dire qu'il ne m'était point allé voir au Châtelet, pour se donner plus de facilité à me servir lorsqu'on le croirait sans liaison avec moi ; que, depuis quelques heures que j'en étais sorti, il avait eu le chagrin[1] d'ignorer où je m'étais retiré, et qu'il avait souhaité de me voir promptement pour me donner le seul conseil dont il semblait que je pusse espérer du changement dans le sort de Manon, mais un conseil dangereux, auquel il me priait de cacher éternellement qu'il eût part : c'était de choisir quelques braves[2] qui eussent le courage d'attaquer les gardes de Manon lorsqu'ils seraient sortis de Paris avec elle. Il n'attendit point que je lui parlasse de mon indigence. Voilà cent pistoles[3], me dit-il, en me présentant une bourse, qui pourront vous être de quelque usage. Vous me les remettrez, lorsque la fortune aura rétabli vos affaires. Il ajouta que, si le soin de sa réputation lui eût permis d'entreprendre lui-même la délivrance de ma maîtresse, il m'eût offert son bras et son épée.

Cette excessive générosité me toucha jusqu'aux larmes. J'employai, pour lui marquer ma reconnaissance, toute la vivacité que mon affliction[a] me laissait

---

1. Déplaisir (A). 2. Voir note 2, page 251. 3. La pistole vaut 10 francs-or en France.

de reste. Je lui demandai s'il n'y avait rien à espérer, par la voie des intercessions[1], auprès du Lieutenant général de Police. Il me dit qu'il y avait pensé, mais qu'il croyait cette ressource inutile, parce qu'une grâce de cette nature ne pouvait se demander sans motif, et qu'il ne voyait pas bien quel motif on pouvait employer pour se faire un intercesseur d'une personne grave et puissante que, si l'on pouvait se flatter de quelque chose de ce côté-là, ce ne pouvait être qu'en faisant changer de sentiment à M. de G... M... et à mon père, et en les engageant à prier eux-mêmes M. le Lieutenant général de Police de révoquer sa sentence. Il m'offrit de faire tous ses efforts pour gagner le jeune G... M..., quoiqu'il le crût un peu refroidi à son égard par quelques soupçons qu'il avait conçus de lui à l'occasion de notre affaire, et il m'exhorta à ne rien omettre, de mon côté, pour fléchir l'esprit de mon père.

Ce n'était pas une légère entreprise pour moi, je ne dis pas seulement par la difficulté que je devais naturellement trouver à le vaincre, mais par une autre raison qui me faisait même redouter ses approches : je m'étais dérobé[2] de son logement[a] contre ses ordres, et j'étais fort résolu de n'y pas retourner depuis que j'avais appris la triste destinée de Manon. J'appréhendais avec sujet qu'il ne me fît retenir malgré moi, et qu'il ne me reconduisît de même en province. Mon frère aîné avait usé autrefois de cette méthode. Il est vrai que j'étais devenu plus âgé, mais l'âge était une faible raison contre la

---

1. Action par laquelle on prie, on sollicite pour quelqu'un, afin de lui procurer quelque chose, ou de le garantir de quelque mal (A). **2.** Voir note 3, page 95.

force. Cependant je trouvai une voie qui me sauvait du danger, c'était de le faire appeler dans un endroit public, et de m'annoncer à lui sous un autre nom. Je pris aussitôt ce parti. M. de T... s'en alla chez G... M... et moi au Luxembourg [1], d'où j'envoyai avertir mon père qu'un gentilhomme de ses serviteurs [2] était à l'attendre. Je craignais qu'il n'eût quelque peine à venir, parce que la nuit approchait [a]. Il parut néanmoins peu après, suivi de son laquais. Je le priai de prendre une allée où nous puissions être seuls. Nous fîmes cent pas, pour le moins, sans parler. Il s'imaginait bien, sans doute, que tant de préparations ne s'étaient pas faites sans un dessein d'importance. Il attendait ma harangue, et je la méditais.

Enfin, j'ouvris la bouche. Monsieur, lui dis-je en tremblant, vous êtes un bon père. Vous m'avez comblé de grâces et vous m'avez pardonné un nombre infini de fautes. Aussi le Ciel m'est-il témoin que j'ai pour vous tous les sentiments du fils le plus tendre et le plus respectueux. Mais il me semble... que votre rigueur... Hé bien ! ma rigueur ? interrompit mon père, qui trouvait sans doute que je parlais lentement pour son impatience. Ah ! monsieur, repris-je, il me semble que votre rigueur est extrême, dans le traitement que vous avez fait à la malheureuse Manon. Vous vous en êtes rapporté à M. de G... M... Sa haine vous l'a représentée sous les plus noires couleurs. Vous vous êtes formé d'elle une affreuse [3] idée. Cependant, c'est la plus

---

1. Jardin réputé pour sà tranquillité (D. P.).   **2.** L'expression est étrange. Elle indique que des nobles sont au service du père de des Grieux, donc qu'il a une maison comme un noble d'un rang élevé.   **3.** Effroyable, horrible (A).

douce et la plus aimable créature qui fût jamais. Que n'a-t-il plu au Ciel de vous inspirer l'envie de la voir un moment ! Je ne suis pas plus sûr qu'elle est charmante, que je le suis qu'elle vous l'aurait paru. Vous auriez pris parti pour elle ; vous auriez détesté les noirs artifices[1] de G... M... ; vous auriez eu compassion d'elle et de moi. Hélas ! j'en suis sûr. Votre cœur n'est pas insensible ; vous vous seriez laissé attendrir. Il m'interrompit encore, voyant que je parlais avec une ardeur qui ne m'aurait pas permis de finir sitôt. Il voulut savoir à quoi j'avais dessein d'en venir par un discours si passionné. À vous demander la vie, répondis-je, que je ne puis conserver un moment si Manon part une fois pour l'Amérique. Non, non, me dit-il d'un ton sévère ; j'aime mieux te voir sans vie que sans sagesse et sans honneur. N'allons donc pas plus loin ! m'écriai-je en l'arrêtant par le bras. Ôtez-la-moi, cette vie odieuse et insupportable, car, dans le désespoir où vous me jetez, la mort sera une faveur pour moi. C'est un présent digne de la main d'un père.

Je ne te donnerais que ce que tu mérites, répliqua-t-il. Je connais bien des pères qui n'auraient pas attendu si longtemps pour être eux-mêmes tes bourreaux, mais c'est ma bonté excessive qui t'a perdu.

Je me jetai à ses genoux. Ah ! s'il vous en reste encore, lui dis-je en les embrassant, ne vous endurcissez donc pas contre mes pleurs. Songez que je suis votre fils... Hélas ! souvenez-vous de ma mère. Vous l'aimiez

---

1. « Artifices » se dit pour *ruse*, *déguisement*, *fraude* (A). L'adjectif « noir » a ici un sens figuré, et se dit tant des crimes que des mauvaises actions, que des personnes qui les commettent (A).

si tendrement ! Auriez-vous souffert qu'on l'eût arrachée de vos bras ? Vous l'auriez défendue jusqu'à la mort. Les autres n'ont-ils pas un cœur comme vous ? Peut-on être barbare, après avoir une fois éprouvé ce que c'est que la tendresse et la douleur ?

Ne me parle pas davantage de ta mère, reprit-il d'une voix irritée ; ce souvenir échauffe mon indignation. Tes désordres la feraient mourir de douleur, si elle eût assez vécu pour les voir. Finissons cet entretien, ajouta-t-il ; il m'importune, et ne me fera point changer de résolution. Je retourne au logis ; je t'ordonne de me suivre. Le ton sec et dur avec lequel il m'intima cet ordre me fit trop comprendre que son cœur était inflexible. Je m'éloignai de quelques pas, dans la crainte qu'il ne lui prît envie de m'arrêter de ses propres mains. N'augmentez pas mon désespoir, lui dis-je, en me forçant de vous désobéir. Il est impossible que je vous suive. Il ne l'est pas moins que je vive, après la dureté avec laquelle vous me traitez. Ainsi je vous dis un éternel adieu. Ma mort, que vous apprendrez bientôt, ajoutai-je tristement, vous fera peut-être reprendre pour moi des sentiments de père. Comme je me tournais pour le quitter : Tu refuses donc de me suivre ? s'écria-t-il avec une vive colère. Va, cours à ta perte. Adieu, fils ingrat et rebelle. Adieu, lui dis-je dans mon transport, adieu, père barbare et dénaturé [1].

Je sortis aussitôt du Luxembourg. Je marchai dans les rues comme un furieux [2] jusqu'à la maison de M. de T... Je levais, en marchant, les yeux et les mains pour

---

1. Qui manque d'affection et de tendresse pour ses plus proches parents (A).   **2.** Véhément, violent (A). A presque ici le sens de *fou*.

invoquer toutes les puissances célestes. Ô Ciel ! disais-je, serez-vous aussi impitoyable que les hommes ? Je n'ai plus de secours à attendre que de vous. M. de T... n'était point encore retourné chez lui, mais il revint après que je l'y eus attendu quelques moments. Sa négociation n'avait pas réussi mieux que la mienne. Il me le dit d'un visage abattu. Le jeune G... M..., quoique moins irrité que son père contre Manon et contre moi, n'avait pas voulu entreprendre de le solliciter en notre faveur. Il s'en était défendu par la crainte qu'il avait lui-même de ce vieillard vindicatif, qui s'était déjà fort emporté contre lui en lui reprochant ses desseins de commerce avec Manon. Il ne me restait donc que la voie de la violence, telle que M. de T... m'en avait tracé le plan ; j'y réduisis toutes mes espérances. Elles sont bien incertaines, lui dis-je, mais la plus solide et la plus consolante pour moi est celle de périr du moins dans l'entreprise. Je le quittai en le priant de me secourir par ses vœux, et je ne pensai plus qu'à m'associer des camarades à qui je pusse communiquer une étincelle de mon courage et de ma résolution.

Le premier qui s'offrit à mon esprit, fut le même garde du corps que j'avais employé pour arrêter G... M... J'avais dessein aussi d'aller passer la nuit dans sa chambre, n'ayant pas eu l'esprit assez libre, pendant l'après-midi, pour me procurer un logement. Je le trouvai seul. Il eut de la joie de me voir sorti du Châtelet. Il m'offrit affectueusement ses services. Je lui expliquai ceux qu'il pouvait me rendre. Il avait assez de bon sens pour en apercevoir toutes les difficultés, mais il fut assez généreux pour entreprendre de les surmonter. Nous employâmes une partie de la nuit

à raisonner sur mon dessein. Il me parla des trois soldats aux gardes, dont il s'était servi dans la dernière
occasion, comme de trois braves à l'épreuve. M. de
T... m'avait informé exactement du nombre des archers
qui devaient conduire Manon ; ils n'étaient que six.
Cinq hommes hardis et résolus suffisaient pour donner
l'épouvante à ces misérables, qui ne sont point capa-
bles de se défendre honorablement lorsqu'ils peuvent
éviter le péril du combat par une lâcheté[1]. Comme je
ne manquais point d'argent, le garde du corps me
conseilla de ne rien épargner pour[a] assurer le succès
de notre attaque. Il nous faut des chevaux, me dit-il,
avec des pistolets, et chacun notre mousqueton[2]. Je me
charge de prendre demain le soin de ces préparatifs. Il
faudra aussi trois habits communs[3] pour nos soldats,
qui n'oseraient paraître dans une affaire de cette nature
avec l'uniforme du régiment. Je lui mis entre les mains
les cent pistoles que j'avais reçues de M. de T... Elles
furent employées, le lendemain, jusqu'au dernier sol[b].
Les trois soldats passèrent en revue devant moi. Je les
animai par de grandes promesses, et pour leur ôter
toute défiance, je commençai par leur faire présent, à
chacun, de dix pistoles. Le jour de l'exécution étant
venu, j'en envoyai un de grand matin à l'Hôpital, pour
s'instruire, par ses propres yeux, du moment auquel

---

1. Les gardes qui accompagnaient les convois de filles avaient
mauvaise réputation dans le public. Voir sur ce point D. P.
2. Espèce de fusil dont le canon est plus court que celui des fusils
ordinaires, et le calibre, gros comme celui d'un mousquet (A).
3. C'est-à-dire civils, de façon à ne pas être reconnus par leur
uniforme.

les archers partiraient avec leur proie. Quoique je n'eusse pris cette précaution que par un excès d'inquiétude et de prévoyance, il se trouva qu'elle avait été absolument nécessaire. J'avais compté sur quelques fausses informations qu'on m'avait données de leur route, et, m'étant persuadé que c'était à La Rochelle que cette déplorable[1] troupe devait être embarquée, j'aurais perdu mes peines à l'attendre sur le chemin d'Orléans. Cependant, je fus informé, par le rapport du soldat aux gardes, qu'elle prenait le chemin de Normandie, et que c'était du Havre-de-Grâce qu'elle devait partir pour l'Amérique.

Nous nous rendîmes aussitôt à la porte Saint-Honoré, observant de marcher par des rues différentes. Nous nous réunîmes au bout du faubourg. Nos chevaux étaient frais. Nous ne tardâmes point à découvrir les six gardes et les deux misérables voitures que vous vîtes à Pacy, il y a deux ans[a]. Ce spectacle faillit de m'ôter[b] la force et la connaissance[2]. Ô fortune, m'écriai-je, fortune cruelle ! accorde-moi ici, du moins, la mort ou la victoire. Nous tînmes conseil un moment sur la manière dont nous ferions notre attaque. Les archers n'étaient guère plus de quatre cents pas devant nous, et nous pouvions les couper en passant au travers d'un petit champ, autour duquel le grand chemin tournait. Le garde du corps fut d'avis de prendre cette voie, pour les surprendre en fondant tout d'un coup sur eux. J'approuvai sa pensée et je fus le

---

1. Qui est digne d'être déplorée. Digne de compassion, de pitié (A). **2.** Des Grieux faillit perdre connaissance, s'évanouir.

premier à piquer mon cheval. Mais la fortune avait rejeté impitoyablement mes vœux. Les archers, voyant cinq cavaliers accourir vers eux, ne doutèrent point que ce ne fût pour les attaquer. Ils se mirent en défense [1], en préparant leurs baïonnettes et leurs fusils d'un air assez résolu. Cette vue, qui ne fit que nous animer, le garde du corps et moi, ôta tout d'un coup le courage à nos trois lâches compagnons. Ils s'arrêtèrent comme de concert [2], et, s'étant dit entre eux quelques mots que je n'entendis point, ils tournèrent la tête de leurs chevaux, pour reprendre le chemin de Paris à bride abattue. Dieux ! me dit le garde du corps, qui paraissait aussi éperdu que moi de cette infâme désertion, qu'allons-nous faire ? Nous ne sommes que deux. J'avais perdu la voix, de fureur et d'étonnement. Je m'arrêtai, incertain si ma première vengeance ne devait pas s'employer à la poursuite et au châtiment des lâches qui m'abandonnaient. Je les regardais fuir et je jetais les yeux, de l'autre côté, sur les archers. S'il m'eût été possible de me partager, j'aurais fondu tout à la fois sur ces deux objets de ma rage ; je les dévorais tous ensemble. Le garde du corps, qui jugeait de mon incertitude par le mouvement égaré de mes yeux, me pria d'écouter son conseil. N'étant que deux, me dit-il, il y aurait de la folie à attaquer six hommes aussi bien armés que nous et qui paraissent nous attendre de pied ferme. Il faut retourner à Paris et tâcher de réussir mieux dans le choix de nos braves. Les archers ne

---

1. Se mirent en état de se défendre (A).   2. « De concert » se dit adverbialement : *d'intelligence.*

sauraient faire de grandes journées avec deux pesantes voitures ; nous les rejoindrons demain sans peine.

Je fis un moment de réflexion sur ce parti, mais, ne voyant de tous côtés que des sujets de désespoir, je pris une résolution véritablement désespérée. Ce fut de remercier mon compagnon de ses services, et, loin d'attaquer les archers, je résolus d'aller[a], avec soumission, les prier de me recevoir dans leur troupe pour accompagner Manon avec eux jusqu'au Havre-de-Grâce et passer ensuite au-delà des mers avec elle. Tout le monde me persécute ou me trahit, dis-je au garde du corps. Je n'ai plus de fond à faire sur personne. Je n'attends plus rien, ni de la fortune, ni du secours des hommes. Mes malheurs sont au comble ; il ne me reste plus que de m'y soumettre. Ainsi, je ferme les yeux à toute espérance. Puisse le Ciel récompenser votre générosité ! Adieu, je vais aider mon mauvais sort à consommer ma ruine, en y courant moi-même volontairement. Il fit inutilement ses efforts pour m'engager à retourner à Paris. Je le priai de me laisser suivre mes résolutions et de me quitter sur-le-champ, de peur que les archers ne continuassent de croire que notre dessein était de les attaquer.

J'allai seul vers eux, d'un pas lent et le visage si consterné qu'ils ne durent rien trouver d'effrayant dans mes approches. Ils se tenaient néanmoins en défense[b]. Rassurez-vous, messieurs, leur dis-je, en les abordant ; je ne vous apporte point la guerre, je viens vous demander des grâces. Je les priai de continuer leur chemin sans défiance et je leur appris, en marchant, les faveurs que j'attendais d'eux. Ils consultèrent ensemble de quelle manière ils devaient recevoir cette ouverture. Le chef de la bande [1] prit la parole pour les autres. Il me répondit que les ordres qu'ils avaient de veiller sur leurs captives étaient d'une extrême rigueur ; que je lui paraissais néanmoins si joli homme que lui et ses compagnons se relâcheraient un peu de leur devoir ; mais que je devais comprendre qu'il fallait qu'il m'en coûtât quelque chose. Il me restait environ quinze pistoles ; je leur dis naturellement en quoi consistait le fond de ma bourse. Hé bien ! me dit l'archer, nous en userons généreusement. Il ne vous coûtera qu'un écu par heure pour entretenir celle de nos filles qui vous plaira le plus ; c'est le prix courant de Paris. Je ne leur avais pas parlé de Manon en particulier, parce que je n'avais pas dessein qu'ils connussent ma passion. Ils s'imaginèrent d'abord que ce n'était qu'une fantaisie de jeune homme qui me faisait chercher un peu de passe-temps avec ces créatures [2] ; mais lorsqu'ils crurent s'être aperçus que j'étais amoureux, ils augmentèrent tellement le tribut, que ma bourse se trouva épuisée en partant de Mantes, où nous avions couché, le jour que nous arrivâmes à Pacy.

Vous dirai-je quel fut le déplorable sujet de mes entretiens avec Manon pendant cette route, ou quelle impression sa vue fit sur moi lorsque j'eus obtenu des gardes la liberté d'approcher de son chariot ? Ah ! les expressions ne rendent jamais qu'à demi les sentiments du cœur. Mais figurez-vous ma pauvre maîtresse

---

1. Troupe, compagnie (A). N'a pas en soi un sens péjoratif.
2. « Créature » se dit quelquefois par mépris (R).

enchaînée par le milieu du corps [1], assise sur quelques
poignées de paille, la tête appuyée languissamment
sur un côté de la voiture, le visage pâle et mouillé
d'un ruisseau de larmes qui se faisaient un passage au
travers de ses paupières, quoiqu'elle eût continuellement les yeux fermés. Elle n'avait pas même eu la
curiosité de les ouvrir lorsqu'elle avait entendu le
bruit de ses gardes, qui craignaient d'être attaqués.
Son linge était sale et dérangé, ses mains délicates
exposées à l'injure de l'air ; enfin, tout ce composé
charmant, cette figure capable de ramener l'univers à
l'idolâtrie [2], paraissait dans un désordre et un abattement inexprimables. J'employai quelque temps à la
considérer, en allant à cheval à côté du chariot. J'étais
si peu à moi-même que je fus sur le point, plusieurs
fois, de tomber dangereusement. Mes soupirs et mes
exclamations fréquentes m'attirèrent d'elle quelques
regards. Elle me reconnut, et je remarquai que, dans
le premier mouvement, elle tenta de se précipiter hors
de la voiture pour venir à moi ; mais, étant retenue
par sa chaîne, elle retomba dans sa première attitude.
Je priai les archers d'arrêter un moment par compassion ; ils y consentirent par avarice. Je quittai mon
cheval pour m'asseoir auprès d'elle. Elle était si languissante et si affaiblie qu'elle fut longtemps sans
pouvoir se servir de sa langue ni remuer ses mains. Je
les mouillais pendant ce temps-là de mes pleurs, et,
ne pouvant proférer moi-même une seule parole, nous

---

1. Une chaîne passant par le milieu du corps unissait les déportées l'une à l'autre. Voir note 3, page 82.   **2.** Qui ferait que les
hommes cessant d'adorer Dieu l'adoreraient elle.

étions l'un et l'autre dans une des plus tristes situations dont il y ait jamais eu d'exemple. Nos expressions ne le furent pas moins, lorsque nous eûmes retrouvé la liberté de parler. Manon parla peu. Il semblait que la honte et la douleur eussent altéré les organes de sa voix[1] ; le son en était faible et tremblant. Elle me remercia de ne l'avoir pas oubliée, et de la satisfaction que je lui accordais, dit-elle en soupirant, de me voir du moins encore une fois et de me dire le dernier adieu. Mais, lorsque je l'eus assurée que rien n'était capable de me séparer d'elle et que j'étais disposé à la suivre jusqu'à l'extrémité du monde pour prendre soin d'elle, pour la servir, pour l'aimer et pour attacher inséparablement ma misérable destinée à la sienne, cette pauvre fille se livra à des sentiments si tendres et si douloureux, que j'appréhendai quelque chose pour sa vie d'une si violente émotion. Tous les mouvements de son âme semblaient se réunir dans ses yeux. Elle les tenait fixés sur moi. Quelquefois elle ouvrait la bouche, sans avoir la force d'achever quelques mots qu'elle commençait. Il lui en échappait néanmoins quelques-uns. C'étaient des marques d'admiration sur mon amour, de tendres plaintes de son excès, des doutes qu'elle pût être assez heureuse pour m'avoir inspiré une passion si parfaite, des instances pour me faire renoncer au dessein de la suivre et chercher ailleurs

---

1. La voix fascine les hommes du XVIIIe siècle. D'où leur intérêt pour le théâtre, le jeu de l'acteur et le chant de l'opéra. La voix reflète les sentiments, d'où cette idée que la honte et la douleur peuvent altérer la voix.

un bonheur digne de moi, qu'elle me disait que je ne pouvais espérer avec elle.

En dépit du plus cruel de tous les sorts[a], je trouvais ma félicité dans ses regards et dans la certitude que j'avais de son affection. J'avais perdu, à la vérité, tout ce que le reste des hommes estime ; mais j'étais maître du cœur de Manon, le seul bien que j'estimais. Vivre en Europe, vivre en Amérique, que m'importait-il en quel endroit vivre, si j'étais sûr d'y être heureux en y vivant avec ma maîtresse ? Tout l'univers n'est-il pas la patrie de deux amants fidèles ? Ne trouvent-ils pas l'un dans l'autre, père, mère, parents, amis, richesses et félicité ? Si quelque chose me causait de l'inquiétude, c'était la crainte de voir Manon exposée aux besoins de l'indigence[1]. Je me supposais déjà, avec elle, dans une région inculte et habitée par des sauvages. Je suis bien sûr, disais-je, qu'il ne saurait y en avoir d'aussi cruels que G... M... et mon père. Ils nous laisseront du moins vivre en paix. Si les relations qu'on en fait sont fidèles, ils suivent les lois de la nature. Ils ne connaissent ni les fureurs de l'avarice, qui possèdent G... M..., ni les idées fantastiques de l'honneur, qui m'ont fait un ennemi de mon père. Ils ne troubleront point deux amants qu'ils verront vivre avec autant de simplicité qu'eux[2]. J'étais donc tranquille de ce côté-là. Mais je ne me formais point des idées romanesques par rapport aux besoins

----

1. Grande pauvreté, défaut des choses nécessaires (A).   **2.** Il y a évidemment un mythe du bon sauvage comme en témoignent les pages consacrées aux Abakis dans *Cleveland*. Ils sont des hommes de nature, bons, simples et pas encore corrompus par la civilisation. Voir la préface.

communs de la vie. J'avais éprouvé trop souvent qu'il y a des nécessités insupportables, surtout pour une fille délicate qui est accoutumée à une vie commode[1] et abondante. J'étais au désespoir d'avoir épuisé inutilement ma bourse et que le peu d'argent qui me restait fût encore sur le point de m'être ravi par la friponnerie des archers. Je concevais qu'avec une petite somme j'aurais pu espérer, non seulement de me soutenir quelque temps contre la misère en Amérique, où l'argent était rare, mais d'y former même quelque entreprise pour un établissement durable. Cette considération me fit naître la pensée d'écrire à Tiberge, que j'avais toujours trouvé si prompt à m'offrir les secours de l'amitié. J'écrivis, dès la première ville où nous passâmes. Je ne lui apportai point d'autre motif que le pressant besoin dans lequel je prévoyais que je me trouverais au Havre-de-Grâce, où je lui confessais que j'étais allé conduire Manon. Je lui demandais cent pistoles. Faites-les moi tenir au Havre, lui disais-je, par le maître de la poste. Vous voyez bien que c'est la dernière fois que j'importune votre affection et que, ma malheureuse maîtresse m'étant enlevée pour toujours, je ne puis la laisser partir sans quelques soulagements qui adoucissent son sort et mes mortels regrets.

Les archers devinrent si intraitables, lorsqu'ils eurent découvert la violence de ma passion, que, redoublant continuellement le prix de leurs moindres faveurs, ils me réduisirent bientôt à la dernière indi-

---

1. La vie serait facile, aisée (A), abondante au sens où on n'y manquerait de rien.

gence. L'amour, d'ailleurs, ne me permettait guère de ménager ma bourse. Je m'oubliais du matin au soir près de Manon, et ce n'était plus par heure que le temps m'était mesuré, c'était par la longueur entière des jours. Enfin, ma bourse étant tout à fait vide, je me trouvai exposé aux caprices et à la brutalité de six misérables, qui me traitaient avec une hauteur[1] insupportable. Vous en fûtes témoin à Pacy. Votre rencontre fut un heureux moment de relâche, qui me fut accordé par la fortune. Votre pitié, à la vue de mes peines, fut ma seule recommandation auprès de votre cœur généreux. Le secours, que vous m'accordâtes libéralement, servit à me faire gagner le Havre, et les archers tinrent leur promesse avec plus de fidélité que je ne l'espérais.

Nous arrivâmes au Havre. J'allai d'abord à la poste. Tiberge n'avait point encore eu le temps de me répondre. Je m'informai exactement quel jour je pouvais attendre sa lettre. Elle ne pouvait arriver que[a] deux jours après, et par une étrange disposition de mon mauvais sort, il se trouva que notre vaisseau devait partir le matin de celui auquel j'attendais l'ordinaire. Je ne puis vous représenter mon désespoir. Quoi ! m'écriai-je, dans le malheur même, il faudra toujours que je sois distingué par des excès ! Manon répondit : Hélas ! une vie si malheureuse mérite-t-elle le soin que nous en prenons ? Mourons au Havre, mon cher Chevalier. Que la mort finisse[b] tout d'un coup nos misères ! Irons-nous les traîner dans un pays inconnu,

---

1. Quand on excède les bornes de la raison et du devoir ; signifie arrogance, orgueil (A).

où nous devons nous attendre, sans doute, à d'horribles extrémités, puisqu'on a voulu m'en faire[a] un supplice ? Mourons, me répéta-t-elle ; ou du moins, donne-moi la mort, et va chercher un autre sort dans les bras d'une amante plus heureuse. Non, non, lui dis-je, c'est pour moi un sort digne d'envie que d'être malheureux avec vous. Son discours me fit trembler. Je jugeai qu'elle était accablée de ses maux. Je m'efforçai de prendre un air plus tranquille, pour lui ôter ces funestes pensées de mort et de désespoir. Je résolus de tenir la même conduite à l'avenir ; et j'ai éprouvé, dans la suite, que rien n'est plus capable d'inspirer du courage à une femme que l'intrépidité d'un homme qu'elle aime.

Lorsque j'eus perdu l'espérance de recevoir du secours de[b] Tiberge, je vendis mon cheval. L'argent que j'en tirai, joint à ce qui me restait encore de vos libéralités, me composa la petite somme de dix-sept pistoles. J'en employai sept à l'achat de quelques soulagements nécessaires à Manon, et je serrai[1] les dix autres avec soin, comme le fondement de notre fortune et de nos espérances en Amérique. Je n'eus point de peine à me faire recevoir dans le vaisseau. On cherchait alors des jeunes gens[c] qui fussent disposés à se joindre volontairement à la colonie. Le passage et la nourriture me furent accordés gratis. La poste de Paris devant partir le lendemain, j'y laissai une lettre pour Tiberge. Elle était touchante et capable de l'attendrir, sans doute, au dernier point, puisqu'elle lui fit prendre une résolution qui ne pouvait venir que d'un fonds

---

1. Rangeai avec soin.

infini de tendresse et de générosité pour un ami malheureux.

Nous mîmes à la voile. Le vent ne cessa point de nous être favorable[a]. J'obtins du capitaine un lieu à part pour Manon et pour moi. Il eut la bonté de nous regarder d'un autre œil que le commun de nos misérables associés. Je l'avais pris en particulier dès le premier jour, et, pour m'attirer de lui quelque considération, je lui avais découvert une partie de mes infortunes. Je ne crus pas me rendre coupable d'un mensonge honteux en lui disant que j'étais marié à Manon. Il feignit de le croire, et il m'accorda sa protection. Nous en reçûmes des marques pendant toute la navigation. Il eut soin de nous faire nourrir honnêtement, et les égards qu'il eut pour nous servirent à nous faire respecter des compagnons de notre misère. J'avais une attention continuelle à ne pas laisser souffrir la moindre incommodité à Manon. Elle le remarquait bien, et cette vue, jointe au vif ressentiment[1] de l'étrange extrémité où je m'étais réduit pour elle, la rendait si tendre et si passionnée, si attentive aussi à mes plus légers besoins, que c'était, entre elle et moi, une perpétuelle émulation de services et d'amour. Je ne regrettais point l'Europe. Au contraire, plus nous avancions vers l'Amérique, plus je sentais mon cœur s'élargir et devenir tranquille. Si j'eusse pu m'assurer de n'y pas manquer des nécessités absolues de la vie,

---

1. Signifie aussi le souvenir qu'on garde des bienfaits ou des injures, il ne se dit plus guère qu'en parlant des injures (A).

j'aurais remercié la fortune d'avoir donné un tour si favorable à nos malheurs.

Après une navigation de deux mois, nous abordâmes enfin au rivage désiré. Le pays ne nous offrit rien d'agréable à la première vue. C'étaient des campagnes stériles et inhabitées, où l'on voyait à peine quelques roseaux et quelques arbres dépouillés par le vent. Nulle trace d'hommes ni d'animaux. Cependant, le capitaine ayant fait tirer quelques pièces de notre artillerie, nous ne fûmes pas longtemps sans apercevoir une troupe de citoyens de la Nouvelle Orléans [1], qui s'approchèrent de nous avec de vives marques de joie. Nous n'avions pas découvert la ville. Elle est cachée, de ce côté-là, par une petite colline. Nous fûmes reçus comme des gens descendus du Ciel. Ces pauvres habitants s'empressaient pour nous faire mille questions sur l'état de la France et sur les différentes provinces où ils étaient nés. Ils nous embrassaient comme leurs frères et comme de chers compagnons qui venaient partager leur misère et leur solitude. Nous prîmes le chemin de la ville avec eux, mais nous fûmes surpris de découvrir, en avançant, que, ce qu'on nous avait vanté jusqu'alors comme une bonne ville, n'était qu'un assemblage de quelques pauvres cabanes. Elles étaient habitées par cinq ou six cents personnes. La maison du Gouverneur nous parut un peu distinguée par sa hauteur et par sa situation. Elle est défendue par

---

1. Certaines éditions du XVIIIe siècle donnent « Nouvel Orléans ». Le masculin correspond à l'étymologie (Aureliani), mais par contamination avec le mot *ville*, le féminin s'est imposé dès la fondation de la colonie. Prévost mélange les deux graphies.

quelques ouvrages [1] de terre, autour desquels règne un large fossé.

Nous fûmes d'abord présentés à lui. Il s'entretint longtemps en secret avec le capitaine, et, revenant ensuite à nous, il considéra, l'une après l'autre, toutes les filles qui étaient arrivées par le vaisseau. Elles étaient au nombre de trente, car nous en avions trouvé au Havre une autre bande, qui s'était jointe à la nôtre [a]. Le Gouverneur, les ayant longtemps examinées, fit appeler divers jeunes gens de la ville qui languissaient dans l'attente d'une épouse. Il donna les plus jolies aux principaux [2] et le reste fut tiré au sort. Il n'avait point encore parlé à Manon, mais, lorsqu'il eut ordonné aux autres de se retirer, il nous fit demeurer, elle et moi. J'apprends du capitaine, nous dit-il, que vous êtes mariés et qu'il vous a reconnus sur la route pour deux personnes d'esprit et de mérite. Je n'entre point dans les raisons qui ont causé votre malheur, mais, s'il est vrai que vous ayez autant de savoir-vivre [3] que votre figure me le promet, je n'épargnerai rien pour adoucir votre sort, et vous contribuerez vous-mêmes à me faire trouver quelque agrément dans ce lieu sauvage et désert. Je lui répondis de la manière que je crus la plus propre à confirmer l'idée qu'il avait de nous. Il donna quelques ordres pour nous faire préparer un logement dans la ville, et il nous retint à souper avec lui. Je lui trouvai beaucoup de politesse [4],

---

1. Terme de fortification, qui signifie toute sorte de travaux avancés au-dehors d'une place (A).   **2.** Pour dire les personnes principales de la ville (A).   **3.** Connaissance des usages du monde, et des égards de politesse que les hommes se doivent dans la société (R).   **4.** Délicatesse, raffinement (R).

pour un chef de malheureux bannis. Il ne nous fit point de questions, en public, sur le fond de nos aventures. La conversation fut générale, et, malgré notre tristesse, nous nous efforçâmes, Manon et moi, de contribuer à la rendre agréable.

Le soir, il nous fit conduire au logement qu'on nous avait préparé. Nous trouvâmes une misérable cabane, composée de planches et de boue, qui consistait en deux ou trois chambres de plain-pied, avec un grenier au-dessus. Il y avait fait mettre cinq ou six chaises[a] et quelques commodités nécessaires à la vie. Manon parut effrayée à la vue d'une si triste demeure. C'était pour moi qu'elle s'affligeait, beaucoup plus que pour elle-même. Elle s'assit, lorsque nous fûmes seuls, et elle se mit à pleurer amèrement. J'entrepris d'abord de la consoler, mais lorsqu'elle m'eut fait entendre que c'était moi seul qu'elle plaignait, et qu'elle ne considérait, dans nos malheurs communs, que ce que j'avais à souffrir, j'affectai de montrer assez de courage, et même assez de joie pour lui en inspirer. De quoi me plaindrai-je ? lui dis-je. Je possède tout ce que je désire. Vous m'aimez, n'est-ce pas ? Quel autre bonheur me suis-je jamais proposé ? Laissons au Ciel le soin de notre fortune. Je ne la trouve pas si désespérée. Le Gouverneur est un homme civil[1] ; il nous a marqué de la considération ; il ne permettra pas que nous manquions du nécessaire. Pour ce qui regarde la pauvreté de notre cabane et la grossièreté de nos meubles, vous avez pu remarquer qu'il y a peu de personnes ici qui

---

1. Voir note 1, page 269.

paraissent mieux logées et mieux meublées que nous. Et puis, tu es une chimiste [1] admirable, ajoutai-je en l'embrassant, tu transformes tout en or.

Vous serez donc la plus riche personne de l'univers, me répondit-elle, car, s'il n'y eut jamais d'amour tel que le vôtre, il est impossible aussi d'être aimé plus tendrement que vous l'êtes. Je me rends justice, continua-t-elle. Je sens bien que je n'ai jamais mérité ce prodigieux attachement que vous avez pour moi. Je vous ai causé des chagrins, que vous n'avez pu me pardonner sans une bonté extrême. J'ai été légère et volage, et même en vous aimant éperdument, comme j'ai toujours fait, je n'étais qu'une ingrate. Mais vous ne sauriez croire combien je suis changée. Mes larmes, que vous avez vues couler si souvent depuis notre départ de France, n'ont pas eu une seule fois mes malheurs pour objet. J'ai cessé de les sentir aussitôt que vous avez commencé à les partager. Je n'ai pleuré que de tendresse et de compassion pour vous. Je ne me console point d'avoir pu vous chagriner un moment dans ma vie. Je ne cesse point de me reprocher mes inconstances et de m'attendrir, en admirant de quoi l'amour vous a rendu capable pour une malheureuse qui n'en était pas digne, et qui ne payerait pas bien de tout son sang, ajouta-t-elle avec une abondance de larmes, la moitié des peines qu'elle vous a causées.

Ses pleurs, son discours et le ton dont elle le prononça firent sur moi une impression si étonnante, que

---

1. Alchimiste, comme le prouve l'allusion à la faculté de tout transformer en or.

je crus sentir une espèce de division [1] dans mon âme.
Prends garde, lui dis-je, prends garde, ma chère
Manon. Je n'ai point assez de force pour supporter des
marques si vives de ton affection ; je ne suis point
accoutumé à ces excès de joie. Ô Dieu ! m'écriai-je,
je ne vous demande plus rien. Je suis assuré du cœur
de Manon. Il est tel que je l'ai souhaité pour être
heureux ; je ne puis plus cesser de l'être à présent.
Voilà ma félicité bien établie. Elle l'est, reprit-elle, si
vous la faites dépendre de moi, et je sais où je puis
compter aussi de trouver toujours la mienne. Je me
couchai avec ces charmantes idées, qui changèrent ma
cabane en un palais digne du premier roi du monde.
L'Amérique me parut un lieu de délices après cela.
C'est à la Nouvelle Orléans qu'il faut venir, disais-je
souvent à Manon, quand on veut goûter les vraies douceurs de l'amour. C'est ici qu'on s'aime sans intérêt,
sans jalousie, sans inconstance. Nos compatriotes y
viennent chercher de l'or ; ils ne s'imaginent pas que
nous y avons trouvé des trésors bien plus estimables [2].

Nous cultivâmes soigneusement l'amitié du Gouverneur. Il eut la bonté, quelques semaines après notre
arrivée, de me donner un petit emploi qui vint à
vaquer [3] dans le fort. Quoiqu'il ne fût pas bien distingué, je l'acceptai comme une faveur du Ciel. Il me
mettait en état de vivre sans être à charge à personne.
Je pris un valet pour moi et une servante pour Manon.
Notre petite fortune s'arrangea. J'étais réglé dans ma

---

1. Séparation (A).   **2.** Dignes d'estime, de considération (R).
3. À être déclaré vacant.

conduite ; Manon ne l'était pas moins. Nous ne lais-
sions point échapper l'occasion de rendre service et de
faire du bien à nos voisins. Cette disposition officieuse
et la douceur de nos manières nous attirèrent la
confiance et l'affection de toute la colonie. Nous fûmes
en peu de temps si considérés, que nous passions pour
les premières personnes de la ville après le Gouverneur.

L'innocence de nos occupations, et la tranquillité où
nous étions continuellement, servirent à nous faire rappeler insensiblement des idées de[a] religion. Manon
n'avait jamais été une fille impie. Je n'étais pas non
plus de ces libertins [1] outrés, qui font gloire d'ajouter
l'irréligion à la dépravation des mœurs. L'amour et la
jeunesse avaient causé tous nos désordres. L'expérience commençait à nous tenir lieu d'âge ; elle fit sur
nous le même effet que les années. Nos conversations,
qui étaient toujours réfléchies [2], nous mirent insensiblement dans le goût d'un amour vertueux. Je fus le
premier qui proposai ce changement à Manon. Je
connaissais les principes de son cœur. Elle était droite
et naturelle dans tous ses sentiments, qualité qui dispose toujours à la vertu. Je lui fis comprendre qu'il
manquait une chose à notre bonheur. C'est, lui dis-je,
de le faire approuver du Ciel. Nous avons l'âme trop
belle, et le cœur trop bien fait, l'un et l'autre, pour
vivre volontairement dans l'oubli du devoir[b]. Passe d'y
avoir vécu en France [3], où il nous était également
impossible de cesser de nous aimer et de nous satisfaire

---

1. Déréglés dans leurs mœurs et dans leur conduite (A).
2. Faites avec réflexion (R).   **3.** Au sens de : Si cela pouvait être
admis en France, mais ici en Amérique...

par une voie légitime ; mais en Amérique, où nous ne dépendons que de nous-mêmes, où nous n'avons plus à ménager les lois arbitraires du rang et de la bienséance, où l'on nous croit même mariés, qui empêche que nous ne le soyons bientôt effectivement et que nous n'anoblissions notre amour par des serments que la religion autorise ? Pour moi, ajoutai-je, je ne vous offre rien de nouveau en vous offrant mon cœur et ma main, mais je suis prêt à vous en renouveler le don au pied d'un autel. Il me parut que ce discours la pénétrait de joie. Croiriez-vous, me répondit-elle, que j'y ai pensé mille fois, depuis que nous sommes en Amérique ? La crainte de vous déplaire m'a fait renfermer ce désir dans mon cœur. Je n'ai point la présomption d'aspirer à la qualité *a* de votre épouse. Ah ! Manon, répliquai-je, tu serais bientôt celle d'un roi, si le Ciel m'avait fait naître avec une couronne. Ne balançons plus. Nous n'avons nul obstacle à redouter. J'en veux parler dès aujourd'hui au Gouverneur et lui avouer que nous l'avons trompé jusqu'à ce jour. Laissons craindre aux amants vulgaires, ajoutai-je, les chaînes indissolubles du mariage. Ils ne les craindraient pas s'ils étaient sûrs, comme nous, de porter toujours celles de l'amour. Je laissai Manon au comble de la joie, après cette résolution.

Je suis persuadé qu'il n'y a point d'honnête homme au monde qui n'eût approuvé mes vues dans les circonstances où j'étais, c'est-à-dire asservi fatalement à une passion que je ne pouvais vaincre et combattu par des remords que je ne devais point étouffer. Mais se trouvera-t-il quelqu'un qui accuse mes plaintes d'injustice, si je gémis de la rigueur du Ciel à rejeter un dessein que je n'avais formé que pour lui plaire ? Hélas ! que dis-je, à le rejeter ? Il l'a puni comme un crime. Il m'avait souffert avec patience tandis que je marchais aveuglement dans la route du vice, et ses plus rudes châtiments m'étaient réservés lorsque je commençais à retourner à la vertu. Je crains de manquer de force pour achever le récit du plus funeste événement qui fût jamais.

J'allai chez le Gouverneur, comme j'en étais convenu avec Manon, pour le prier de consentir à la cérémonie de notre mariage. Je me serais bien gardé d'en parler à lui ni à personne, si j'eusse pu me promettre [1] que son aumônier, qui était alors le seul prêtre de la ville, m'eût rendu ce service sans sa participation ; mais, n'osant espérer qu'il voulût s'engager au silence, j'avais pris le parti d'agir ouvertement. Le Gouverneur avait un neveu, nommé Synnelet, qui lui était extrêmement cher. C'était un homme de trente ans, brave, mais emporté et violent. Il n'était point marié. La beauté de Manon l'avait touché dès le jour de notre arrivée ; et les occasions sans nombre qu'il avait eues de la voir, pendant neuf ou dix mois, avaient tellement enflammé sa passion, qu'il se consumait en secret pour elle. Cependant, comme il était persuadé, avec son oncle et toute la ville, que j'étais réellement marié, il s'était rendu maître de son amour jusqu'au point de n'en laisser rien éclater et son zèle s'était même déclaré pour moi, dans plusieurs occasions de me rendre service. Je le trouvai avec son oncle, lorsque j'arrivai au fort. Je n'avais nulle raison qui m'obligeât

---

1. Si j'eusse été sûr que...

de lui faire un secret de mon dessein, de sorte que je ne fis point difficulté de m'expliquer en sa présence. Le Gouverneur m'écouta avec sa bonté ordinaire. Je lui racontai une partie de mon histoire, qu'il entendit avec plaisir, et, lorsque je le priai d'assister à la cérémonie que je méditais, il eut la générosité de s'engager à faire toute la dépense de la fête. Je me retirai fort content.

Une heure après, je vis entrer l'aumônier chez moi. Je m'imaginai qu'il venait me donner quelques instructions sur mon mariage ; mais, après m'avoir salué froidement, il me déclara, en deux mots, que M. le Gouverneur me défendait d'y penser, et qu'il avait d'autres vues sur Manon. D'autres vues sur Manon ! lui dis-je avec un mortel[1] saisissement de cœur, et quelles vues donc, Monsieur l'aumônier ? Il me répondit que je n'ignorais pas que M. le Gouverneur était le maître ; que Manon ayant été envoyée de France pour la colonie, c'était à lui à disposer d'elle[2] ; qu'il ne l'avait pas fait jusqu'alors, parce qu'il la croyait mariée, mais, qu'ayant appris de moi-même qu'elle ne l'était point, il jugeait à propos de la donner à M. Synnelet, qui en était amoureux. Ma vivacité l'emporta sur ma prudence. J'ordonnai fièrement à l'aumônier de sortir de ma maison, en jurant que le Gouverneur,

---

1. Excessif, extrême (A). Dans *Jacques le fataliste* de Diderot, il existe une amusante remarque sur l'emploi trop élégant pour des paysans de « mortel » dans l'expression « mortelles heures ».
2. C'était une règle si connue que Lesage, comme le rappelle D. P., en a fait le ressort d'une pièce donnée à la Foire en 1734, *Manon Lescaut, ou les Mariages du Canada*.

Synnelet et toute la ville ensemble n'oseraient porter la main sur ma femme[a], ou ma maîtresse, comme ils voudraient l'appeler.

Je fis part aussitôt à Manon du funeste message que je venais de recevoir. Nous jugeâmes que Synnelet avait séduit l'esprit de son oncle depuis mon retour et que c'était l'effet de quelque dessein médité depuis longtemps. Ils étaient les plus forts. Nous nous trouvions dans la Nouvelle Orléans comme au milieu de la mer, c'est-à-dire séparés du reste du monde par des espaces immenses. Où fuir ? dans un pays inconnu, désert, ou habité par des bêtes féroces, et par des sauvages aussi barbares[1] qu'elles ? J'étais estimé dans la ville, mais je ne pouvais espérer d'émouvoir[2] assez le peuple en ma faveur, pour en espérer un secours proportionné au mal. Il eût fallu de l'argent ; j'étais pauvre. D'ailleurs, le succès d'une émotion[3] populaire était incertain, et, si la fortune nous eût manqué, notre malheur serait devenu sans remède. Je roulais toutes ces pensées dans ma tête. J'en communiquais une partie à Manon. J'en formais de nouvelles sans écouter sa réponse. Je prenais un parti ; je le rejetais pour en prendre un autre. Je parlais seul, je répondais tout haut à mes pensées ; enfin j'étais dans une agitation que je ne saurais comparer à rien parce qu'il n'y en eut jamais

---

1. Comment concilier l'état de nature et le bon sauvage avec cette barbarie ? Dans *Cleveland*, Prévost montre des Indiens naturellement bons et d'autres redoutables et cruels comme les Rouintons.   **2.** Mettre en mouvement. On dit *émouvoir une sédition* pour dire exciter, faire naître une sédition (A).   **3.** Ici au sens de sédition.

d'égale. Manon avait les yeux sur moi. Elle jugeait, par mon trouble, de la grandeur du péril, et, tremblant pour moi plus que pour elle-même, cette tendre fille n'osait pas même ouvrir la bouche pour m'exprimer ses craintes. Après une infinité de réflexions, je m'arrêtai à la résolution d'aller trouver le Gouverneur, pour m'efforcer de le toucher par des considérations d'honneur et par le souvenir de mon respect et de son affection. Manon voulut s'opposer à ma sortie. Elle me disait, les larmes aux yeux : Vous allez à la mort. Ils vont vous tuer. Je ne vous reverrai plus [a]. Je veux mourir avant vous. Il fallut beaucoup d'efforts [b] pour la persuader de la nécessité où j'étais de sortir et de celle qu'il y avait pour elle de demeurer au logis. Je lui promis qu'elle me reverrait dans un instant. Elle ignorait, et moi aussi, que c'était sur elle-même que devaient tomber toute la colère du Ciel et la rage de nos ennemis.

Je me rendis au fort. Le Gouverneur était avec son aumônier. Je m'abaissai, pour le toucher, à des soumissions [1] qui m'auraient fait mourir de honte si je les eusse faites pour toute autre cause. Je le pris par tous les motifs qui doivent faire une impression certaine sur un cœur qui n'est pas celui d'un tigre féroce et cruel. Ce barbare ne fit à mes plaintes que deux réponses, qu'il répéta cent fois : Manon, me dit-il, dépendait de lui ; il avait donné sa parole à [c] son neveu. J'étais résolu de me modérer jusqu'à l'extrémité. Je me contentai de lui dire que je le croyais trop de mes amis pour vouloir

---

1. *Soumission* s'emploie quelquefois au pluriel pour marquer les respects qu'un inférieur rend à ceux qui sont au-dessus de lui (A).

ma mort, à laquelle je consentirais plutôt qu'à la perte de ma maîtresse.

Je fus trop persuadé, en sortant, que je n'avais rien à espérer de cet opiniâtre vieillard [1], qui se serait damné mille fois pour son neveu. Cependant, je persistai dans le dessein de conserver jusqu'à la fin un air de modération, résolu, si l'on en venait aux excès d'injustice, de donner à l'Amérique [a] une des plus sanglantes et des plus horribles scènes que l'amour ait jamais produites. Je retournais chez moi, en méditant sur ce projet, lorsque le sort, qui voulait hâter ma ruine, me fit rencontrer Synnelet. Il lut dans mes yeux une partie de mes pensées. J'ai dit qu'il était brave ; il vint à moi. Ne me cherchez-vous pas ? me dit-il. Je connais que mes desseins vous offensent, et j'ai bien prévu qu'il faudrait se couper la gorge avec vous. Allons voir qui sera le plus heureux. Je lui répondis qu'il avait raison, et qu'il n'y avait que ma mort qui pût finir nos différends. Nous nous écartâmes d'une centaine de pas hors de la ville. Nos épées se croisèrent ; je le blessai et je le désarmai presque en même temps. Il fut si enragé de son malheur, qu'il refusa de me demander la vie et de renoncer à Manon. J'avais peut-être le droit de lui ôter tout d'un coup l'un et l'autre, mais un sang généreux ne se dément jamais. Je lui jetai son épée. Recommençons, lui dis-je, et songez que c'est sans quartier. Il m'attaqua avec une furie inexprimable. Je dois confesser que je n'étais pas fort dans les armes,

---

1. Le ton de des Grieux change vis-à-vis du Gouverneur dès que ce dernier s'oppose à ses projets. Il se révèle violent et vindicatif.

n'ayant eu que trois mois de salle[1] à Paris. L'amour conduisait mon épée. Synnelet ne laissa pas de me percer le bras d'outre en outre, mais je le pris sur le temps et je lui fournis un coup si vigoureux qu'il tomba à mes pieds sans mouvement.

Malgré la joie que donne la victoire après un combat mortel[2], je réfléchis aussitôt sur les conséquences de cette mort. Il n'y avait, pour moi, ni grâce ni délai de supplice à espérer. Connaissant, comme je faisais, la passion du Gouverneur pour son neveu, j'étais certain que ma mort ne serait pas différée d'une heure après la connaissance de la sienne. Quelque pressante que fût cette crainte, elle n'était pas la plus forte cause de mon inquiétude. Manon, l'intérêt de Manon, son péril et la nécessité de la perdre, me troublaient jusqu'à répandre de l'obscurité sur mes yeux et à m'empêcher de reconnaître le lieu où j'étais. Je regrettai le sort de Synnelet. Une prompte mort me semblait le seul remède de mes peines[3]. Cependant, ce fut cette pensée même qui me fit rappeler vivement mes esprits et qui me rendit capable de prendre une résolution. Quoi ! je veux mourir, m'écriai-je, pour finir mes peines ? Il y

---

1. Salle d'armes où l'on pratique les exercices du combat à l'épée. **2.** Combat à mort. **3.** Des Grieux songe ainsi à se suicider. Comme nombre de héros malheureux de romans au XVIIIe siècle. Pensons à Saint-Preux dans *La Nouvelle Héloïse* de Rousseau, à Roxane dans les *Lettres persanes*. Ces tentations suicidaires permettent dans ces deux romans une discussion sur la légitimité ou non du suicide. Ici ce n'est pas la loi morale ni le devoir social qui empêchent des Grieux de se donner la mort, mais sa passion amoureuse.

en a donc que j'appréhende plus que la perte de ce que j'aime ? Ah ! souffrons jusqu'aux plus cruelles extrémités pour secourir[a] ma maîtresse, et remettons[1] à mourir après les avoir souffertes inutilement. Je repris le chemin de la ville. J'entrai chez moi. J'y trouvai Manon à demi morte de frayeur et d'inquiétude. Ma présence la ranima. Je ne pouvais lui déguiser le[b] terrible accident qui venait de m'arriver. Elle tomba sans connaissance entre mes bras, au récit de la mort de Synnelet et de ma blessure. J'employai plus d'un quart d'heure à lui faire retrouver le sentiment.

J'étais à demi mort moi-même. Je ne voyais pas le moindre jour[2] à sa sûreté, ni à la mienne. Manon, que ferons-nous ? lui dis-je lorsqu'elle eut repris un peu de force. Hélas ! qu'allons-nous faire ? Il faut nécessairement que je m'éloigne. Voulez-vous demeurer dans la ville ? Oui, demeurez-y. Vous pouvez encore y être heureuse ; et moi, je vais, loin de vous, chercher la mort parmi les sauvages ou entre les griffes des bêtes féroces. Elle se leva malgré sa faiblesse ; elle me prit par la main, pour me conduire vers la porte. Fuyons ensemble, me dit-elle, ne perdons pas un instant. Le corps de Synnelet peut avoir été trouvé par hasard, et nous n'aurions pas le temps de nous éloigner[c]. Mais, chère Manon ! repris-je tout éperdu, dites-moi donc où nous pouvons aller. Voyez-vous quelque ressource ? Ne vaut-il pas mieux que vous tâchiez de vivre ici sans moi, et que je porte volontairement ma tête au Gouverneur ? Cette proposition ne fit qu'augmenter son

---

1. Voir notes 1, page 160 et page 176.   **2.** Voir note 3, page 85.

ardeur à partir. Il fallut la suivre. J'eus encore assez de présence d'esprit, en sortant, pour prendre quelques liqueurs fortes[1] que j'avais dans ma chambre et toutes les provisions que je pus faire entrer dans mes poches. Nous dîmes à nos domestiques[2], qui étaient dans la chambre voisine, que nous partions pour la promenade du soir, nous avions cette coutume tous les jours, et nous nous éloignâmes de la ville, plus promptement que la délicatesse de Manon ne semblait le permettre.

Quoique je ne fusse pas sorti de mon irrésolution sur le lieu de notre retraite, je ne laissais pas d'avoir deux espérances, sans lesquelles j'aurais préféré la mort à l'incertitude de ce qui pouvait arriver à Manon. J'avais acquis assez de connaissance du pays, depuis près de dix mois que j'étais en Amérique, pour ne pas ignorer de quelle manière on apprivoisait les sauvages[3]. On pouvait se mettre entre leurs mains, sans courir à une mort certaine. J'avais même appris quelques mots de leur langue et quelques-unes de leurs coutumes dans les diverses occasions que j'avais eues de les voir. Avec cette triste ressource, j'en avais une autre du côté des Anglais qui ont, comme nous, des établissements[4] dans cette partie du Nouveau Monde. Mais j'étais effrayé de l'éloignement. Nous avions à

---

1. Ces liqueurs fortes (eau-de-feu) devaient servir à acheter les services des Indiens qui, à en croire les voyageurs, en étaient friands.   2. On peut s'étonner que Manon et des Grieux puissent bénéficier des services de domestiques. C'est oublier que la traite des Noirs est déjà très active dans cette partie de l'Amérique. 3. Ceci explique que les liqueurs fortes, que des Grieux finira par boire, étaient destinées à un usage « diplomatique ».   4. Sans

traverser, jusqu'à leurs colonies, de stériles campagnes de plusieurs journées[1] de largeur, et quelques montagnes si hautes et si escarpées que le chemin en paraissait difficile aux hommes les plus grossiers et les plus vigoureux. Je me flattais, néanmoins, que nous pourrions tirer parti de ces deux ressources : des sauvages pour aider à nous conduire, et des Anglais pour nous recevoir dans leurs habitations.

Nous marchâmes aussi longtemps que le courage de Manon put la soutenir, c'est-à-dire environ deux lieues[2], car cette amante incomparable refusa constamment de s'arrêter plus tôt. Accablée enfin de lassitude, elle me confessa qu'il lui était impossible d'avancer davantage. Il était déjà nuit. Nous nous assîmes au milieu d'une vaste plaine, sans avoir pu trouver un arbre pour nous mettre à couvert. Son premier soin fut de changer le linge[3] de ma blessure, qu'elle avait pansée elle-même avant notre départ. Je m'opposai en vain à ses volontés. J'aurais achevé de l'accabler mortellement, si je lui eusse refusé la satisfaction de me croire à mon aise et sans danger, avant que de penser à sa propre conservation. Je me soumis durant quelques moments à ses désirs. Je reçus ses soins en silence et avec honte. Mais, lorsqu'elle eut satisfait sa tendresse,

doute les forts et comptoirs installés dans les colonies anglaises. C'est le terme qu'emploie l'abbé Raynal dans son ouvrage célèbre *Histoire des établissements et du commerce des Européens dans les deux Indes* (1770).

1. Journées de marche. Se prend quelquefois pour le chemin qu'on fait d'un lieu à un autre en une journée (A).   **2.** La lieue de terre est de 4,44 kilomètres.   **3.** Pièce de tissu, ici pansement.

avec quelle ardeur la mienne ne prit-elle pas son tour !
Je me dépouillai de tous mes habits, pour lui faire
trouver la terre moins dure en les étendant sous elle.
Je la fis consentir, malgré elle, à me voir employer à
son usage tout ce que je pus imaginer de moins incommode. J'échauffai ses mains par mes baisers ardents et
par la chaleur de mes soupirs. Je passai la nuit entière
à veiller près d'elle[a], et à prier le Ciel de lui accorder
un sommeil doux et paisible. Ô Dieu ! que mes vœux
étaient vifs et sincères ! et par quel rigoureux jugement
aviez-vous résolu de ne les pas exaucer !

Pardonnez, si j'achève en peu de mots un récit qui
me tue. Je vous raconte un malheur qui n'eut jamais
d'exemple. Toute ma vie est destinée à le pleurer. Mais,
quoique je le porte sans cesse dans ma mémoire, mon
âme semble reculer d'horreur, chaque fois que j'entreprends de l'exprimer.

Nous avions passé tranquillement une partie de la
nuit. Je croyais ma chère maîtresse endormie et je
n'osais pousser le moindre souffle, dans la crainte de
troubler son sommeil. Je m'aperçus dès le point du
jour, en touchant ses mains, qu'elle les avait froides et
tremblantes. Je les approchai de mon sein, pour les
échauffer. Elle sentit ce mouvement, et, faisant un
effort pour saisir les miennes, elle me dit, d'une voix
faible, qu'elle se croyait à sa dernière heure. Je ne pris
d'abord ce discours que pour un langage ordinaire[1][b]
dans l'infortune, et je n'y répondis que par les tendres
consolations de l'amour[c]. Mais, ses soupirs fréquents,

---

1. Habituel.

son silence à mes interrogations, le serrement de ses mains, dans lesquelles elle continuait de tenir les miennes me firent connaître que la fin de ses malheurs approchait. N'exigez point de moi que je vous décrive mes sentiments, ni que je vous rapporte ses dernières expressions. Je la perdis ; je reçus d'elle des marques d'amour, au moment même qu'elle expirait [1]. C'est tout ce que j'ai la force de vous apprendre de ce fatal et déplorable événement [a].

Mon âme ne suivit pas la sienne. Le Ciel ne me trouva point, sans doute, assez rigoureusement puni. Il a voulu que j'aie traîné, depuis, une vie languissante et misérable. Je renonce volontairement à la mener jamais plus heureuse.

Je demeurai plus de vingt-quatre heures la bouche [b] attachée sur le visage et sur les mains de ma chère Manon. Mon dessein était d'y mourir ; mais je fis réflexion, au commencement du second jour [c], que son corps serait exposé, après mon trépas, à devenir la pâture des bêtes sauvages. Je formai la résolution de l'enterrer et d'attendre la mort sur sa fosse. J'étais déjà si proche de ma fin, par l'affaiblissement que le jeûne et la douleur m'avaient causé, que j'eus besoin de quantité d'efforts pour me tenir debout. Je fus obligé de recourir aux liqueurs que j'avais apportées. Elles me rendirent autant de force qu'il en fallait pour le triste office que j'allais exécuter. Il ne m'était pas difficile d'ouvrir la terre, dans le lieu où je me trouvais.

---

1. Cette scène rappelle la phrase prémonitoire de Manon (page 153).

C'était une campagne couverte de sable. Je rompis mon épée, pour m'en servir à creuser, mais j'en tirai moins de secours que de mes mains. J'ouvris une large fosse. J'y plaçai l'idole de mon cœur, après avoir pris soin de l'envelopper de tous mes habits, pour empêcher le sable de la toucher. Je ne la mis dans cet état qu'après l'avoir embrassée mille fois, avec toute l'ardeur du plus parfait amour. Je m'assis encore près d'elle. Je la considérai longtemps. Je ne pouvais me résoudre à fermer la fosse. Enfin, mes forces recommençant à s'affaiblir, et craignant d'en manquer tout à fait avant la fin de mon entreprise, j'ensevelis pour toujours dans le sein de la terre ce qu'elle avait porté de plus parfait et de plus aimable. Je me couchai ensuite sur la fosse, le visage tourné vers le sable, et fermant les yeux avec le dessein de ne les ouvrir jamais, j'invoquai le secours du Ciel et j'attendis la mort avec impatience. Ce qui vous paraîtra difficile à croire, c'est que, pendant tout l'exercice de ce lugubre ministère, il ne sortit point une larme de mes yeux ni un soupir de ma bouche. La consternation profonde où j'étais et le dessein déterminé de mourir avaient coupé le cours à toutes les expressions du désespoir et de la douleur. Aussi, ne demeurai-je pas longtemps dans la posture où j'étais sur la fosse, sans perdre le peu de connaissance et de sentiment qui me restait.

Après ce que vous venez d'entendre, la conclusion de mon histoire est de si peu d'importance, qu'elle ne mérite pas la peine que vous voulez bien prendre à l'écouter. Le corps de Synnelet ayant été rapporté à la ville et ses plaies visitées avec soin, il se trouva, non seulement qu'il n'était pas mort, mais qu'il n'avait pas

même reçu de blessure dangereuse. Il apprit à son oncle
de quelle manière les choses s'étaient passées entre
nous, et sa générosité le porta sur-le-champ à publier[1]
les effets de la mienne. On me fit chercher, et mon
absence, avec Manon, me fit soupçonner d'avoir pris
le parti de la fuite. Il était trop tard pour envoyer sur
mes traces ; mais le lendemain et le jour suivant furent
employés à me poursuivre. On me trouva, sans apparence de vie, sur la fosse de Manon, et ceux qui me
découvrirent en cet état, me voyant presque nu et san-
glant de ma blessure, ne doutèrent point que je n'eusse
été volé et assassiné. Ils me portèrent à la ville. Le
mouvement du transport réveilla mes sens. Les soupirs
que je poussai, en ouvrant les yeux et en gémissant de
me retrouver parmi les vivants, firent connaître que
j'étais encore en état de recevoir du secours. On m'en
donna de trop heureux. Je ne laissai pas d'être renfermé
dans une étroite prison. Mon procès fut instruit, et,
comme Manon ne paraissait point, on m'accusa de
m'être défait d'elle par un mouvement de rage et de
jalousie. Je racontai naturellement[2] ma pitoyable aventure. Synnelet, malgré les transports de douleur où ce
récit le jeta, eut la générosité de solliciter ma grâce. Il
l'obtint. J'étais si faible qu'on fut obligé de me transporter de la prison dans mon lit, où je fus retenu
pendant trois mois par une violente[a] maladie. Ma haine
pour la vie ne diminuait point. J'invoquais continuellement la mort et je m'obstinai longtemps à rejeter tous

---

1. Rendre publics les effets de la mienne.   **2.** Voir note 2,
page 191.

les remèdes. Mais le Ciel, après m'avoir puni avec tant
de rigueur, avait dessein de me rendre utiles mes malheurs et ses châtiments. Il m'éclaira de ses lumières,
qui me firent rappeler des idées dignes de ma naissance
et de mon éducation. La tranquillité[a] ayant commencé
de renaître un peu dans mon âme, ce changement fut
suivi de près par ma guérison. Je me livrai entièrement
aux inspirations de l'honneur, et je continuai de remplir
mon petit emploi, en attendant les vaisseaux de France
qui vont, une fois chaque année, dans cette partie de
l'Amérique. J'étais résolu de retourner dans ma patrie
pour y réparer, par une vie sage et réglée[1], le scandale
de ma conduite. Synnelet avait pris soin[b] de faire transporter le corps de ma chère maîtresse dans un lieu
honorable.

Ce fut environ six semaines après mon rétablisse-
ment que[c], me promenant seul, un jour, sur le rivage,
je vis arriver un vaisseau que des affaires de commerce
amenaient à la Nouvelle Orléans. J'étais attentif au
débarquement de l'équipage. Je fus frappé d'une surprise extrême en reconnaissant Tiberge parmi ceux qui
s'avançaient vers la ville. Ce fidèle ami me remit de
loin, malgré les changements que la tristesse avait faits
sur mon visage. Il m'apprit que l'unique motif de son
voyage avait été le désir de me voir et de m'engager
à retourner en France ; qu'ayant reçu la lettre que je
lui avais écrite du Havre, il s'y était rendu en personne
pour me porter les secours que je lui demandais ; qu'il

---

1. Les dictionnaires (A), (R) donnent « réglée » comme un synonyme de *sage*, tout en indiquant que « réglé » signifie qu'on soumet
sa conduite à certaines règles, ici morales.

avait ressenti la plus vive douleur en apprenant mon
départ et qu'il serait parti sur-le-champ pour me suivre,
s'il eût trouvé un vaisseau prêt à faire voile ; qu'il en
avait cherché pendant plusieurs mois dans divers ports
et qu'en ayant enfin rencontré un, à Saint-Malo, qui
levait l'ancre pour la Martinique[a], il s'y était
embarqué, dans l'espérance de se procurer de là un
passage facile à la Nouvelle Orléans ; que, le vaisseau
malouin ayant été pris en chemin par des corsaires
espagnols et conduit dans une de leurs îles[1], il s'était
échappé par adresse ; et qu'après diverses courses, il
avait trouvé l'occasion du petit bâtiment qui venait
d'arriver, pour se rendre heureusement près de moi.

Je ne pouvais marquer trop de reconnaissance pour
un ami si généreux et si constant. Je le conduisis chez
moi. Je le rendis le maître de tout ce que je possédais.
Je lui appris tout ce qui m'était arrivé depuis mon
départ de France, et pour lui causer une joie à laquelle
il ne s'attendait pas, je lui déclarai que les semences
de vertu qu'il avait jetées autrefois dans mon cœur
commençaient à produire des fruits dont il allait être
satisfait. Il me protesta qu'une si douce assurance le
dédommageait de toutes les fatigues[b] de son voyage.

Nous avons passé deux mois ensemble à la Nouvelle
Orléans, pour attendre l'arrivée des vaisseaux de
France, et nous étant enfin mis en mer, nous prîmes

---

1. Certains commentateurs (D. P.) ont tenté de justifier ce récit
par la chronologie du conflit franco-espagnol. Par ailleurs le mot
« corsaires » semble ne pas convenir ici. Ce sont des pirates, des
flibustiers ou des boucaniers, qui ne possèdent aucune commission
officielle pour se livrer à la course contre les vaisseaux ennemis.

terre, il y a quinze jours, au Hâvre-de-Grâce. J'écrivis à ma famille en arrivant. J'ai appris, par la réponse de mon frère aîné, la triste nouvelle de la mort de mon père, à laquelle je tremble, avec trop de raison, que mes égarements n'aient contribué. Le vent étant favorable pour Calais, je me suis embarqué aussitôt, dans le dessein de me rendre à quelques lieues de cette ville, chez un gentilhomme de mes parents, où mon frère m'écrit qu'il doit attendre mon arrivée[a].

FIN DE LA DEUXIÈME PARTIE[b].

VARIANTES

Il s'agit d'un choix de variantes établi à partir des éditions citées de Frédéric Deloffre et Raymond Picard (D. P.) et de Jean Sgard et Pierre Berthiaume. Leur analyse permet de mesurer le travail de Prévost écrivain, dont les efforts tendent à plus de précision, plus de clarté et plus d'expressivité, ce qui correspond au style de *Manon* tel que le définissait avant ces corrections Prévost lui-même dans le *Pour et contre* (voir p. 358-359). La date indiquée entre parenthèses est celle de l'édition princeps de 1731. On a parfois donné celle de 1753 ou d'une autre édition quand la précision s'avérait utile.

p. 73

a. Dans l'édition de 1731, la page de faux titre porte : Mémoires du Marquis de ***, tome VII ; *puis la page suivante :* Mémoires d'un Homme de qualité qui s'est retiré du monde, tome septième, A Amsterdam, Aux dépens de la Compagnie, 1731 ; *une troisième page :* avec Histoire du Chevalier des Grieux et de Manon Lescaut. *Dans l'édition de 1753, les éditeurs ont intercalé entre cette troisième page et l'*« Avis de l'auteur des Mémoires d'un Homme de qualité » *une* « Lettre de l'Editeur à Messieurs de la Compagnie des libraires d'Amsterdam » *placée en tête du tome V de l'édition de 1731 des* Mémoires d'un Homme de qualité.

b. du malheureux chevalier (1731).

c. de prétendre dans cet ouvrage (1731).

p. 74

a. un jeune homme aveugle (1731).

p. 75

a. qu'on lui présente (1731).

b. que je vais présenter aux yeux de mes lecteurs (1731).

c. en le divertissant (1731).

d. On s'étonne quelquefois en réfléchissant sur les préceptes de la morale de les voir (1731).

p. 76

a. Les plus doux moments de la vie pour les gens d'un certain goût sont (1731).

p. 77

a. et elles sont portées d'inclination à la pratiquer (1731).

p. 78

a. d'une utilité extrême, j'entends lorsqu'ils (1731).

b. est juste (1731).

p. 79

a. Ce nota *est introduit dans l'édition de 1753.*

p. 80

a. Livre premier (1731, 1733).

b. environ cinq ou six mois (1731).

c. affaire qui pendait au Parlement pour la succession de quelques terres auxquelles elle prétendait du côté (1731).

p. 81
a. d'un mauvais cabaret au-devant duquel étaient
b. venait l'émotion (1731).
c. de ce tumulte (1731).
d. femmes publiques (1783).

p. 82
a. J'aurais passé outre (1731).
b. que je laissai à mon valet, et étant entré avec peine, je vis (1731).
c. prise pour une princesse (1731).
d. d'un sentiment de douceur et de modestie (1731).

p. 83
a. sur son sujet (1731).
b. paraissait être dans (1731).

p. 84
a. et se sont enfuis avec (1731).

p. 85
a. ils m'ont allongé deux ou trois coups du bout de leurs fusils (1731).

p. 86
a. ce qu'il faudrait vous donner pour (1731).

p. 87
a. et plus pâle beaucoup que (1731).
b. trop belle et trop frappante pour (1731).

p. 88
a. me dit-il étant dans la chambre, vous (1731).
b. n'y mêlerai (1731).

p. 89

a. vertus ce qui n'était qu'une exemption de vices grossiers (1731).

b. quelques bonnes qualités naturelles (1731).

c. Je me tirai de mes exercices (1731).

p. 90

a. profité de ses secours (1731).

p. 91

a. nous le suivîmes par curiosité jusqu'à l'auberge (1731).

b. différence des sexes, et à qui il n'était peut-être jamais arrivé de regarder une fille pendant une minute, moi, dis-je (1731).

c. jusqu'au transport et à la folie. J'avais le défaut naturel d'être (1731).

d. elle reçut le compliment honnête que je lui fis, sans (1731).

p. 93

a. s'il n'était accoutumé à opérer des prodiges (1731).

b. pour elle. Son (1731).

p. 94

a. dans un cabaret, dont l'hôte (1731).

b. je me défis de lui sous prétexte d'une commission dont je le priai de se charger ; de sorte qu'étant arrivé à l'auberge j'eus le plaisir d'entretenir seul dans une chambre la souveraine (1731).

p. 95

a. parce que n'étant point de qualité, quoique d'assez bonne naissance, elle (1731).

b. de nos autres arrangements (1731).

c. projet. Cela fut d'autant plus facile (1731).

p. 98
a. d'autre équipage à emporter que (1731).

p. 102
a. sans savoir encore quels sentiments en étaient la source (1731).

p. 103
a. cependant j'étais embarrassé à expliquer la visite et la sortie furtive de M. de B... (1731).
b. causé sûrement trop de peine (1731).

p. 104
a. J'embrassai tendrement Manon à mon ordinaire (1731).

p. 105
a. le cabinet dont elle ferma la porte après elle (1731).

p. 107
a. il y a un mois, avec (1731).
b. si fort. Mon Dieu ! qu'elle était (1731).
c. comme ils se baisaient (1731).

p. 108
a. je ne pris ces paroles (1731).
b. continuellement le cœur (1731).

p. 110
a. une parfaite amitié (1731).

p. 111
a. me laisser à Paris (1731).

p. 112
a. par là (1731).

p. 114
a. capable d'une telle lâcheté (1731).
b. de la plus noire (1731).

p. 116
a. un mépris qui n'a point son égal (1731).

p. 117
a. où il y avait apparence qu'il pourrait (1731).

p. 118
a. une vie simple et chrétienne (1731).

p. 119
a. qui demeurerait à Paris (1731).

p. 120
a. ma réputation devint telle (1731).

p. 121
a. me croyais délivré absolument (1731).
b. des sens, je dis même à ceux (1731).

p. 122
a. sous le déguisement d'abbé (1731).
b. elle assista à (1731).

p. 127
a. Pour moi, j'avoue que (1731).

p. 128
a. pour mépriser si peu de chose. Nous (1731).
b. heureusement ensemble (1731).

p. 130
a. spectacles et les plaisirs de Paris (1731).

b. jamais dix pistoles (1731).

p. 131
a. nous eûmes ainsi la charge de (1731).

p. 133
a. à nos frais et il nous engagea à payer (1731).
b. à Manon, je fis même semblant de (1731).

p. 134
a. assez de prudence (1731).
b. une pensée (1731).
c. et que ce soit par industrie, soit par quelque bonheur de fortune (1731).

p. 136
a. pour moi un milieu à espérer (1731).

p. 137
a. pour passer une nuit avec une fille comme Manon (1731).
b. que vous aviez eu, de m'accorder votre amitié, était un sentiment pour votre sœur tout opposé (1731).
c. pensé de même, et qu'après avoir passé les bornes de l'honneur, comme elle avait fait, il ne serait jamais réconcilié avec elle, si ce n'eût été dans l'espérance de profiter de sa mauvaise conduite (1731).

p. 138
a. par la déclaration qu'il m'avait faite de (1731).

p. 140
a. devait point l'alarmer, et comme Paris était (1731).

p. 144
a. valait deux mille francs (1731).
b. l'argent, et elle ne pouvait néanmoins être (1731).

p. 145
a. ni d'humeur à aimer le faste (1731).

p. 146
a. on remercia M. Lescaut (1731).

p. 147
a. Le dirai-je à ma honte ? *a été rajouté en 1753.*
b. et avec le secours d'une (1731).
c. d'opulence et de propreté (1731).

p. 148
a. maison et embelli mon équipage (1731).

p. 150
a. qu'ils disaient que je leur avais donnés (1731).

p. 151
a. avec prodigalité (1731).

p. 154
a. grand Dieu d'amour (1731).

p. 156
a. petit frère si à plaindre (1731).

p. 157
a. d'être l'épouse de (1731).
b. ma colère et ensuite mon silence avaient causé (1731).
c. appréhendé dans quelques moments (1731).

p. 159
a. plus ces raisons légères (1731).

p. 160
a. récompensé, je n'ose dire traité si tyranniquement (1731).

b. je vous jure qu'il n'aura pas la satisfaction d'avoir passé une seule nuit avec moi (1731).

p. 162
a. au moins cent pistoles (1731).

p. 163
a. de gâter tout en éclatant de rire (1731).
b. mais j'étais bien sûr que l'amour-propre l'empêcherait de (1731).
c. l'heure de se coucher étant arrivée, il proposa à Manon d'aller au lit (1731).

p. 164
a. Quoiqu'il y eût quelque chose de fripon dans cette action, ce n'était pas l'argent que je croyais avoir gagné le plus injustement (1731).

p. 165
a. Ma malheureuse maîtresse fut donc conduite à l'Hôpital (1731).

p. 167
a. du plaisir et de la satisfaction (1731).

p. 168
a. d'un certain caractère (1731).

p. 169
a. fond de rectitude morale (1731).

p. 170
a. Je n'avais point d'autre espérance que dans celle (1731).

p. 172
a. pour le précipiter par terre et le prendre (1731).
b. et quelques gémissements (1731).

p. 174
a. pour supporter un si étrange malheur sans mourir (1731).
b. n'avais point pensé à écrire (1731).

p. 176
a. faire savoir seulement de mes nouvelles (1731).

p. 177
a. quelquefois son édifiante visite (1731).
b. promptement l'incluse (1731).
c. Tiberge, dès le lendemain du (1731).

p. 178
a. qu'il espérait pouvoir servir à (1731).

p. 183
a. reçut celle qui était pour lui avant la fin du jour (1731).
b. fut grande (1731).

p. 185
a. obligé de lui dire qui j'étais (1731).

p. 186
a. Qui est-ce donc (1731). *F. D. remarque que le tour avec le neutre est archaïque.*

p. 187
a. déjà en sûreté (1731).

p. 189
a. su par quelle voie (1731).
b. que la nuit eût amené l'obscurité (1731).

p. 190
a. chez lui de l'idée qui m'était venue à la tête (1731).

p. 191
a. de la vraisemblance dans ce que je lui disais et que nous avions quelque chose à espérer de ce côté-là (1731).

p. 192
a. la mériter par son zèle à me servir (1731).
b. incertitude où il me paraissait être (1731).
c. Je trouvai dans cette modération de ses offres une marque de sincérité et de franchise dont je fus charmé. Je me promis tout (1731).

p. 193
a. je reverrai donc la chère reine (1731).

p. 195
a. M. de T... s'engagea à (1731).

p. 197
a. mais si elle est arrêtée et reconnue en fuyant, continua-t-il (1731).
b. déjà fait, à quelque village des environs (1731).

p. 199
a. fit réflexion à mes paroles (1731).

p. 201
a. ayant aperçu un fiacre au bout de la rue, je le fis appeler (1731).

p. 202
a. cette embarrassante (1731).

p. 204
a. des espérances pour le futur (1731).

p. 205

a. ce qu'il serait en état de (1731).

b. je le donnerais plutôt que de me réduire à une basse supplication (1731).

p. 206

a. il me les fut quérir (1731).

p. 207

a. mon évasion (1731).

p. 210

a. D. P. remarque que cette phrase et les suivantes sont au style indirect dans les éditions antérieures à 1753 et signale quelques autres variantes : Il lui dit qu'environ une heure auparavant, un garde du corps, des amis de Lescaut, l'était venu voir et lui avait proposé de jouer ; que Lescaut avait gagné si rapidement que l'autre s'était trouvé cent écus de moins en une heure, c'est-à-dire tout son argent ; que ne lui restant point un sou, il avait prié Lescaut de lui prêter la moitié de la somme qu'il avait perdue ; et que sur quelques difficultés nées à cette occasion, ils s'étaient querellés avec une animosité extrême ; que Lescaut avait refusé de sortir pour mettre l'épée à la main, et que l'autre avait juré, en le quittant, de lui casser la tête (1731).

b. cette proposition à dessein d'intéresser sa générosité ou si ce fut par un mouvement qui venait de lui-même (1731).

p. 211

a. de relâche, jusqu'à notre souper. Il convint lui-même qu'il en avait besoin, et jugeant par notre attention que nous l'avions écouté avec plaisir, il (1731).

b. nous trouverions encore quelque chose de plus intéressant dans la suite de son histoire. Il la reprit ainsi lorsque nous eûmes fini de souper (1731).

p. 213
a. qui ne me semblait pas pouvoir manquer, soit du côté de ma famille, soit du côté du jeu. *À partir de là jusqu'à la page 221, ligne 15, addition de 1753.*

p. 221
a. me semblait le plus solidement établie. Je me croyais si heureux avec M. de T... et Manon qu'on n'aurait pu me faire comprendre que j'eusse à craindre encore quelque nouvel obstacle à ma félicité (1731).

p. 222
a. sérieuse. Il nous parla de l'excès où son père s'était porté contre nous avec détestation (1731).

p. 224
a. avec lui, ce que nous ne pûmes exécuter, car m'ayant tiré aussitôt en particulier : Je me suis trouvé, dit-il (1731).

p. 225
a. Cette dernière circonstance commença à me faire regarder (1731).

p. 227
a. sienne. Nous fûmes l'un pour l'autre une scène fort agréable pendant tout l'après-midi (1731).

p. 228
a. Elle serait la maîtresse de son cœur et de sa bourse, et pour le commencement de ses bienfaits (1731).

p. 233
a. Je reconnus le caractère (1731).

p. 234
a. qu'elle jouisse tranquillement (1731).
b. dans la chambre à ces paroles (1731).

p. 236
a. faire place à un peu de réflexion (1731).
b. infortune à quelques autres que (1731).

p. 237
a. un effet de son amour et de sa

p. 238
a. à ce malheur il m'offrit généreusement de ramasser (1731).
b. Il s'engagea à faire tout ce que je lui demanderais, sans exception (1731).
c. d'un café (1731).

p. 239
a. café (1731).

p. 242
a. ton abominable (1731).

p. 243
a. passant au contraire tout d'un coup (1731).

p. 246
a. J'ai ajouté que j'étais si convaincue que vous agiriez si pacifiquement (1731).

p. 249
a. lui quérir (1731).

p. 250
a. Mais je fus surpris que lorsque je lui parlai de la dernière

comme d'un badinage, elle insista à me la proposer sérieusement comme une chose qu'il fallait exécuter. Je lui
demandai en vain où elle (1731).

p. 251
a. tandis qu'il passerait la nuit à boire et à jouer avec ses
trois braves (1731).

p. 252
a. grave tant que les laquais demeurèrent à nous servir. Les
ayant enfin congédiés (1731).

p. 253
a. Notre mauvais génie travaillait pendant ce temps-là à
nous perdre. Nous étions dans l'ivresse du plaisir (1731).
b. pour aider à son salut (1731).

p. 259
a. un carrosse tout prêt (1731).
b. Je ne l'avais pas entendu ouvrir la bouche (1731).

p. 260
a. tant qu'elle continuerait à m'aimer (1731).

p. 266
a. de bon goût (1731).
b. maîtresse entretenue (1731).

p. 267
a. liberté et surtout d'une (1731).

p. 269
a. excuses des injures prétendues que j'avais faites (1731).
b. qu'ayant quelques sentiments de bienveillance pour moi
(1731).

p. 273
a. que mon affection (1731).

p. 274
a. de son logis (1731)

p. 275
a. parce qu'il commençait à faire nuit (1731).

p. 279
a. de ne rien ménager pour (1731).
b. jusqu'au dernier sou (1731).

p. 280
a. il y a environ deux ans (1731).
b. faillit à m'ôter (1731).

p. 282
a. les archers, d'aller (1731).
b. Ils se tenaient toujours néanmoins en posture de défense (1731).

p. 286
a. du sort le plus cruel (1731).

p. 288
a. je pourrais attendre sa lettre. Ce ne pouvait être que (1731).
b. Chevalier : finissons (1731).

p. 289
a. à des extrémités horribles, puisqu'on a eu dessein de m'en faire (1731).
b. Voyant que je n'avais point de secours à attendre de (1731).
c. On cherchait de tous côtés de jeunes gens (1731).

p. 290
a. Le vent nous fut continuellement favorable (1731).

p. 292
a. qui y était à attendre la nôtre (1731).

p. 293
a. deux ou trois chaises (1731).

p. 296
a. servit à nous ramener peu à peu à l'esprit des idées de piété et de (1731).
b. dans le crime (1731).

p. 297
a. la présomption de vous solliciter à m'accorder la qualité (1731).

p. 300
a. sur mon épouse (1731).

p. 301
a. disait en pleurant : hélas, ils vont vous tuer, je ne vous verrai plus que mort (1731).
b. J'eus besoin de quantité d'efforts (1731).
c. sa parole de l'accorder à (1731).

p. 302
a. dans le dessein d'user jusqu'à la fin de modération, résolu, si l'on en venait aux excès, de donner au Nouvel Orléans (1731).

p. 304
a. que la perte de ma chère maîtresse ? Ah ! Souffrons

toutes celles auxquelles il faut m'exposer pour secourir (1731).

b. lui cacher ni même diminuer le (1731).

c. par hasard, nous n'aurions pas le temps de nous éloigner de la ville (1731).

p. 307

a. la nuit toute entière à veiller auprès d'elle (1731).

b. Je ne pris d'abord ces paroles que pour une expression ordinaire (1731).

c. consolations que l'amour inspire (1731).

p. 308

a. déplorable moment (1731).

b. je demeurai deux jours et deux nuits avec la bouche (1731).

c. troisième jour (1731).

p. 310

a. funeste (1731).

p. 311

a. m'éclaira des lumières de sa grâce et m'inspira le dessein de retourner à lui par les voies de la pénitence. La tranquillité (1731).

b. Je pris soin (1731).

c. Ce fut après cette cérémonie que (1731).

p. 312

a. à Saint-Malo qui allait à Québec (1731).

b. dont il serait satisfait. Il me protesta qu'une si heureuse nouvelle le dédommageait de toutes les traverses (1731).

p. 313

a. qu'il ne manquera pas de se trouver (1731).

b. Fin du tome VII et dernier (1731).

ANNEXES

BIBLIOGRAPHIE

On trouvera un relevé des éditions de *Manon Lescaut* depuis 1945 en page 368.

1. *Instruments bibliographiques*

LEBORGNE, E., *Prévost d'Exiles*, Bibliographie des écrivains français, Paris-Rome, Memini, 1996. Remarquable ouvrage, qui est indispensable pour toute recherche bibliographique sur Prévost et sur *Manon Lescaut*.
Cahiers Prévost d'Exiles, publiés annuellement depuis 1984.

TREMEWAN, P., *Prévost : an Analytic Bibliography of criticism to 1981*, London, Grant and Cutler, 1984.
DELOFFRE, Fr., « Bibliographie », « Complément bibliographique » (1990-1995), *in* Prévost, *Manon Lescaut*, éd. cit., 1995.
L'Abbé Prévost au tournant du siècle, présenté par R. A. FRANCIS et J. MANIL, Oxford, Voltaire Foundation, 2000.
On complétera les enseignements fournis par ces divers ouvrages pour les dernières années 1995-2002 par *Les Cahiers Prévost d'Exiles* et Klapp, *Bibliographie der französischen Literaturwissenschaft*, Frankfurt am Main.

2. *Ouvrages généraux sur le roman au* XVIIIe *siècle*

MAY G., *Le Dilemme du roman au* XVIIIe *siècle. Étude sur les rapports du roman et de la critique (1715-1761)*, Paris, PUF, 1963.

COULET, H., in *Le Roman jusqu'à la Révolution*, Paris, A. Colin, vol. 1, 1967, p. 53-71.

DÉMORIS, R., *Le Roman à la première personne, du Classicisme aux Lumières*, Paris, A. Colin, 1975.

SERMAIN, J.-P., *Rhétorique et roman au* XVIIIe *siècle : l'exemple de Prévost et de Marivaux (1728-1742)*, Oxford, Voltaire Foundation, 1985.

SGARD, J., *Le Roman à l'âge classique*, Paris, Le Livre de Poche, coll. « Références », 2000.

3. *Ouvrages généraux consacrés à Prévost*

HARISSE, H., *L'abbé Prévost, histoire de sa vie et de ses œuvres d'après des documents nouveaux*, Paris, 1986.

ENGEL, C.-E., *Figures et aventures du* XVIIIe *siècle : voyages et découvertes de l'abbé Prévost*, Paris, Je Sers, 1939.

RODDIER, H., *L'abbé Prévost, l'homme et l'œuvre*, Paris, Hatier, 1955.

SGARD, J., *Prévost romancier*, Paris, Corti, 1968.

ID., « Chronologie de Prévost », in *Cahiers Prévost d'Exiles*, 1, 1984.

ID., *Vingt études sur Prévost d'Exiles*, Grenoble, Ellug, 1995.

ID., *Labyrinthes de la mémoire*, Grenoble, Ellug, 1998.

4. *Études critiques consacrées à* Manon Lescaut

a) Sources de *Manon Lescaut*

ENGEL, C.-E., « Des Grieux et Manon ont-ils existé ? Les

sources de *Manon Lescaut* », in *Revue hebdomadaire*,
XLV, 3 octobre 1936, p. 64-80.

RODDIER, H., « Robert Challes, inspirateur de Richardson et
de l'abbé Prévost », in *Revue de littérature comparée*,
LXXXI, janvier-mars 1947, p. 5-38.

b) Significations de *Manon Lescaut*

DELESALLE, S., « Lecture d'un chef-d'œuvre : *Manon Lescaut* », in *Annales : Économies, Sociétés, Civilisations*,
XXVI, 1971, p. 723-740.

LOTRINGER, S., « Manon l'écho », in *Romanic Review*,
LXIII, 1972, p. 92-110.

SINGERMAN, A. J., « L'abbé Prévost et la triple concupis-
cence : lecture augustinienne de *M. L.* », *Studies on
Voltaire and the Eighteenth century*, CLXXVI, 1979,
p. 189-229.

STEWART, Ph., « *Manon Lescaut* », in *Rereadings. Eight
early French Novels*, Birmingham, Summa publications,
1984, p. 129-163.

SINGERMAN, A. J., *L'Abbé Prévost : l'amour et la morale*,
Paris, Droz, 1987.

VERNIER, F., « *Manon Lescaut* : ni reflet ni anticipation, un
texte dans l'Histoire », in *Romanistische Zeitschrift für
Literaturgeschichte / Cahiers d'Histoire des Littératures
romanes*, XII, 1988, p. 327-348.

MALANDAIN, P., « Préface et dossier », in *Prévost, Histoire
du Chevalier des Grieux et de Manon Lescaut*, Paris,
Presses Pocket, 1990, p. 5-20, 195-331. (Contient une
scéno-filmographie. Donne la suite de *Manon* de 1762.)

DÉMORIS, R., *Le Silence de Manon*, Paris, PUF, 1995.

ALBERTAN-COPPOLA, S., *Abbé Prévost, Manon Lescaut*,
Paris, PUF, coll. « Études littéraires », 1995.

c) Techniques romanesques

NICHOLS, S. G. Jr, « The double register of time and cha-
racter in *Manon Lescaut* », in *Romance notes*, VII,
1965-1966, p. 149-154.

O'REILLY, R. F., « New considerations on point of view in
Manon Lescaut », in *Romance notes*, XIII, 1971-1972,
p. 107-112.

FRAUTSCHI, R. I., et APOSTOLIDES, D., « Narrative voice in
Manon Lescaut : some quantitative observations », in
L'Esprit créateur, XII, 1972.

EHRARD, J., « L'Avenir de des Grieux : le héros et le narrateur », in *Travaux de Linguistique et de Littérature*, XIII,
1975, p. 491-504.

SERMAIN, J.-P., « *L'Éloge de Richardson* et l'Avis de Renoncour en tête de l'*Histoire du Chevalier des Grieux et de
Manon Lescaut* : Diderot s'est-il laissé prendre au double
jeu de Prévost ? », in *Cahiers Prévost d'Exiles*, 1, 1984,
p. 85-98.

SERMAIN, J.-P., « Les trois figures du dialogisme dans *Manon
Lescaut* », in *Saggi e Ricerche di Letteratura Francese*,
XXIV, 1985, p. 373-401.

FRANCIS, R. A., *The abbé Prevost's first-person narrators*,
Oxford, Voltaire Foundation, 1993.

d) Le personnage de Manon

GONCOURT, J. et E., « Femme du peuple. La fille galante
(ch. VII) », in *La Femme au XVIIIᵉ siècle*, Paris, 1862.
(Voir édition E. Badinter, Flammarion, 1982.)

CELLIER, L., « *Manon* et le mythe de la femme », in *L'Information littéraire*, V, 1953, p. 35-38.

PROUST, J., « Le corps de Manon », in *Littérature*, I, 1971,
p. 5-21. (Repris dans *L'Objet et le texte*, Genève, 1980.)

SINGERMAN, A. J., « A fille de plaisir and her greluchon :

society and the perspective of *Manon Lescaut* », in *L'Esprit créateur*, XII, 2, 1972, p. 118-128.

SEGAL, N., *The Unintented Reader. Feminism and* Manon Lescaut, Cambridge, Cambridge University Press, 1986.

HUNTING, Cl., *La Femme devant le « tribunal masculin » dans trois romans des Lumières : Challe, Prévost, Cazotte*, New York – Paris, P. Lang, 1987.

e) Thèmes

HAZARD, P., « *Manon Lescaut*, roman janséniste », *Revue des deux Mondes*, XX, avril 1924. (Repris dans *Manon Lescaut*, Hazard éd., 1929.)

DEPRUN, J., « Thèmes malebranchistes dans l'œuvre de Prévost », in *L'abbé Prévost, Actes du colloque d'Aix-en-Provence*, Gap, Ophrys, 1965, p. 155-172.

FABRE, J., « L'abbé Prévost et la tradition du roman noir », in *L'abbé Prévost, Actes du colloque d'Aix-en-Provence*, 1965, p. 39-65.

SHOWALTER, E. Jr, « Money matters and early novels », *Yale French Studies*, XL, 1968, p. 118-133.

AUERBACH E., « Das unterbrochene Abendessen », in *Mimesis*, Bern, Francke, 1946, p. 349-381. (Repris dans *Mimesis*, Paris, Gallimard, 1969, p. 395-401.)

TATE, R. S. Jr, « *Manon Lescaut* and the Enlightenment », in *Studies on Voltaire and the Eighteenth century*, LXX, 1970, p. 15-25.

SGARD, J., « Tricher », in *Le Jeu au XVIIIᵉ siècle*, Colloque d'Aix-en-Provence (avril-mai 1971), Édisud, 1976.

JOLY, R., « Les fantasmes de l'argent dans l'*Histoire du Chevalier des Grieux et de Manon Lescaut* », in *L'Homme et la nature*, Actes de la Société canadienne d'études du XVIIIᵉ siècle, University of Western Ontario, vol. 1, 1982, p. 1-13.

SGARD, J., « L'Échelle des revenus », in *Dix-huitième siècle*, XIV, 1982, p. 425-433.

POMEAU, R., « Tiberge ou le troisième personnage », in *Cent ans de littérature française, 1850-1950*, Mélanges offerts à Jacques Robichez, Paris, SEDES, 1987, p. 15-21.

BERCHTOLD, J., « L'Impunité de des Grieux ou de la tricherie au jeu dans *Manon Lescaut* », in *Revue européenne des Sciences sociales*, XXIX, 90, 1991, p. 19-41.

CUSSET, C., « Loi du père et symbolique de l'espace dans *Manon Lescaut* », in *Eighteenth century fiction*, V, 2, 1993, p. 93-104.

f) Postérité de *Manon Lescaut*

Outre les éditions des XIXe et XXe siècles, on verra :

Manon Lescaut à travers deux siècles, Paris, Bibliothèque nationale, 1963.

NIES, F., « Prévost. *Histoire du Chevalier des Grieux et de Manon Lescaut* », in *Der Französische Roman vom Mittelalter bis zur Gegenwart*, par K. Heitmann, Düsseldorf, Bagel, vol. 1, 1975.

SGARD, J., « Les éditions populaires de *Manon Lescaut* », in *Recherches et Travaux*, XXII, 1982, p. 85-95. (Texte repris dans *Labyrinthes de la mémoire*, 1985.)

COSTA, V. « Les lectures de *Manon Lescaut* par sept préfaciers célèbres du XIXe siècle », in *Cahiers Prévost d'Exiles*, VIII, 1991, p. 41-74.

JOMAND-BAUDRY, R., « La réception de *Manon Lescaut* par la critique journalistique au XIXe siècle (1831-1885), in *Cahiers Prévost d'Exiles*, VIII, 1991, p. 75-98.

BIOGRAPHIE

1697, *1ᵉʳ avril* : Naissance à Hesdin d'Antoine François, fils
    de Liévin Prévost, procureur du roi du bailliage d'Hesdin.

1705-1712 : Études chez les jésuites d'Hesdin jusqu'à la
    première année de rhétorique.

1711 : Mort de la mère de Prévost.

1712-1720 : Prévost est volontaire pour la guerre de Suc-
    cession d'Espagne, qui touche à sa fin. Il étudie une
    deuxième année de rhétorique au collège d'Harcourt,
    célèbre collège parisien.

    En 1717, il étudie la logique chez les jésuites à La Flèche.
    Il s'engage, semble-t-il une deuxième fois, pour participer
    à la guerre contre l'Espagne (1718-1719) et effectue un
    voyage en Hollande.

1720 : Un amour malheureux conduit Prévost à se réfugier
    chez les Bénédictins.

1721 : Après son noviciat, Prévost à Jumièges s'engage à
    rester fidèle à la règle de saint Benoît, dans la sévère et
    studieuse congrégation de Saint-Maur.

1721-1728 : Séjours de Prévost dans diverses abbayes béné-
    dictines : Saint-Ouen, du Bec, Fécamp, puis à Paris en
    1728 dans l'abbaye de Saint-Germain-des-Prés. Il exerce
    de nombreuses activités dans son ordre : professeur, pré-
    dicateur. Il se livre à des travaux de littérature et d'histoire.

Il aurait participé à la rédaction du pamphlet *Les Aventures de Pomponius, chevalier romain ou histoire de notre temps* (1724). Il est ordonné prêtre du diocèse de Rouen.

1728 : Il concourt à un prix de l'Académie avec une ode sur saint François-Xavier, qui obtient un second prix et sera publiée dans le *Mercure* de mai 1728. Il collabore à l'ouvrage collectif *Gallia Christiana*, publié par les Bénédictins.

16 avril : Approuvés par le censeur, les deux premiers tomes des *Mémoires et Aventures d'un Homme de qualité* paraissent durant l'été. Ayant échoué dans ses démarches pour passer dans une branche moins sévère de l'ordre des Bénédictins, Prévost quitte l'habit de moine et abandonne clandestinement Saint-Germain-des-Prés. Il se réfugie à Amiens. Le Supérieur de Saint-Germain-des-Prés demande son arrestation.

1728-1730 : Une lettre de cachet est expédiée contre Antoine Prévost, bénédictin, en date du 6 novembre, mais le 19 du même mois on accorde un privilège aux tomes III et IV des *Mémoires d'un Homme de qualité*.

28 novembre 1728 : Prévost a fui en Angleterre. Il se présente auprès de l'archevêque de Cantorbéry comme un nouveau converti à la religion anglicane.

Il réside dès lors en Angleterre ; il devient précepteur du fils de John Eyles, ancien directeur de la Banque d'Angleterre, ancien Lord-maire de Londres, membre du Parlement.

Novembre 1730 : Prévost doit quitter la maison de John Eyles. Il a séduit Mary, sœur de son élève, et il va contracter avec elle un mariage secret. Lord Eyles obtient qu'il quitte l'Angleterre. Prévost passe alors en Hollande avec ses manuscrits.

Décembre : Prévost signe un contrat concernant la publication de *Cleveland*, dont l'édition originale des deux premiers volumes en anglais paraît à Londres en mars 1731.

1731, *mai* : Publication à Amsterdam des trois derniers tomes (V, VI, VII) des *Mémoires d'un Homme de qualité*. Le tome VII constitue l'édition originale de *Manon Lescaut*.

Prévost rencontre une aventurière, Lenki Eckhardt. Leur relation durera une dizaine d'années.

Juillet : Publication à Utrecht, chez Neaulme, des deux premiers tomes de *Cleveland* en français.

Octobre : Toujours chez Neaulme, paraissent les tomes III et IV de *Cleveland*.

1732 : Publication en France chez Didot des tomes V et VI des *Mémoires d'un Homme de qualité*.

1733, *janvier* : Laissant derrière lui d'importantes dettes, Prévost passe en Angleterre avec Lenki Eckhardt.

Juin : Publication à Paris, chez Didot, d'un périodique que Prévost rédige à Londres, le *Pour et contre*. Le premier numéro est daté de juin 1733.

À cette même date paraît sans autorisation, à Rouen, *Manon Lescaut*. Le volume est saisi sur ordre du Directeur de la Librairie en octobre.

Décembre : Prévost est incarcéré à Londres. Il est accusé d'avoir fait un faux billet à ordre au détriment de Francis Eyles, son ancien élève. Il est libéré quelques jours plus tard, la plainte ayant été retirée.

Ce même mois, on publie le premier volume, dû très largement à Prévost, de l'*Histoire* de M. de Thou.

1734 : Au début de l'année, Prévost rentre clandestinement en France. Il adresse au pape une requête pour demander le pardon de ses fautes et l'autorisation de passer dans une branche à la discipline moins stricte de l'ordre de saint Benoît.

5 juin : L'indult sollicité est accordé par Clément XII.

Prévost est à Paris et fréquente les salons. Il travaille au *Pour et contre*.

1735 : Publication de la première partie du *Doyen de Killerine*. Prévost accomplit un second noviciat dans une abbaye bénédictine près d'Évreux. À son terme, il devient aumônier du prince de Conti.

1736 : Continuation du *Pour et contre*.

1738-1739 : Parce que les romans sont proscrits en France, la suite de *Cleveland* paraît en Hollande.

Mort du père de Prévost.

1739-1740 : Publication en Hollande de la suite et fin du *Doyen de Killerine*.

1740 : À bout de ressources, Prévost offre ses services à Voltaire et lui demande un prêt de 1 200 livres, que Voltaire lui refuse. Prévost songe à partir pour Berlin, mais les fonds lui manquent pour le voyage.

Il abandonne la publication du *Pour et contre*, parvenu à son vingtième volume.

1741, *janvier* : Prévost quitte la France à la suite d'affaires de presse : il a aidé le rédacteur d'une gazette clandestine. Il se réfugie à Bruxelles.

Janvier-octobre : Dans ce court espace de temps, diverses œuvres de Prévost sont publiées. *Mémoires pour servir à l'Histoire de Malte, ou Histoire du commandeur de **** (2 vol.) ; *Campagnes philosophiques, ou Mémoires de M. de Montcalm* (2 vol.) ; *Histoire de Marguerite d'Anjou*, dont quelques exemplaires sont saisis en août ; *Histoire d'une Grecque moderne* (2 vol.).

Octobre : Prévost obtient la permission de rentrer en France.

1742 : Installé en France, Prévost se livre à des travaux de librairie. Paraît à Paris l'*Histoire de Guillaume le Conquérant* avec une permission tacite. À Londres se publie anonymement *Paméla, ou la Vertu récompensée* (4 vol.), œuvre de Richardson à laquelle Prévost a collaboré. Elle est en France l'objet d'une saisie, puis elle bénéficie d'une permission tacite.

1743 : Se publie à Paris, en 4 volumes, l'*Histoire de Cicéron*, traduite de l'anglais par Prévost.

1744 : *Lettres de Cicéron à M. Brutus, et de M. Brutus à Cicéron*, où Prévost s'inspire d'une traduction anglaise. Publication des *Voyages du capitaine Robert Lade*, astucieux mélange de romanesque et d'authentiques récits de voyages.

1745 : *Lettres de Cicéron, qu'on nomme familières* (trois premiers volumes) ; *Mémoires d'un Honnête homme* (Amsterdam).

1746 : Prévost s'installe à Chaillot. Il commence la publication de l'*Histoire générale des voyages* traduite de l'anglais (publication des deux premiers volumes).

1747 : Publication des tomes IV et V des *Lettres familières de Cicéron* et des tomes III et IV de l'*Histoire générale des voyages*.

1748 : Tomes V et VI de l'*Histoire générale des voyages*.

1749 : Tome VII de l'*Histoire générale des voyages*. À partir du volume VIII, il ne s'agit plus d'une traduction de l'anglais mais d'une compilation du seul Prévost.

1750 : *Manuel lexique, ou Dictionnaire portatif des mots français dont la signification n'est pas familière à tout le monde* (2 vol.). Dans cet ouvrage, Prévost a enrichi de contributions originales l'ouvrage anglais de T. Dyche. Publication du tome VIII de l'*Histoire générale des voyages*.

1751 : *Lettres anglaises, ou Histoire de Miss Clarisse Harlowe* (Londres, 12 vol.), traduit de Richardson. Publication du tome IX de l'*Histoire générale des voyages*, dont le tome X paraît en 1752.

1753 : Édition définitive de *Manon Lescaut* (2 vol., avec gravures).

Publication du tome XI de l'*Histoire générale des voyages*.

1754, *juillet* : Le pape pourvoit l'abbé Prévost du prieuré de Gesne (diocèse du Mans), dont le revenu est de 2 000 livres.

Nouvelle édition augmentée du *Manuel lexique*. Publication du tome XII de l'*Histoire générale des voyages*.

1755 : Prévost devient directeur du *Journal étranger*. À la demande de l'éditeur (Didot) de l'*Histoire des voyages*, il abandonne rapidement ce poste.

Publication des cinq premières parties des *Nouvelles lettres anglaises, ou Histoire du chevalier Grandisson*, de Richardson, traduites par Prévost.

1756 : Publication de la suite et fin des *Nouvelles lettres anglaises* et du tome XIII de l'*Histoire générale des voyages*.

1757 : Publication du tome XIV de l'*Histoire générale des voyages*.

1759 : Publication du tome XV de l'*Histoire générale des voyages*. Prévost cesse d'en être le rédacteur.

1760 : Traduction par Prévost de l'*Histoire de la maison de Stuart sur le trône d'Angleterre* (Londres, 3 vol.).

Publication du *Monde moral, ou Mémoires pour servir à l'histoire du cœur humain* (2 vol.). L'ouvrage est inachevé. Prévost se consacre à une *Histoire de la Maison de Condé*, dont deux parties paraîtront après sa mort en 1764.

1762 : Prévost traduit les *Memoirs of Miss Sydney Biddulph*, roman de F. Sheridan. Puis, l'année suivante, un ouvrage de J. Hawkesworth.

1763, *28 novembre* : Mort des suites d'une attaque d'aploplexie de l'abbé Prévost, près de Chantilly.

1764 : Publication posthume des *Lettres de Mentor à un jeune seigneur*. Elles sont données comme une traduction de l'anglais, mais il s'agit en fait d'une œuvre originale de Prévost.

DOSSIER

POSTÉRITÉ DE « MANON LESCAUT »

A. *Manon Lescaut* face à la critique

La tradition veut que l'*Histoire du chevalier des Grieux et de Manon Lescaut* ait été méprisée au XVIIIᵉ siècle parce que jugée attentatoire aux bonnes mœurs. Il est vrai que l'opinion commune n'apprécie pas les aventures de cette fille galante et de son greluchon et que sa rédemption n'arrange rien à l'affaire. Des preuves indirectes montrent pourtant que le rejet de *Manon Lescaut* n'est pas aussi unanime qu'on veut le croire. De tous les écrivains du siècle il est une lecture obligée, à laquelle tous rendent hommage, et les catalogues des bibliothèques privées attestent une large diffusion et une circulation incessante du roman de Prévost, même si certains lui préfèrent *Cleveland : le philosophe anglais, ou Histoire de M. Cleveland, fils naturel de Cromwell*. Rappelons en outre que fut composée une suite apocryphe à *Manon Lescaut*, qu'on attribua à Choderlos de Laclos et qui est vraisemblablement d'un dénommé de Courcelles. N'oublions pas enfin qu'en 1772 on donna *Manon, ou la Courtisane vertueuse*, comédie en quatre actes mêlée d'ariettes, par M. D..., preuve s'il en était que le roman conservait un public auquel s'adressait l'adaptation théâtrale. Il est vraisemblable – mais la recherche n'a jamais été systématiquement menée – que des chansons, des ariettes

ont eu Manon et des Grieux pour héros. Mais il est vrai
aussi que le XIXᵉ siècle assura un véritable triomphe à l'*Histoire du chevalier des Grieux*, et qu'il la consacra comme
le chef-d'œuvre de Prévost et un des plus grands romans du
XVIIIᵉ siècle. Le succès tint d'abord aux adaptations théâtrales.

B. Théâtre et art lyrique au XIXᵉ siècle

En 1820, on donne au Théâtre de la Gaîté un mélodrame
en trois actes, *Manon Lescaut et le chevalier des Grieux* de
MM.***, musique de M. Piroflay, ballets de M. Lefevre. En
1821, *Manon Lescaut et le chevalier des Grieux*, mélodrame,
musique de Propiac. En 1830, *La Lingère du Marais, ou la
Nouvelle Manon Lescaut*, vaudeville en trois actes de
MM. Dupin et Achille. La même année encore, *Manon Lescaut*, ballet-pantomime en trois actes de MM. Carmouche
et de Courcy, au Théâtre de l'Odéon. En 1830 à nouveau.
Manon Lescaut, ballet-pantomime en trois actes de
E. Scribe, musique de J.-F. Halévy. En 1846, *Manon Lescaut, azione mimica in cinque parti*, musique de Pio Bellini,
livret de G. Casati, à La Scala. Enfin, comme un sommet,
La Dame aux camélias, roman d'Alexandre Dumas fils de
1848, adapté en drame en 1842 et joué avec un immense
succès. En 1851, on donne au Théâtre du Gymnase *Manon
Lescaut*, drame en cinq actes mêlé de chants de Th. Barrière
et M. Fournier. En 1853, à la Fenice de Venise, triomphe
La Traviata, opéra en deux préludes et quatre actes de
G. Verdi, livret de F. M. Piave. Trois ans plus tard, *Manon
Lescaut*, à l'opéra-comique, musique de D. Auber, livret de
E. Scribe, à l'Opéra-Comique de Paris. En 1859, *Les Cent
Louis de Tiberge*, comédie en un acte de Paul de Musset.
Au Théâtre des Gobelins, en 1875, *Mademoiselle Manon de
l'Escaut*, fantaisie en un acte en vers libres, de A. Joly. En

1884, *Manon*, opéra-comique en cinq actes et six tableaux, musique de Massenet, livret de H. Meilhac et Ph. Gille, à l'Opéra-Comique. Clôt le siècle en 1894, *Le Portrait de Manon*, opéra-comique en un acte de G. Boyer sur une musique de J. Massenet. Pour le XIXe siècle, il reste à ajouter un opéra anglais (*Manon Lescaut, or the Maid of Artois*[1], de W. Balfe, livret de Bunn, représenté à Londres en 1836) et un allemand (*Manon Lescaut, oder Schloss de Lorme*[2], de R. Kleinmichel, Magdebourg, 1887).

On est frappé, en parcourant ce répertoire, de l'importance numérique des œuvres inspirées du roman de Prévost. Mais surtout de sa capacité à s'adapter aux diverses formes que prend alors l'innovation théâtrale ou musicale, qu'il s'agisse du ballet, de la pantomime, de la fantaisie, du drame, du vaudeville, de l'opéra ou de l'opéra-comique. Notons enfin que les œuvres théâtrales inspirées par le roman de Prévost sont plus nombreuses que les éditions qui en paraissent au XIXe siècle. On serait tenté d'en déduire que la Manon de la mémoire collective doit sans doute plus à ces formes de représentation qu'au souvenir d'une lecture du roman, jamais vraiment conseillée dans les écoles ou les lycées. Durant les années noires de mon enfance, je me souviens que dans la très petite sous-préfecture de la zone libre, où nous avions trouvé refuge, passaient des tournées théâtrales. Elles donnaient une *Manon Lescaut* – laquelle ? je ne sais –, qui enchantait ma mère, à qui elle procurait un plaisir si rare en ces temps difficiles et une émotion étrangère à celles qui nous étaient tristement quotidiennes dans la France occupée.

---

1. *Manon Lescaut, ou la Demoiselle d'Artois.*   **2.** *Manon Lescaut, ou le Château de Lorme.*

C. xxᵉ siècle : cinéma, théâtre et art lyrique

Avec le xxᵉ siècle, c'est le cinéma que *Manon* fascine. En quatre ans (1909-1912), se projettent quatre adaptations cinématographiques de *Manon Lescaut*. Deux françaises dues à A. Calmettes, une italienne de G. Pastrone et une quatrième qui adapte, pour Pathé, l'opéra de Puccini. En 1919, un premier film allemand intitulé *Manon Lescaut* est tourné par F. Zelnik. Puis un second avec le même titre de A. Robinson en 1926. Ensuite un film américain d'A. Gosland, *When a man loves*, avec John Barrymore, est tourné en 1927. En 1940, c'est un film italien de G. Gallone, avec V. de Sica, sur la musique de Puccini, qui est présenté au public. Juste à la fin de la guerre, sous le titre de *Manon 326* (*La Route du bagne*), Léon Mathot tourne une nouvelle version de *Manon* avec Simone Valère. En 1948, H. G. Clouzot tourne *Manon 49* avec Cécile Aubry, Michel Auclair et Serge Reggiani. On revient à la production italienne en 1954 avec *Les Amours de Manon Lescaut* de M. Costa, encore une fois sur une musique de Puccini. Un dernier film, *Manon 70, perverse Manon*, est présenté en 1968. Le scénario est de Cécil Saint-Laurent, le réalisateur est Jean Aurel. Dans cette production franco-germano-italienne jouent Catherine Deneuve et Sami Frey.

Ce que le cinéma a gagné, le théâtre l'a évidemment perdu. En 1913, une pièce de D. Gold, en cinq actes, en vers, est donnée au Théâtre de l'Odéon sous le titre *Histoire de Manon Lescaut*. La même année est jouée une autre *Manon* de P. Segonzac et M. B. Champeaux. On joue, au Théâtre de la Madeleine, en 1923 une pièce en prose de H. Bataille et A. Flament, *Manon, fille galante*, et en 1939, au Théâtre Montparnasse, *Manon Lescaut* en vers et en prose de M. Maurette.

L'art lyrique proposa plusieurs œuvres consacrées à Manon. *La Petite Manon*, opéra-comique en quatre actes et cinq tableaux de M. Ordenneau et A. Heuzé, sur une musique de H. Hirchmann, est représentée à Gand en 1913. À Hanovre en 1952, c'est au tour de *Boulevard Solitude*, drame lyrique en sept actes de H. W. Henze, livret de G. Weil[1].

En ce début du XXIe siècle, on peut s'interroger. *Manon Lescaut* deviendra-t-elle un feuilleton télévisé ou une bande dessinée comme il en est advenu avec *Paul et Virginie* ? Le pronostic n'est pas facile. La possibilité d'une bande dessinée est sans doute rendue difficile par la présence de très nombreuses éditions illustrées de *Manon Lescaut* qui mériteraient une étude à part. Quant au feuilleton télévisé, l'abondance des films consacrés à *Manon Lescaut* rend sa réalisation peu probable.

D. Postérité littéraire

Au XIXe siècle, peu à peu *Manon Lescaut* devient un roman à la mode, soumis à des jugements critiques le plus souvent favorables. Pas un écrivain ou presque, pas un critique qui n'ait donné une analyse critique de *Manon Lescaut*. La liste est impressionnante, de La Harpe à Barbey d'Aurevilly, en passant par Stendhal, Vigny, Sainte-Beuve, Janin, les Goncourt, Flaubert, Maupassant, Alexandre Dumas fils... Musset lui consacre un poème, George Sand s'en inspire pour rédiger *Leone Leoni*, Maupassant exalte le travail de

---

1. Cette analyse des œuvres théâtrales ou cinématographiques inspirées par *Manon Lescaut* doit beaucoup à l'excellente édition du roman de Prévost procurée par P. Malandain, Presses Pocket, 1990.

l'écrivain Prévost. *Manon Lescaut* finit par occulter les autres romans de l'abbé Prévost, qui devient l'écrivain d'un seul chef-d'œuvre.

E. Anthologie de la critique

I. *XVIIIᵉ siècle*

Les critiques sont peu nombreuses et majoritairement défavorables au XVIIIᵉ siècle. Un texte retient pourtant l'attention, celui que publia le *Pour et contre*, journal de Prévost en 1734. Tout semble prouver qu'il ne fut pas écrit par Prévost, mais sans aucun doute inspiré et contrôlé par lui. Pour le reste, le texte est jugé immoral ou trop sentimental. Diderot qui aime tant pleurer en lisant (*Éloge de Richardson*) montre ses désaccords sur le mode humoristique avec le roman de Prévost dans *Jacques le Fataliste*. Ce qui n'empêche pas le succès de *Manon*. Selon Jean Sgard, *Manon Lescaut* connaît trente-deux éditions au XVIIIᵉ siècle, et il est à noter que les rééditions, fait extrêmement rare, n'ont cessé d'augmenter : soixante-douze au XIXᵉ siècle, cent trente au XXᵉ.

Le public a lu avec beaucoup de plaisir le dernier volume des Mémoires d'un Homme de qualité, *qui contient les* Aventures du chevalier des Grieux et de Manon Lescaut. *On y voit un jeune homme avec des qualités brillantes et infiniment aimables, qui, entraîné par une folle passion pour une jeune fille qui lui plaît, préfère une vie libertine et vagabonde à tous les avantages que ses talents et sa condition pouvaient lui promettre ; un malheureux esclave de l'amour, qui prévoit ses malheurs sans avoir la force de prendre quelques mesures pour les éviter, qui les sent vivement, qui y est plongé, et qui néglige les moyens de se procurer un état plus heureux ; enfin un jeune homme vicieux et vertueux tout ensemble, pensant bien et agissant mal,*

aimable par ses sentiments, détestable par ses actions. Voilà
un caractère bien singulier. Celui de Manon Lescaut l'est
encore plus. Elle connaît la vertu, elle la goûte même, et
cependant le désir qu'elle a de vivre dans l'abondance et
de briller lui fait trahir ses sentiments pour le chevalier,
auquel elle préfère un riche financier. Quel art n'a-t-il pas
fallu pour intéresser le lecteur et lui inspirer de la compassion par rapport aux funestes disgrâces qui arrivent à cette
fille corrompue ! Quoique l'un et l'autre soient très libertins, on les plaint, parce que l'on voit que leurs dérègle-
ments viennent de leur faiblesse et de l'ardeur de leurs
passions, et que d'ailleurs, ils condamnent eux-mêmes leur
conduite et conviennent qu'elle est très criminelle. De cette
manière, l'auteur, en représentant le vice, ne l'enseigne
point. Il peint les effets d'une passion violente qui rend la
raison inutile, lorsqu'on a le malheur de s'y livrer entièrement ; et une passion qui n'étant pas capable d'étouffer
entièrement dans le cœur les sentiments de la vertu,
empêche de la pratiquer. En un mot, cet ouvrage découvre
tous les dangers du dérèglement. Il n'y a point de jeune
homme, point de jeune femme, qui voulût ressembler au
chevalier et à sa maîtresse. S'ils sont vicieux, ils sont acca-
blés de remords et de malheurs. Au reste le caractère de
Tiberge [...] est admirable. C'est un homme sage, plein de
religion et de piété ; un ami tendre et généreux : un cœur
toujours compatissant aux faiblesses de son ami. Que la
piété est aimable lorsqu'elle est unie à un si beau naturel !
Je ne dis rien du style de cet ouvrage. Il n'y a ni jargon, ni
affectation, ni réflexions sophistiquées : c'est la nature qui
écrit.

                              Pour et contre, avril 1734.

J'ai lu, ce 6 avril 1734, Manon Lescaut, roman composé
par le Père Prévost. Je ne suis pas étonné que ce roman,

dont le héros est un fripon, et l'héroïne, une catin qui est menée à la Salpêtrière, plaise ; parce que toutes les mauvaises actions du héros, le chevalier des Grieux, ont pour motif l'amour, qui est toujours un motif noble, quoique la conduite soit basse. Manon aime aussi ; ce qui lui fait pardonner le reste de son caractère.

Montesquieu, *Mes Pensées*, 940.

L'abbé Prévost d'Exiles, auteur des Mémoires d'un Homme de qualité, *et de plusieurs autres romans, où règne une sombre et tendre mélancolie ; mais dangereuse par la vivacité des situations et la mollesse des sentiments, malgré la morale qui y est répandue avec une sorte de profusion. Malheureusement elle n'est qu'en maximes et le vice en actions.*

Rigoley de Juvigny,
*De la décadence des Lettres et des Mœurs,
depuis les Grecs et les Romains
jusqu'à nos jours*, 1787.

Comme la nature y est peinte ! Comme l'intérêt s'y soutient ! Comme il augmente par degrés, que de difficultés vaincues ! Que de philosophie à avoir fait ressortir tout cet intérêt d'une fille perdue : dirait-on trop en osant assurer que cet ouvrage a des droits au titre de notre meilleur roman ? Ce fut là, où Rousseau vit que, malgré les imprudences et les étourderies, une héroïne pouvait prétendre encore à nous attendrir, et peut-être n'aurions-nous jamais eu Julie sans Manon Lescaut.

Sade, *Idées sur les romans*, An VIII.

II. XIXᵉ siècle

1. Adaptations théâtrales. L'abondance de pièces de théâtre inspirées de *Manon Lescaut* prêta à rire. Ne finis-

sait-on pas par oublier le roman lui-même et à s'y perdre complètement ? Ce qui n'empêche que les héros de *Manon Lescaut* fassent rêver le siècle et l'inspirent.

Parmi les pièces annoncées, on ne compte pas moins de quatre Manon, *dont les auteurs sont MM. de Porto-Riche, Henry Bataille, Frondaie et Pierre Thomas, le dernier en date, qui vient de déposer son manuscrit à la Comédie-Française.*

On peut dire, selon l'expression populaire, que ces messieurs n'ont pas l'étrenne de l'héroïne de l'abbé Prévost.

Je ne parle pas de l'œuvre de Meilhac, Philippe Gille et Massenet, qui est connue dans le monde entier ; déjà au commencement du siècle dernier, Manon Lescaut *avait été mise à la scène une bonne douzaine de fois.*

On trouve un mélodrame en cinq actes de Théodore Barrière et Marc Fournier, un opéra-comique en trois actes de Scribe et Auber, un mélodrame en trois actes de Courcy, un drame en trois actes de Carmouche et de Courcy, un ballet en trois actes de Scribe, Auber et Halévy.

La première pièce en date me semble être le ballet.

Sur l'opéra-comique d'Auber, on trouve dans les notes et souvenirs de Ludovic Halévy d'assez piquants détails.

Auber lisait peu, dit l'auteur de Madame Cardinal. *Je crois même qu'il ne lisait pas du tout. Un de ses amis arrive un matin chez lui et le trouve au travail.*

    – *Je me suis mis à la besogne, lui dit Auber ; j'écris le premier acte de mon nouvel opéra-comique.*
    – *De qui le poème ?*
    – *De Scribe.*
    – *Quel titre ? quel sujet ?*
    – *Manon Lescaut.*
    – *Manon Lescaut. Ah ! l'incomparable chef-d'œuvre !*
    – *Le roman ! vous parlez du roman ?*

– Oui.

– Mon Dieu ! je ne l'ai pas lu.

– Vous faites un opéra sur Manon Lescaut *et vous n'avez pas lu le roman !*

– Ma foi non... je ne l'ai pas... J'ai cherché dans ma bibliothèque. J'ai bien peu de livres... Je n'ai pas Manon Lescaut.

– Mais demandez le volume à Scribe.

– Scribe ? Je ne suis pas bien sûr qu'il l'ait lu. Il a dû le parcourir pour voir en gros la situation ; Scribe ne perd jamais son temps.

Quelles seront les Manon *de MM. de Porto-Riche, Henry Bataille, Pierre Frondaie et Thomas ?*

Qui se souvient que la pauvre petite Lantelme refusa d'être celle de M. Henry Bataille, parce qu'elle devait prendre un fruit de la bouche de M. Brûlé ?

Les pièces, comme les êtres ont leur destin. Sera joué qui doit l'être. Nous ne pouvons rien à l'encontre.

Eugène Héros, *Le Théâtre anecdotique. Petite histoire de théâtre*, 1912.

2. Critiques. La critique consacre de très nombreuses ana-lyses aux romans de Prévost. Elle privilégie *Manon Lescaut* qui est donnée comme une œuvre exemplaire. De la tradi-tion, inaugurée par la critique du XVIIIᵉ siècle, dont La Harpe représente le paradigme, le XIXᵉ siècle conserve les réticences morales tout en admirant la peinture de la passion amoureuse et s'interrogeant sur l'art du romancier. De cette démarche Sainte-Beuve offre un parfait exemple.

Cette Carmen [de Mérimée] *n'est autre chose qu'une Manon Lescaut d'un plus haut goût, qui débauche son che-valier des Grieux, également séduit et faible bien que d'une tout autre trempe. Il est curieux de lire les deux petits romans en regard l'un de l'autre, quand on s'est une fois bien rendu compte, sous la différence des mœurs et des costumes, de l'identité du sujet. L'histoire de l'abbé Prévost commence déjà elle-même à ne plus être de notre temps ni de notre civilisation ; on passe encore sur le manque de cœur de Manon, mais il est difficile de pardonner l'avilissement du chevalier, et il faut le parfait naturel de l'auteur pour nous amener à l'émotion à travers les scènes dégradantes où il nous conduit [...]. Le pauvre Don José, ensorcelé par ce démon de Carmen, passe par des vicissitudes analogues à celles du chevalier des Grieux ; seulement les méfaits de celui-ci ne sont que peccadilles auprès des atrocités auxquelles l'autre est induit en devenant bandit bohémien. La conclusion diffère en ce que, chez l'abbé Prévost, Manon finit par être touchée du dévouement de son chevalier et par s'élever à sa hauteur tandis que Carmen, à partir d'un certain moment, sent se briser son féroce amour et n'aime plus. D'ailleurs il y a du rapport jusqu'à la fin, et Don José, après avoir tué sa maîtresse, l'ensevelit dans la gorge de la montagne presque aussi pieusement que des Grieux ensevelit la sienne dans le sable du désert. [...] Chez l'honnête Prévost, au contraire (il serait opposé à la distance ironique qu'utilise Mérimée), tout est naïf, et si coulant, si peu dépaysé, qu'on se demande encore aujourd'hui, à voir l'air de bonhomie du narrateur et son absence de sourire, si l'aventure n'est pas toute réelle et une pure copie de la vérité. Monsieur Mérimée est un artiste consommé ; l'abbé Prévost ne l'est pas du tout, même lorsqu'il est un peintre parfait de la nature.*

Sainte-Beuve, *Causeries du Lundi*, 7 février 1853.

J'omets toujours Manon et son Paris du temps du Système, son Paris de vice et de boue, où toutes les ordures sont entassées, quoique d'occasion seulement, remarquez-le bien, quoique jetées sans dessein de les faire ressortir, et d'un bout à l'autre éclairées d'un même reflet sentimental. Mais le monde habituel de Prévost, c'est le monde honnête et poli, vu d'un peu loin par un homme qui, après l'avoir certainement pratiqué, l'a regretté beaucoup du fond de la province et des cloîtres ; c'est le monde délicat, galant et plein d'honneur [...]. Prévost tourne en plein ses récits au noble, au sérieux, au pathétique, et s'enchante aisément. Son roman, – oui, son roman (Mémoires d'un Homme de qualité) *–, nonobstant la fille de joie et l'escroc que vous en connaissez, procède en ligne assez directe de l'*Astrée, *de la* Clélie *et de ceux de madame de La Fayette.*

Sainte-Beuve, *Portraits littéraires*, tome 1, 1862.

3. Les préfaces des romanciers.

La mode se répandit au XIXᵉ siècle de faire préfacer par des écrivains de renom des grands romans du passé. *Manon Lescaut* le fut bien souvent avec des bonheurs inégaux par Arsène Houssaye, journaliste, essayiste et romancier, par Alexandre Dumas fils, Guy de Maupassant et quelques autres. Dans la bibliographie des éditions de Manon Lescaut et des textes critiques qui lui sont consacrés, établie par Erik Leborgne, on compte au moins une vingtaine d'éditions préfacées de *Manon*, avec une importance toute particulière pour les préfaces d'écrivains. On retiendra outre les noms déjà cités, les noms de Pierre Lescure, d'Anatole France, de Marcel Prévost, d'André Thérive...

Le succès de Manon Lescaut *fut immense et dépassa toutes les prévisions. Aujourd'hui même, après un siècle et demi d'admiration, l'on n'est pas encore revenu de la surprise causée par une œuvre aussi inattendue ; on est toujours tenté de se demander comment, au milieu de l'obscur fatras qui compose le volumineux bagage littéraire de l'abbé*

*Prévost, a pu luire, tout à coup cette merveilleuse concep-
tion, éclore spontanément dans le cerveau de l'auteur, sans
travail, sans étude, sans recherche. Mais c'est évidemment
dans les conditions où elle s'est produite que se trouve la
raison de sa supériorité. En traçant rapidement cet épisode
qui se trouve négligemment ajouté par lui à un sujet qu'il
regardait comme épuisé, il dédaigna d'entrer dans les
complications d'intrigues et dans les recherches de style qui
étaient le défaut de son époque. Il fit vite, il fit simple, il fit
vrai, et il se trouve avoir produit un chef-d'œuvre.*

*Histoire du chevalier des Grieux
et de Manon Lescaut,*
précédée d'une étude par Arsène Houssaye,
Jouhaust, 1874.

On a toujours quelque chose à dire sur Manon Lescaut,
*et, en tête d'un pareil livre, on a, en plus, ce grand avantage
de pouvoir dire tout ce qu'on pense. Ceux et celles qui le
lisent savent ce qu'ils font, et ils peuvent tout entendre et
tout lire* [...].

*Et puis jamais moment ne fut plus opportun pour une
pareille publication. Dans une époque où l'on élève des
monuments à tout ce qui a fait la gloire de la France, on
doit bien ce tribut à Manon, qu'en voyant les mœurs
actuelles, nous pouvons appeler le chef de l'école française.
Cette jolie fille est morte dans la misère et dans la solitude,
comme presque tous les inventeurs, comme Papin et Niepce
de Saint-Victor ; mais, heureusement, on a repris son idée,
on l'a remaniée un peu, et, grâce à ces quelques perfection-
nements indispensables, elle fonctionne maintenant comme
la vapeur et la photographie. Les héritières de Manon man-
queraient donc aux devoirs les plus élémentaires de la
reconnaissance et de la tradition, si elles n'achevaient pas
l'histoire de la fondatrice de l'œuvre. Ce petit livre leur est*

indispensable ; il fait partie du culte ; c'est le paroissien des courtisanes [...]. *Transportez le roman de Manon Lescaut, tel qu'il est, dans un autre temps et dans d'autres mœurs, il n'a plus sa raison d'être. Les sentiments qu'il peint, et qui font partie du cœur humain, c'est-à-dire de ce qui est le même éternellement, resteront vrais, mais les faits vous choqueront à chaque moment par leur invraisemblance* [...].

L'abbé Prévost a donc écrit ce livre avec toute la candeur d'un écrivain du XVIIIe siècle. Il n'a songé ni à faire de l'immoralité, ni à faire de la morale, quoi qu'il en ait dit ; il n'a pas cru corriger, pas plus qu'il n'a voulu corrompre.

> Histoire du chevalier des Grieux
> et de Manon Lescaut
> Préface d'Alexandre Dumas fils, 1875.

Seule cette nouvelle immorale et vraie, si juste, qu'elle nous indique à n'en pouvoir douter l'état de certaines âmes à ce moment précis de la vie française, si franche qu'on ne songe même pas à se fâcher de la duplicité des actes, reste comme une œuvre de maître, une de ces œuvres qui font partie de l'histoire d'un peuple.

> Histoire du chevalier des Grieux
> et de Manon Lescaut,
> préface de Guy de Maupassant, 1885.

4. Manon Lescaut et la création poétique et romanesque

Pourquoi Manon Lescaut, dès la première scène,
Est-elle si vivante et si vraiment humaine,
Qu'il semble qu'on l'a vue et que c'est un portrait ? [...]
Manon ! Sphinx étonnant ! véritable sirène,
Cœur trois fois féminin, Cléopâtre en paniers ! [...]
Tu m'aimes autant que Tiberge m'ennuie,

Comme je crois en toi ! Que je t'aime et te hais !
Quelle perversité ! Quelle ardeur inouïe
Pour l'or et le plaisir ! Comme toute la vie
Est dans tes moindres mots ! Ah ! folle que tu es :
Comme je t'aimerais demain si tu vivais.

Alfred de Musset, *Namouna I*, 1833.

J'habitais un vaste appartement de l'ancien palais Nasi devenu une auberge et donnant sur le quai des Esclavons, près le Pont des Soupirs [...].

Voulant échapper au spleen par le travail et l'imagina-tion, je commençai au hasard un roman qui débutait par la description même du lieu, de la fête extérieure et du solennel appartement où je me trouvais. Le dernier ouvrage que j'avais lu en quittant Paris était Manon Lescaut. *J'en avais causé ou plutôt écouté causer, et je m'étais dit que faire de* Manon Lescaut *un homme et de des Grieux une femme, serait une combinaison à tenter et qui offrirait des situations assez tragiques, le vice étant souvent près du crime pour l'homme et l'enthousiasme voisin du désespoir pour la femme.*

J'écrivis ce volume en huit jours [...].

George Sand, *Notice sur Leone Leoni*,
janvier 1853.

III. *XXᵉ siècle*

Le rôle des préfaciers-romanciers s'efface. Une préface de Pierre Mac Orlan (1959), une annexe de Jean Cocteau (édition de 1995 reprenant un texte de 1947), quelques pré-faces d'universitaires qui furent aussi des romanciers (René Étiemble, 1960 et Jean-Louis Bory, 1958). Le terrain est occupé majoritairement par la critique universitaire. On redécouvre l'œuvre entière de Prévost. D'abord l'*Histoire d'une Grecque moderne* avec une préface de Robert Mauzi,

1965, puis l'œuvre presque complète de Prévost grâce aux efforts de Jean Sgard et de ses collaborateurs aux Presses universitaires de Grenoble, 1978, en huit volumes. Pour en rester à *Manon Lescaut* et donner une idée de l'ampleur du travail critique dont elle est l'objet, indiquons, avec sans doute des risques d'oubli, les éditions accompagnées d'un appareil critique et de commentaires publiées depuis 1945 :

Manon Lescaut, édition établie par P. VERNIÈRE, Bibliothèque de Cluny, 1949.

Manon Lescaut, édition établie par Albert-Marie SCHMIDT, Club français du livre, 1949.

Manon Lescaut, édition établie par G. MATORÉ, Droz, 1953.

Manon Lescaut, édition établie par Maurice ALLEM, Garnier, 1957.

Histoire du Chevalier des Grieux et de Manon Lescaut, édition établie par J. DUCARRE, Hachette, 1958.

Manon Lescaut, édition établie par Max BRUN et Claire-Éliane ENGEL, Club des Libraires de France, 1960.

Manon Lescaut, édition établie par Clifford KING, London, Harrap, 1963.

Histoire du Chevalier des Grieux et de Manon Lescaut, édition établie par Fr. DELOFFRE et R. PICARD, Garnier, 1965 (première édition fondamentale de ce texte, rééditée en 1990 et 1995).

Histoire du Chevalier des Grieux et de Manon Lescaut, édition établie par H. COULET, Flammarion, 1967.

Histoire du Chevalier des Grieux et de Manon Lescaut, édition établie par M.-H. DELOFFRE, Le Livre de Poche, 1972.

Histoire du Chevalier des Grieux et de Manon Lescaut, édition établie par R. MAUZI, Imprimerie nationale, 1980.

Histoire du Chevalier des Grieux et de Manon Lescaut, édition établie par P. MALANDAIN, Presses Pocket, 1990 (important dossier).

Histoire du Chevalier des Grieux et de Manon Lescaut, édition établie par Y. STALLONI, Seuil, 1993.

Histoire du Chevalier des Grieux et de Manon Lescaut, édition établie par Jean SGARD, Flammarion, 1995 (édition importante).

Manon Lescaut, édition établie par Catherine LANGLE, Le Livre de Poche, 1995 (reproduit le texte de Jean COCTEAU).

Manon Lescaut, édition établie par M. CORNUD-PEYRON, Hachette, 1996.

Manon Lescaut, présentée par Carole DORNIER, Gallimard, 1997.

Il existe de très nombreuses traductions de *Manon Lescaut*. À titre de rareté signalons une traduction en vietnamien, dont un exemplaire est déposé à la Bibliothèque nationale de France :

Mai-nuong Lê-côt, par Nguyên Van Vinh, Hanoi, 1930.

Un écrivain juge.

Quel cortège aux flambeaux, de joueurs, de tricheurs, de buveurs, de débauchés, de descentes de police. C'est ce parfum crapuleux de poudre à la maréchale, de vin sur la nappe et de lit défait qui donne à Manon la force de vivre à travers les siècles [...].

Notre époque ne verrait pas sans révolte paraître un pareil livre. Elle aime les éclairages indirects et le chauffage central. Elle n'aime plus le feu.

Jean Cocteau *La Revue de Paris*,
octobre 1947, repris en 1995.

TABLE

La littérature classique du XVIIIe siècle dans Le Livre de Poche

Anthologie de la littérature française, le XVIIIe siècle
Dictionnaire des lettres françaises, le XVIIIe siècle

Beaumarchais
Le Barbier de Séville
Le Mariage de Figaro
Théâtre (*La Pochothèque*)

Bernardin de Saint-Pierre
Paul et Virginie

Crébillon
La Nuit et le Moment

Daniel Defoe
Robinson Crusoé

Denis Diderot
Contes
Jacques le Fataliste
Lettre sur les aveugles
Le Neveu de Rameau
et autres textes

Le Neveu de Rameau
Regrets sur ma vieille
robe de chambre *suivi de*
Promenade Vernet
La Religieuse
Supplément au Voyage
de Bougainville

Carlo Goldoni
La Locandiera
Comédies choisies
(*La Pochothèque*)

Pierre Choderlos de Laclos
Les Liaisons dangereuses

Lesage
Turcaret *précédé de*
Crispin, rival de son maître

Composition réalisée par IGS

Achevé d'imprimer en août 2011, en France sur Presse Offset par
Maury Imprimeur - 45330 Malesherbes
N° d'imprimeur : 164790
Dépôt légal 1ʳᵉ publication : août 2005
Édition 06 - août 2011
Librairie Générale Française - 31, rue de Fleurus -75278 Paris Cedex 06